#시험대비
#핵심정복

7일 끝
중간고사
기말고사

Chunjae
Makes
Chunjae

▼

개발총괄	김덕유
편집개발	중등 사회팀
제작	황성진, 조규영

발행일	2021년 3월 15일 초판 2021년 3월 15일 1쇄
발행인	(주)천재교육
주소	서울시 금천구 가산로9길 54
신고번호	제2001-000018호
고객센터	1577-0902
교재 내용문의	(02)3282-1780

7일 **끝**으로 끝내자!

7 고등 한국사

BOOK 1

이 책의 구성과 활용

퀴즈로 생각 열기

공부할 내용을 만화로 가볍게 살펴보며 학습을 준비해 보세요.

❶ 생각 열기 | 만화 내용을 가볍게 보고 퀴즈를 풀면서 학습 목표
를 떠올려 보세요.

❷ 배울 내용 | 공부할 내용을 살피며 핵심 학습 요소를 확인해 보
세요.

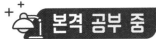
본격 공부 중

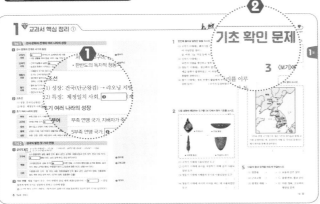

교과서 핵심 정리 + 기초 확인 문제

꼭 알아야 할 교과서 핵심 내용을 익히고 기초 확인 문제를 풀며 제
대로 이해했는지 확인해 보세요.

❶ 빈칸 문제를 채우며 교과서 핵심 내용을 다시 한 번 체크해 보
세요.

❷ 교과서 핵심과 관련된 기초 확인 문제를 풀며 공부한 내용을 확
인해 보세요.

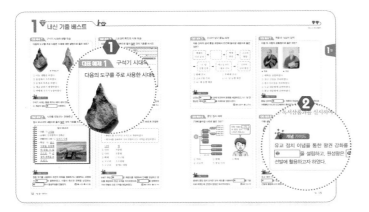

내신 기출 베스트

다양한 유형의 문제를 풀어 보며 공부한 내용을 점검해 보세요.

❶ 대표 예제 문제를 풀며 시험에 잘 나오는 문제를 확인해 보세요.

❷ 개념 가이드를 보며 시험에 잘 나오는 용어나 개념을 익히거나
문제 해결의 힌트를 얻어 보세요.

시험 공부 마무리

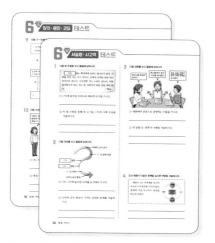

누구나 100점 테스트

앞에서 공부한 내용을 바탕으로 기초 이해력을 점검해 보세요.

서술형·사고력 테스트 / 창의·융합·코딩 테스트

서술형 문제를 집중적으로 풀고, 다양한 자료들을 활용한 문제를 풀며 사고력을 길러 보세요.

학교 시험 기본 테스트

시험 문제에 가까운 예상 문제를 풀며 실전에 대비해 보세요.

틈틈이·짬짬이 공부하기

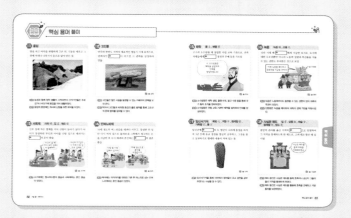

◈ 핵심 용어 풀이

과목별 필수 어휘를 담은 핵심 용어 풀이를 보며 어휘력을 길러 보세요.

◈ 핵심 정리 총집합 카드

카드를 휴대하며 이동할 때나 시험 직전에 활용해 보세요.

이 책의 차례

우리 학교 시험 범위 확인

☑ 시험 범위에 해당하는 부분에 표시해 보세요.

교과서 단원		교재
Ⅰ. 전근대 한국사의 이해	1. 고대 국가의 지배 체제	☐ BOOK❶ 1일, 6일 1회, 7일
	2. 고대 사회의 종교와 사상	☐ BOOK❶ 1일, 6일 1회, 7일
	3. 고려의 통치 체제와 국제 질서의 변동	☐ BOOK❶ 2일, 6일 1회, 7일
	4. 고려의 사회와 사상	☐ BOOK❶ 2일, 6일 1회, 7일
	5. 조선 시대 세계관의 변화	☐ BOOK❶ 3일, 6일 1~2회, 7일
	6. 양반 신분제 사회와 상품 화폐 경제	☐ BOOK❶ 3일, 6일 2회, 7일
Ⅱ. 근대 국민 국가 수립 운동	1. 서구 열강의 접근과 조선의 대응	☐ BOOK❶ 4일, 6일 2회, 7일
	2. 동아시아의 변화와 근대적 개혁의 추진	☐ BOOK❶ 4일, 6일 2회, 7일
	3. 근대 국민 국가 수립을 위한 노력	☐ BOOK❶ 4일, 6일 2회, 7일
	4. 일본의 침략 확대와 국권 수호 운동	☐ BOOK❶ 5일, 6일 2회, 7일
	5. 개항 이후 경제적 변화	☐ BOOK❶ 5일, 6일 2회, 7일
	6. 개항 이후 사회·문화적 변화	☐ BOOK❶ 5일, 6일 2회, 7일
Ⅲ. 일제 식민지 지배와 민족 운동의 전개	1. 일제의 식민지 지배 정책	☐ BOOK❷ 1일, 6일 1회, 7일
	2. 3·1 운동과 대한민국 임시 정부	☐ BOOK❷ 1일, 6일 1회, 7일
	3. 다양한 민족 운동의 전개	☐ BOOK❷ 2일, 6일 1회, 7일
	4. 사회·문화의 변화와 사회 운동	☐ BOOK❷ 2일, 6일 1회, 7일
	5. 전시 동원 체제와 민중의 삶	☐ BOOK❷ 3일, 6일 2회, 7일
	6. 광복을 위한 노력	☐ BOOK❷ 3일, 6일 2회, 7일
Ⅳ. 대한민국의 발전	1. 8·15 광복과 통일 정부 수립을 위한 노력	☐ BOOK❷ 3일, 6일 2회, 7일
	2. 대한민국 정부 수립과 6·25 전쟁	☐ BOOK❷ 4일, 6일 2회, 7일
	3. 4·19 혁명과 민주화를 위한 노력	☐ BOOK❷ 4일, 6일 2회, 7일
	4. 경제 성장과 사회·문화의 변화	☐ BOOK❷ 5일, 6일 2회, 7일
	5. 6월 민주 항쟁과 민주주의의 발전	☐ BOOK❷ 5일, 6일 2회, 7일
	6. 외환위기와 사회·경제적 변화	☐ BOOK❷ 5일, 6일 2회, 7일
	7. 남북 화해와 동아시아 평화를 위한 노력	☐ BOOK❷ 5일, 6일 2회, 7일

Quiz (구석기, 신석기) 시대에는 농경이 시작되어 움집에 거주하며 정착 생활을 하였다.

답 신석기

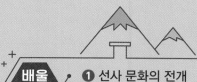

배울 내용

1. 선사 문화의 전개
2. 고조선과 초기 여러 나라의 성장
3. 삼국의 발달 및 가야 연맹
4. 삼국 통일 과정
5. 통일 신라와 발해의 발전
6. 고대 사회의 종교와 사상

Quiz 고구려의 (근초고왕, 장수왕)은 남진 정책을 추진해 한강 유역을 차지하였다.

답 장수왕

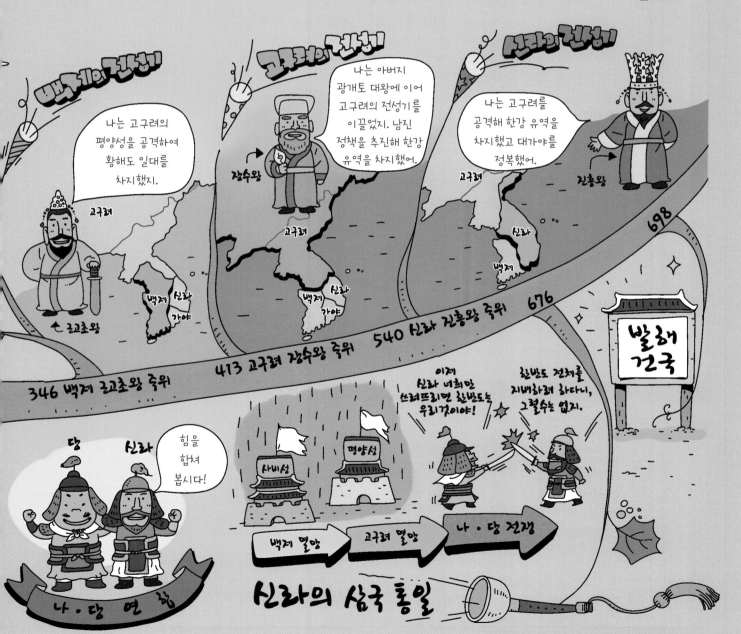

교과서 핵심 정리 ①

개념 1 선사 문화의 전개와 여러 나라의 성장

1 선사 문화의 전개와 국가의 등장

구석기 시대	• ❶ ☐ (주먹도끼, 슴베찌르개) 사용 • 이동 생활을 하며 동굴, 바위 그늘, 막집 등에 거주, 계급이 없는 평등 사회
신석기 시대	• 간석기(갈돌과 갈판), ❷ ☐ 토기, 가락바퀴 등을 사용 • 농경과 목축이 시작되고, 강가나 바닷가의 움집에 거주하며 정착 생활, 평등 사회
청동기 시대	• 지배층의 무기와 장신구 등에는 청동기(비파형 동검, 거친무늬 거울) 사용, 농기구와 생활 도구는 간석기(반달 돌칼) 사용 • 생산력의 발전으로 빈부 격차와 계급 분화 발생, 이 과정에서 군장 출현(군장의 권력을 상 징하는 고인돌, 돌널무덤 건설), 우리 역사상 최초의 국가인 고조선 등장
철기 시대	• 철제 농기구와 철제 무기의 보급으로 농업 생산량이 크게 향상되고, 정복 전쟁이 활발해 져 부여, 고구려, 삼한 등의 연맹체 국가 등장 • 한반도의 독자적 청동기 문화 발전(세형 동검), 중국과 활발한 교류(명도전)

철기와 함께 중국의 화폐인 명도전이 발견되었다.

2 고조선

(1) 성장: 건국(단군왕검) → 랴오닝 지방 중심으로 성장 → 위만 조선 → 한의 침략으로 멸망
(2) 특징: 제정일치 사회, ❸ ☐ (계급 사회, 사유 재산 인정)으로 사회 질서 유지

3 초기 여러 나라의 성장

부여	부족 연맹 국가, 지배자가 죽으면 노비, 신하 등을 함께 묻는 순장 풍습 등
고구려	5부족 연맹 국가, ❹ ☐ 회의를 통해 국가의 중대사 결정, 서옥제 풍습 등
옥저	왕이 없고 군장이 지배, 민며느리제 풍습 등
동예	군장이 지배, 다른 부족의 생활권을 침범하면 소나 말로 변상하는 책화 풍습 등
삼한	마한·진한·변한, 제정 분리 사회, 벼농사 발달, 철 수출 등

개념 2 삼국의 발전 및 가야 연맹

1 삼국의 발전

삼국은 백제(4세기~ 근초고왕) → 고구려(5세기 – 광개토 대왕, 장수왕) → 신라(6세기 – 진흥왕)
순으로 전성기를 맞이하였다.

고구려	소수림왕(태학 설립, 율령 반포, 불교 공인), 광개토 대왕(요동과 만주 장악, 한강 이북 차지), ❺ ☐ (평양 천도, 남진 정책 추진, 한강 유역 차지)
백제	고이왕(관등제·공복 조직), ❻ ☐ (마한 정복, 고구려의 평양성을 공격해 황해도 일대 차지, 해상 교역망 확보), 무령왕(지방의 22담로에 왕족 파견), 성왕(사비 천도)
신라	지증왕(국호 '신라'·'왕' 호칭 사용), 법흥왕(율령 반포, 불교 공인, 금관가야 정복), 진흥왕(화 랑도 개편, 한강 유역 차지, 대가야 정복, 함흥평야 진출)

2 가야 연맹
제철 기술이 우수, 가야 연맹의 중심 세력 변화(금관가야 → ❼ ☐) → 중앙
집권적 영역 국가로 성장하지 못하고 신라에 병합

예 고구려, 백제, 신라는 관등제·신분제 정비, 율령 반포 등을 통해 중앙 집권적 영역 국가로 발전하였다.

❶ 뗀석기

❷ 빗살무늬

❸ 8조법

❹ 제가

❺ 장수왕

❻ 근초고왕

❼ 대가야

정답과 해설 **64**쪽

1 빈칸에 들어갈 알맞은 말을 쓰시오.

(1) 구석기 시대에는 뗀석기를 사용하였고, 무리를 이루어 사냥감을 찾아 (　　　　　) 생활을 하며 동굴, 바위 그늘, 막집 등에 거주하였다.

(2) 신석기 시대에는 (　　　　　)와/과 목축이 시작되면서 식량을 생산하고 정착 생활을 하게 되었다.

(3) 청동기 시대에는 생산력의 발전으로 빈부 격차와 계급 분화가 발생하였고, 이 과정에서 여러 부족을 통합한 권력자인 (　　　　　)이/가 출현하였다.

(4) 철기 시대에는 정복 전쟁이 활발해져 부여, 고구려, 삼한 등의 (　　　　　) 국가가 등장하였다.

2 다음 설명에 해당하는 도구를 〈보기〉에서 찾아 기호를 쓰시오.

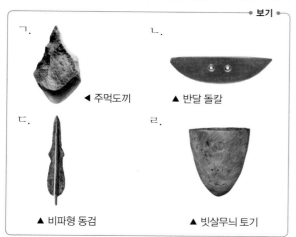

ㄱ.
◀ 주먹도끼

ㄴ.
▲ 반달 돌칼

ㄷ.
▲ 비파형 동검

ㄹ.
▲ 빗살무늬 토기

(1) 구석기 시대에 사용되었던 도구 (　　　)

(2) 신석기 시대에 음식을 저장하기 위해 널리 사용되었던 도구 (　　　)

(3) 청동기 시대에 지배층의 무기로 사용되었던 도구 (　　　)

(4) 청동기 시대에 곡식의 이삭을 따는 데 사용되었던 도구 (　　　)

3 〈보기〉에서 고조선에 대한 설명으로 옳은 것의 기호를 쓰시오.

▶ 보기 ◀
ㄱ. 주몽이 건국하였다.
ㄴ. 제정이 분리된 사회였다.
ㄷ. 당의 침략으로 멸망하였다.
ㄹ. 8조법으로 사회 질서를 유지하였다.

(　　　　　　　　　　)

4 다음에서 설명하는 나라 이름을 지도에서 찾아 쓰시오.

5부족 연맹 국가였으며, 왕은 5부의 대가들과 함께 국가를 운영하였는데, 중죄인의 처형 등 국가의 중대사는 제가 회의를 통해 결정하였다.

(　　　　　　　　　　)

5 다음의 왕과 업적을 바르게 연결하시오.

(1) 법흥왕　　　•　　　• ㉠ 요동과 만주 장악

(2) 근초고왕　　•　　　• ㉡ 율령 반포, 불교 공인

(3) 광개토 대왕 •　　　• ㉢ 마한 정복, 고구려의 평양성 공격

통일 신라와 발해의 발전

1 신라의 삼국 통일

(1) 신라의 삼국 통일 과정: 백제의 신라 공격 → 나·당 동맹 체결 → 나·당 연합군의 공격으로 백제 멸망 → 고구려 멸망 → 당의 한반도 전체 지배 야욕 → ❶ [   ] 전쟁 전개 → 매소성 전투, 기벌포 전투에서 신라 승리 → 신라의 삼국 통일 완성

❶ 나·당

(2) 삼국 통일의 의의와 한계: 삼국의 문화를 융합하여 민족 문화가 발전할 수 있는 기틀을 마련하였지만, 당을 끌어들였고 ❷ [   ] 이남에 한정된 불완전한 통일이었음

❷ 대동강

2 통일 신라의 발전 ┌─ 신라 촌락 문서를 통해 신라가 통일 후 늘어난 생산 자원과
　　　　　　　　　　　　　　노동력을 더욱 철저히 관리했음을 알 수 있다.

왕권 강화	문무왕(삼국 통일 완수, 민족 통합 도모), 신문왕(유학 교육을 위한 국학 설립, 관료전 지급·❸ [ ] 폐지를 통해 귀족의 경제 기반 약화)
통치 체제의 정비	중앙 행정(왕의 직속 기관인 집사부를 중심으로 운영), 지방 행정(9주 5소경 체제로 정비), 군사 조직(9서당 10정으로 편성)

❸ 녹읍

3 신라 말의 변화와 후삼국 성립 왕위 쟁탈전 심화, 지방 세력의 반란(장보고의 난) 등으로 왕권 약화 → 호족과 6두품의 성장 → 견훤의 후백제 건국 → 궁예의 후고구려 건국

4 발해의 발전

건국과 발전	고구려 출신 ❹ [ ] 이 고구려 유민과 말갈 집단을 이끌고 건국하여 고구려를 계승함 → 선왕 때 영토를 확장해 고구려의 옛 땅을 대부분 차지하였고 해동성국이라고 불리며 전성기를 맞음 → 거란의 침략으로 멸망
통치 체제의 정비	중앙(❺ [ ] 의 제도를 수용한 3성 6부를 기본으로 하였으나 운영과 명칭은 독자적), 지방(5경 15부 62주로 정비)

❹ 대조영

❺ 당

예 발해가 건국되면서 남쪽의 통일 신라와 북쪽의 발해가 공존하는 남북국의 형세를 이루게 되었다.

┌─ 고대 사회에서는 하늘의 신이 최고의 신이라고 믿고 숭배하는 천신 신앙이
　자리 잡아 새로 등장한 지배층이 통치를 정당화하는 논리로 이용되었다.

고대 사회의 종교와 사상

불교	• 삼국은 중앙 집권적 영역 국가로 발전하는 과정에서 사상 통일을 위해 불교를 수용하고, 왕권 강화를 이념적으로 뒷받침함('왕이 곧 부처'라는 ❻ [ ] 사상) • 통일 신라는 원효(일심 사상, 아미타 신앙), 의상(화엄 사상, 관음 신앙)을 통해 불교의 대중화가 이루어짐
도교	귀족 사회를 중심으로 유행하였고 예술에 많은 영향을 끼침
풍수지리설	수도 금성(경주)을 중심으로 한 지리 인식에서 탈피, 자신이 사는 지역의 중요성을 깨달음
유학	• 고구려 – 교육 기관인 태학 설립, 백제 – 오경박사의 유교 경전 교육, 신라 – 임신서기석 • 통일 신라는 유교 정치 이념을 통해 왕권 강화를 뒷받침하고자 유학 장려(신문왕 – ❼ [ ] 설립, 원성왕 – 유교 경전의 이해 수준을 시험해 관리를 뽑는 독서삼품과 실시) • 발해는 6부 명칭에 유교 덕목을 사용하고, 유교 경전 교육을 위한 주자감 설치

❻ 왕즉불

└─ 고구려 고분 벽화의 사신도, 백제의 산수무늬 벽돌과 금동 대향로 등

신라에서도 청년들이 유교 경전을
공부하였다는 사실을 알 수 있다.

❼ 국학

예 고대 사회는 불교, 유학 등의 종교와 사상을 통해 왕권을 강화하고자 하였다.

6 〈보기〉에서 가장 먼저 일어난 일의 기호를 쓰시오.

> ─────── 보기 ●
> ㄱ. 나·당 전쟁
> ㄴ. 나·당 동맹 체결
> ㄷ. 나·당 연합군의 공격으로 백제 멸망
> ㄹ. 나·당 연합군의 공격으로 고구려 멸망

(   )

7 빈칸에 들어갈 알맞은 말을 쓰시오.

(1) (   )은/는 삼국 통일을 완성하고 민족 통합을 도모하는 동시에 왕권을 강화해 나갔다.

(2) (   )은/는 유교 정치 이념을 내세우며 국학을 설립하였고, 녹읍을 폐지하고 관료전을 지급하여 귀족의 경제 기반을 약화하였다.

(3) (   )은/는 지방의 호족 세력과 군사력을 토대로 완산주에 도읍을 정하고 후백제를 세웠다.

8 통일 신라 시대의 통치 체제를 바르게 연결하시오.

(1) 중앙 행정 ·   · ㉠ 9서당 10정 편성

(2) 지방 행정 ·   · ㉡ 9주 5소경 체제

(3) 군사 조직 ·   · ㉢ 집사부 중심의 운영

9 (가)에 들어갈 알맞은 나라를 쓰시오.

> 위 지도의 [(가)   ]은/는 고구려 출신 대조영이 고구려 유민과 말갈 집단을 이끌고 지린성 동모산 근처로 이동하여 건국한 나라이다. 고구려를 계승한 [(가)   ]이/가 건국되면서 남쪽의 신라와 북쪽의 [(가)   ]이/가 공존하는 남북국의 형세를 이루었다.

(   )

10 (가)에 들어갈 종교나 사상을 쓰시오.

> • 삼국은 행정 실무를 담당할 관료를 양성하기 위해 태학 등의 교육 기관을 설립하고 [(가)]을/를 보급해 나갔다.
> • 오른쪽의 임신서기석에는 신라의 두 청년이 [(가)]을/를 공부하기로 맹세한 내용이 담겨 있다.

(   )

대표 예제 1 구석기 시대의 생활 모습

다음의 도구를 주로 사용한 시대에 대한 설명으로 옳은 것은?

◀ 주먹도끼

◀ 슴베찌르개

① 이동 생활을 하였다.
② 움집에서 거주하였다.
③ 농경과 목축을 하였다.
④ 계급 분화가 발생하였다.
⑤ 연맹체 국가가 등장하였다.

개념 가이드

구석기 시대는 돌을 깨거나 떼어 내어 만든 **❶** 를 사용하였고, 계급이 없는 **❷** 사회였다.　　**답 ❶** 뗀석기 **❷** 평등

대표 예제 2 시대를 대표하는 문화유산

답사 보고서의 내용으로 옳지 않은 것의 기호를 쓰시오.

답사 보고서

· 이름: ㉠ 고인돌
· 소재지: 인천광역시 강화군
· 만들어진 시대: ㉡ 신석기 시대
· 특징: ㉢ 많은 사람을 동원해야 만들 수 있으므로, ㉣ 군장의 권력을 보여 준다.

(　　　　　　　)

개념 가이드

청동 무기를 사용하여 주변의 부족을 정복하거나 통합하는 과정에서 **❸** 이 출현하였고, 이들이 죽으면 권력을 상징하는 **❹** 이나 돌널무덤을 만들었다.　　**답 ❸** 군장 **❹** 고인돌

대표 예제 3 고조선의 특징과 사회 모습

다음 질문에 대한 답변으로 옳지 않은 것의 기호를 쓰시오.

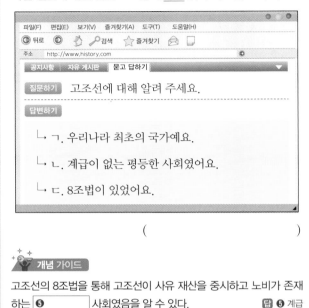

질문하기　고조선에 대해 알려 주세요.

답변하기

└ ㄱ. 우리나라 최초의 국가예요.

└ ㄴ. 계급이 없는 평등한 사회였어요.

└ ㄷ. 8조법이 있었어요.

(　　　　　　　)

개념 가이드

고조선의 8조법을 통해 고조선이 사유 재산을 중시하고 노비가 존재하는 **❺** 사회였음을 알 수 있다.　　**답 ❺** 계급

대표 예제 4 삼국 시대 왕의 업적

다음의 일을 한 왕이 속한 나라와 왕의 이름이 바르게 연결된 것은?

· 한강 유역을 차지하였다.
· 화랑도를 국가적인 조직으로 개편하였다.
· 대가야를 정복하여 가야 연맹의 모든 지역을 편입하였다.

	나라	왕
①	신라	지증왕
②	신라	진흥왕
③	백제	근초고왕
④	고구려	소수림왕
⑤	고구려	광개토 대왕

개념 가이드

6세기 후반, **❻** 은 화랑도를 개편하여 인재를 양성하고 영토를 확장하여 한강 유역을 차지하였으며, **❼** 를 정복하여 가야 연맹의 모든 지역을 편입하였다.　　**답 ❻** 진흥왕 **❼** 대가야

 신라의 삼국 통일 과정

다음 신라의 삼국 통일 과정에서 빈칸에 들어갈 내용으로 옳은 것은?

① 발해 건국
② 후백제 건국
③ 근초고왕 즉위
④ 나·당 동맹 체결
⑤ 나·제 동맹 체결

개념 가이드

신라는 **❽**　　　를 당에 파견하여 동맹을 체결하였고, 나·당 연합군은 백제, **❾**　　　를 차례대로 멸망시켰다.

답 ❽ 김춘추 ❾ 고구려

대표 예제 6 중앙 정치 체제

(가)에 들어갈 나라로 옳은 것은?

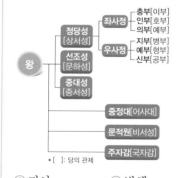

왼쪽 자료는 (가)의 중앙 정치 기구를 나타낸 것입니다.

① 가야
② 발해
③ 백제
④ 고구려
⑤ 통일 신라

개념 가이드

발해의 중앙 정치 조직은 당의 제도를 수용하여 **❿**　　　를 기본으로 하였는데, 운영과 명칭은 독자적이었다.

답 ❿ 3성 6부

대표 예제 7 원효와 의상의 업적

다음 두 사람의 공통점으로 옳은 것은?

▲ 원효　　　▲ 의상

① 태학을 설립하였다.
② 천신 신앙을 전파하였다.
③ 풍수지리설을 전파하였다.
④ 도교 대중화에 공헌하였다.
⑤ 불교 대중화에 공헌하였다.

개념 가이드

통일 신라의 **⓫**　　　는 원효와 의상과 같은 승려들의 활약으로 귀족뿐만 아니라 민간에까지 확대되었다.

답 ⓫ 불교

대표 예제 8 통일 신라의 유학

다음 설명에 대한 근거로 적절한 것은?

삼국 통일을 전후하여 신라는 유교 정치 이념을 통해 왕권의 강화를 뒷받침하고자 하였어요.

① 황룡사를 지었다.
② 불국사를 지었다.
③ 사신도를 제작하였다.
④ 오경박사를 두어 교육하게 하였다.
⑤ 독서삼품과를 실시하여 관리 선발에 활용하고자 하였다.

개념 가이드

유교 정치 이념을 통한 왕권 강화를 위해 신문왕은 교육 기관인 **⓬**　　　을 설립하고, 원성왕은 **⓭**　　　를 실시하여 관리 선발에 활용하고자 하였다.

답 ⓬ 국학 ⓭ 독서삼품과

Ⅰ-03. 고려의 통치 체제와 국제 질서의 변동
~Ⅰ-04. 고려의 사회와 사상

Quiz 고려 광종은 (기인 제도, 노비안검법)을/를 실시해 불법적으로 노비가 된 사람을 양인으로 회복시켜 주었다.

답 노비안검법

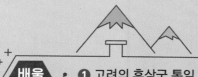

- ① 고려의 후삼국 통일
- ② 고려의 통치 체제 정비
- ③ 고려의 대외 관계
- ④ 고려 후기의 정치 변동
- ⑤ 고려의 사회 모습
- ⑥ 고려의 학문과 사상의 발달

Quiz (성종, 공민왕)은 쌍성총관부를 공격하여 철령 이북의 영토를 회복하였다.

답 공민왕

개념 1   고려의 건국과 통치 체제의 정비

1 고려의 후삼국 통일 과정 궁예의 호족 탄압 → ❶[   ]의 고려 건국 → 고려, 송악으로 천도 → 경순왕의 항복으로 신라 흡수 → 후백제군 격파 → 후삼국 통일

❶ 왕건

2 국가 기틀의 확립 ┌─ 사심관 제도는 중앙의 관리를 출신 지역의 사심관으로 임명해 그 지역을 통제하도록 하는 제도, 기인 제도는 지방 호족의 자제를 수도에 머물게 해 출신 지역의 일을 자문하게 하는 제도이다.

태조 왕건	발해 유민 포용, 호족 포용 정책(호족 세력 우대, 호족 세력과 혼인)과 호족 견제 정책(사심관 제도, 기인 제도) 실시, 민생 안정을 위해 조세 부담을 줄여줌, 불교 장려, 고구려 계승 의식을 바탕으로 북진 정책 실시, 후손들에게 훈요 10조 제시 ┌─ 호족들에게 관직, 토지, 성씨 등을 내려 주었다.	
광종	불법적으로 ❷[ ]가 된 사람을 조사해 양인으로 회복시켜 주는 노비안검법 실시, 과거제 실시, 독자적 연호 사용	❷ 노비
성종	❸[ ]의 시무 28조를 수용하여 유교 정치 이념 채택	❸ 최승로

3 통치 체제의 정비 ┌─ 토지 제도로는 관리들에게 수조권을 행사할 수 있는 전지(농토)와 시지(임야)를 지급하는 전시과 제도가 실시되었다.

중앙 정치 제도	2성(중서문하성과 상서성) 6부(이·병·호·형·예·공부)제 운영, 도병마사와 식목도감(대표 회의 기구) 등을 둠	지방 행정 제도	5도(일반 행정 구역) 양계(군사 행정 구역)+향·부곡·소(특수 행정 구역)	
관리 등용	과거(양인 이상 응시)와 음서(공신이나 고위 관료의 자제 임용)	교육 기관	국자감(개경), ❹[ ](지방)	❹ 향교

예 후삼국을 통일한 태조 왕건은 국가의 기틀을 다지기 위해 호족 세력을 통합하려고 노력하였다.

개념 2   고려 전기의 대외 관계

거란의 침략	1차 침략(❺[ ]의 외교 담판으로 강동 6주 획득) → 2차 침략(강조의 정변을 구실로 침략하였으나 양규의 활약으로 극복) → 3차 침략(강감찬의 귀주 대첩 승리, 천리장성 축조)	❺ 서희
여진의 성장	여진이 고려에게 조공을 바침 → 여진 정벌(여진이 고려 국경을 침범하자 ❻[ ]이 별무반을 이끌고 정벌하여 동북 9성을 설치) → 여진의 금 건국 → 금, 고려에 군신 관계 요구 → 고려, 금의 요구 수용	❻ 윤관

개념 3   문벌 사회의 갈등과 무신 정권의 성립

1 문벌 사회의 갈등 중앙 집권 체제가 정비되면서 ❼[   ] 형성 → 문벌 간 경쟁이 심화되어 이자겸의 난(문벌인 이자겸이 일으킨 반란)과 묘청의 서경 천도 운동(묘청이 서경으로 천도할 것을 주장하며 일으킨 반란) 발생 → 문벌 사회 안팎의 갈등 심화

❼ 문벌

2 무신 정권 성립 문신에 비해 차별을 받은 무신들이 무신 정변을 일으켜 정권을 장악 → 중방(회의 기구) 중심의 정치 운영 → 무신 간 권력 다툼 심화 → 최씨 정권 수립(최충헌 – 교정도감 설치, 최우 – 정방 설치) ┌─ 무신들의 수탈이 계속되고 지배 체제가 문란해지자 농민과 천민들은 수탈에 저항하고 신분 상승을 위해 봉기하였다(망이·망소이의 난, 만적의 난).

예 문벌은 고위 관직을 독점하였는데, 문벌 간 경쟁이 심화되어 정치적 갈등이 나타났다.

1 빈칸에 들어갈 알맞은 말을 쓰시오.

(1) 궁예의 폭정이 심해지고 호족을 탄압하자 왕건은 여러 호족과 함께 궁예를 내쫓고 (   )을/를 건국하였다.

(2) 왕건은 (   ) 계승을 표방하며 나라 이름을 정하였다.

(3) 고려는 경순왕의 항복으로 (   )을/를 흡수하고 내분이 일어난 후백제군을 격파해 후삼국을 통일하였다.

2 다음에서 설명하는 업적을 남긴 고려의 왕을 〈보기〉에서 찾아 기호를 쓰시오.

┌─────────────── 보기 ●─┐
│ ㄱ. 태조   ㄴ. 광종   ㄷ. 성종 │
└──────────────────────┘

(1) 호족을 견제하기 위해 사심관 제도를 실시하였다.
(   )

(2) 최승로의 시무 28조를 수용하여 유교 정치 이념을 채택해 중앙 통치 체제를 정비하였다. (   )

(3) 불법적으로 노비가 된 사람을 조사해 양인으로 회복시켜 주는 노비안검법을 실시하였다. (   )

3 (가)에 들어갈 알맞은 말을 쓰시오.

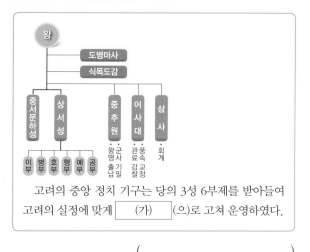

고려의 중앙 정치 기구는 당의 3성 6부제를 받아들여 고려의 실정에 맞게 ⎡ (가) ⎤(으)로 고쳐 운영하였다.

(   )

4 거란의 1차 침입 때 거란과의 담판을 통해 지도의 (가) 지역을 확보한 인물은?

① 양규   ② 서희   ③ 묘청
④ 윤관   ⑤ 강감찬

5 다음 대화의 주제로 가장 적절한 것을 〈보기〉에서 찾아 기호를 쓰시오.

경원 이씨 가문의 이자겸이 반란을 일으킨 사건이 발생했어.

묘청은 서경으로 천도할 것을 주장하며 반란을 일으켰지.

┌─────────────── 보기 ●─┐
│ ㄱ. 여진의 침략 │
│ ㄴ. 문벌 사회의 갈등 │
│ ㄷ. 무신 정변과 무신 정권의 수립 │
│ ㄹ. 농민과 천민들의 신분 해방 운동 │
└──────────────────────┘

(   )

몽골의 침략과 고려 후기의 정치 변동

몽골의 침략과 고려의 항전	몽골의 고려 침략 → 고려, 강화 천도 → 백성 중심의 항전(처인성 전투, 충주성 전투) → 최씨 정권이 무너지면서 강화 체결 → 개경 환도 → 삼별초의 항쟁 및 진압 ┄┄ 몽골의 침략으로 황룡사 9층 목탑, 초조대장경 등의 문화재가 소실되었다.	
원 간섭기의 고려	• 원의 내정 간섭 심화(관제와 왕실의 호칭 격하, 조공 요구 등), 고려의 영토 상실(고려의 영토에 쌍성총관부 등을 설치해 원이 직접 지배) • 친원적 성향의 ❶ [　　　]이 성장해 고위 관직을 독점	❶ 권문세족
공민왕의 개혁 정치	• 반원 자주 정책: 친원 세력 숙청, ❷ [　　　]를 공격하여 철령 이북 영토 회복 • 왕권 강화 정책: 신진 사대부 등용, 전민변정도감 설치	❷ 쌍성총관부
고려의 멸망	이성계, 위화도 회군을 통해 우왕과 최영을 몰아냄 → 이성계와 신진 사대부의 권력 장악 → 신진 사대부, 온건 개혁파(정몽주 등)와 급진 개혁파(정도전, 조준 등)로 분열 → 이성계와 급진 개혁파, 과전법 시행 → 온건 개혁파를 제거하고 조선 건국	

⑩ 공민왕의 개혁 과정에서 신진 사대부가 성장하였고, 홍건적과 왜구의 침략을 격퇴하며 성장한 최영, 이성계 등의 신흥 무인 세력이 고려 정치의 중심 세력으로 떠올랐다.

고려의 사회 모습과 학문·사상의 발달

1 신분 구조 ┄┄ 양인은 직역의 유무에 따라 정호(직역 담당)와 백정(직역을 받지 않은 일반 백성)으로 구성되었다.

양인	• ❸ [　　　]: 최상위 지배층, 문무 관료, 일부는 문벌로 성장 • 중간 계층: 행정 실무를 하는 서리, 지방 행정 실무를 담당하는 향리 등 • 양민(평민): 농민, 상인, 수공업자, 향·부곡·소 주민	❸ 양반
천인	천민: 국가 소유인 공노비 + 개인 소유인 ❹ [　　　], 매매·증여·상속의 대상	❹ 사노비

2 사회 모습

(1) 사회 시책: 농민 생활의 안정을 위해 의창(빈민 구제), ❺ [　　　](물가 안정)을 둠   ❺ 상평창

(2) 농민 공동체: 향도(불교 신앙 조직 + 마을 공동체 유지)

(3) 여성의 지위: 가족 내에서 지위가 높은 편으로 재산 균등 상속, 여성 호주가 가능했음

3 학문과 사상의 발달 ┄┄ 유학의 발달과 함께 김부식의 「삼국사기」, 일연의 「삼국유사」, 이규보의 「동명왕편」, 이승휴의 「제왕운기」와 같은 역사서가 편찬되었다.

유학	• 유교 정치 이념으로 발전(태조 – 6두품 출신 유학자 등용, ❻ [　　　] – 과거제 실시, 성종 – 유교 정치 이념 확립, 국자감 설치) • 성리학의 수용(신진 사대부의 성리학 수용 → 불교 폐단 비판, 개혁 정치 추구)	❻ 광종
불교	불교계가 여러 교단과 종파로 나뉘어 대립하자 의천과 지눌은 불교 통합을 위해 노력함(❼ [　　　] – 교종의 입장에서 선종을 통합하는 천태종 창시, 지눌 – 수선사 결사 결성을 통해 선종 중심으로 교종 통합)	❼ 의천
도교	국가 안정과 왕실의 번영을 기원하는 종교로서 역할을 함	
풍수지리설	미래의 길흉화복을 예측하는 도참사상과 결합, 서경 천도 운동 등 정치 변동에 영향	

⑩ 신진 사대부는 성리학을 개혁 사상으로 이해하고 고려 사회의 모순을 개혁하고자 하였고, 그 결과 성리학은 불교를 대신해 정치, 사회의 중심 이념으로 자리 잡아 갔다.

6 다음 사건들의 원인으로 옳은 것은?

> • 고려의 강화 천도   • 삼별초의 항쟁

① 위화도 회군   ② 쌍성총관부 설치
③ 권문세족의 성장   ④ 몽골의 고려 침략
⑤ 여진의 고려 침략

7 (가)에 들어갈 알맞은 인물을 쓰시오.

원이 쇠퇴하자 [(가)]은/는 원의 간섭을 벗어나고자 하였다. 그래서 [(가)]은/는 기철 등 친원 세력을 제거하고 쌍성총관부를 공격하여 철령 이북의 영토를 회복하였다.

(   )

8 괄호 안의 내용 중 알맞은 말을 골라 ○표 하시오.
(1) (위화도 회군, 홍건적의 난)을 통해 정권을 잡은 이성계는 우왕과 최영을 몰아내고 권력을 장악하였다.
(2) 이성계는 정도전, 조준 등의 (급진, 온건) 개혁파 신진 사대부와 손잡고 관리들에게 지위에 따라 수조권을 지급하는 과전법을 시행하였다.

9 다음은 고려의 신분 및 계층 구조를 나타낸 것이다. (가), (나)에 알맞은 말을 쓰시오.

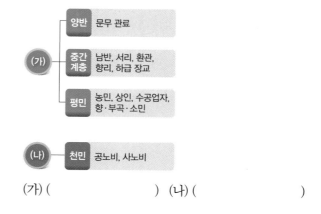

(가) (   ) (나) (   )

10 다음에서 설명하는 인물로 옳은 것은?

> 고려 불교계가 여러 교단과 종파로 나뉘어 대립하자 불교계의 갈등을 해결하기 위해 교종과 선종을 통합하려고 노력하였다. 그는 교종의 입장에서 선종을 통합하는 천태종을 창시하였다.

① 의천   ② 의상   ③ 원효
④ 지눌   ⑤ 김부식

11 빈칸에 들어갈 알맞은 말을 쓰시오.
(1) 고려 성종은 유교 정치 이념에 따라 통치 제도를 정비하고 유학 교육을 위해 개경에 (   )을/를 설치하였다.
(2) 신라 말부터 유행한 (   )은/는 고려 시대에 도참사상과 결합해 널리 유행하였다.
(3) (   )은/는 불로장생과 현세의 복을 추구하는 신앙으로, 고려 시대에는 국가의 안정과 왕실의 번영을 기원하는 종교로서 역할을 하기도 하였다.

대표 예제 1 고려의 후삼국 통일 과정

다음 고려의 후삼국 통일 과정이다. (가)~(라)에 들어갈 내용이 옳은 것은?

> 궁예의 폭정 및 호족 탄압 → [(가)], 여러 호족과 함께 궁예를 내쫓고 고려 건국 → 고구려를 계승해 국호를 '고려'로 하고 [(나)] (으)로 천도 → 경순왕의 항복으로 [(다)] 흡수 → 내분이 일어난 [(라)] 격파 → 후삼국 통일

① (가) - 견훤
② (가) - 정도전
③ (나) - 웅진
④ (다) - 발해
⑤ (라) - 후백제군

 개념 가이드

왕건은 여러 호족과 함께 궁예를 몰아내고 ❶[ ]를 건국하였고, ❷[ ]으로 천도하였다. **답** ❶ 고려 ❷ 송악

대표 예제 2 고려 태조의 업적

(가)에 들어갈 내용으로 옳은 것은?

한국사 인물 카드

- 인물: ○○
- 주요 업적
  - 호족 포용 및 호족 견제 정책 실시
  - 후손들에게 훈요 10조 제시
  - [(가)]

① 불교 탄압
② 과거제 실시
③ 노비안검법 실시
④ 국가적인 조직으로 화랑도 개편
⑤ 고구려 계승 의식을 바탕으로 북진 정책 추진

 개념 가이드

후삼국 통일 후, 태조 왕건은 ❸[ ]을 포용하기 위한 정책을 실시하면서도 사심관 제도, 기인 제도 등을 통해 견제하였다. **답** ❸ 호족

대표 예제 3 고려 전기의 대외 관계

(가)에 들어갈 알맞은 말을 쓰시오.

> 위 그림은 「척경입비도」로 윤관이 별무반을 이끌고 [(가)]을/를 정벌한 후 9성을 설치하고 국경의 비를 세우는 모습이다.

(   )

 개념 가이드

여진이 고려 국경을 침범하자 윤관이 ❹[ ]을 이끌고 정벌하였고, 동북 9성을 설치하였다. **답** ❹ 별무반

대표 예제 4 무신 정권의 성립

다음 빈칸에 들어갈 내용으로 옳은 것은?

| 문벌 사회 안팎의 갈등 심화 | ➡ | | ➡ | 중방 중심의 정치 운영 |

➡ 무신 간 권력 다툼 심화 ➡ 최충헌이 권력을 잡으며 최씨 정권 수립

① 발해의 멸망
② 무신 정변 발생
③ 나·당 전쟁 발생
④ 안시성에서 당과 고려의 전쟁 발생
⑤ 태조 왕건, 사심관 제도와 기인 제도 실시

개념 가이드

문신에 비해 차별을 받은 무신들은 불만이 커져 갔고, 결국 무신들은 ❺[ ]을 통해 권력을 잡았다. **답** ❺ 무신 정변

대표 예제 5 고려의 항전

(가), (나)에 들어갈 알맞은 말을 쓰시오.

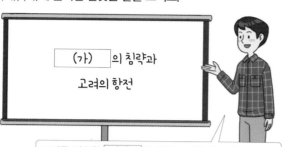

(가) 의 침략과
고려의 항전

고려를 방문한 (가) 의 사신이 피살되는 사건이 발생
하였고 관계가 악화되어 (가) 은/는 고려를 침략하였
어요. 이에 고려는 수도를 개경에서 (나) (으)로 옮겼고
고려의 백성들도 나라를 지키기 위해 맞서 싸웠어요.

(가) (   )

(나) (   )

개념 가이드

몽골의 침략에 맞서 ❻ [   ] 정권은 강화 천도를 하였고 고려의
백성들은 나라를 지키기 위해 맞서 싸웠다.

답 ❻ 최씨

대표 예제 6 고려의 신분 사회

다음 밑줄 친 신분에 대한 설명으로 옳은 것은?

고려의 신분은 대체로 양인과 천인으로 구분되었고, 양
인은 양반, <u>중간 계층</u>, 양민(평민) 등으로 구분되었다.

① 최상위 지배층이다.
② 서리, 향리 등이 해당한다.
③ 문반과 무반으로 구성되었다.
④ 재산처럼 취급되어 매매·증여·상속의 대상이 되었다.
⑤ 농민, 상인, 수공업자, 특수 행정 구역에 거주하는 향·
부곡·소 주민이 해당한다.

개념 가이드

고려의 신분은 양반, 중간 계층, 양민(평민)을 포함한 ❼ [   ] 과
공노비와 사노비를 포함한 ❽ [   ] 으로 구분되었다.

답 ❼ 양인 ❽ 천인

대표 예제 7 고려의 유학

다음 고려 왕의 정책을 통해 알 수 있는 고려 시대 유학의 특징
으로 옳은 것은?

- 태조 – 6두품 출신 유학자를 등용하였다.
- 광종 – 과거제를 실시하였다.
- 성종 – 최승로의 시무 28조를 수용하고 국자감을 설치
  하였다.

① 유학은 도참사상과 결합하였다.
② 유학은 정치 이념으로 발전하였다.
③ 유학은 무신들을 중심으로 수용되었다.
④ 유학은 교종과 선종으로 나뉘어 대립하였다.
⑤ 유학은 국가로부터 대대적인 탄압을 받았다.

개념 가이드

고려 시대에 유교는 ❾ [   ] 이념으로 발전하였고 유학 교육도
확대되었다.

답 ❾ 정치

대표 예제 8 고려의 종교와 사상

다음의 인물과 관련 있는 종교가 바르게 연결된 것은?

무신 정변을 전후하여 종교계에 여러
문제가 발생하였어요. 그래서 종교
본연의 정신을 확립하는 것이 필요했
지요. 나는 독경, 선 수행, 노동에 힘
쓸 것을 주장하며 수선사 결사를 제
창하였답니다.

① 지눌 – 불교   ② 지눌 – 유교
③ 의천 – 도교   ④ 의천 – 유교
⑤ 이성계 – 불교

개념 가이드

고려 불교계의 갈등을 해결하기 위해 ❿ [   ] 은 천태종을 개창
하였고 ⓫ [   ] 은 수선사 결사 결성을 제창하였다.

답 ❿ 의천 ⓫ 지눌

3_일

I-05. 조선 시대 세계관의 변화~
I-06. 양반 신분제 사회와 상품 화폐 경제

Quiz (태조, 성종)은/는 홍문관을 설치하고 『경국대전』을 반포하였다.   답 성종

Quiz 영조는 붕당의 폐해를 극복하기 위해 (탕평책, 6조 직계제)을/를 실시하였다.

답 탕평책

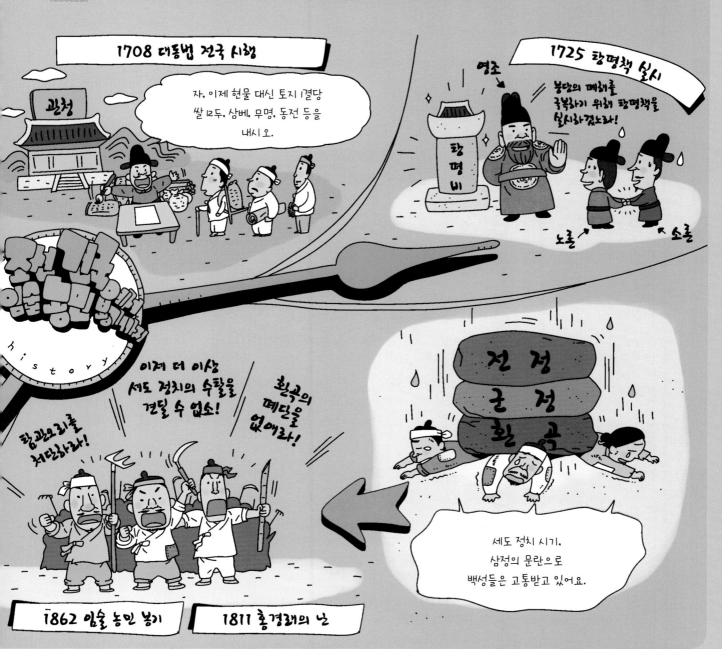

3일 교과서 핵심 정리 ①

개념 1　**조선의 통치 체제 정비**

1 유교 정치의 확립

태종	왕권 강화를 위해 ❶　　　　 혁파, 6조 직계제 실시, 호패법 실시
세종	집현전 설치, 경연 중시, 의정부 서사제를 통한 왕권과 신권의 조화 추구
세조	왕권 강화를 위해 집현전과 경연 폐지, 6조 직계제 실시
성종	왕권과 신권의 조화를 위해 홍문관 설치와 경연 활성화, 『경국대전』 반포

❶ 사병

2 유교적 통치 체제의 정비 ⸺ 유교적 관리 양성을 위해 성균관과 4부 학당(서울), 향교(군현) 등을 두었다.

중앙 정치 제도	• ❷　　　　(최고 합좌 기구)와 6조(행정 업무 담당) 중심의 구성 • 3사(사헌부, 사간원, 홍문관)를 두어 권력의 독점을 견제
지방 행정 제도	전국 8도에는 관찰사, 도 아래에는 부, 목, 군, 현을 두고 수령 파견
관리 등용	과거제(가장 중시되었고 문과, 무과, 잡과로 구성), 음서제, 천거제 실시

❷ 의정부

예 태조 이성계는 성리학을 통치 이념으로 삼았고, 조선은 유교적 통치 체제를 갖추었다.

개념 2　**조선의 정치 운영과 대외 관계의 변화**

1 정치 운영의 변화　⸺ 사림은 주로 3사에 중용되어 권력을 장악하고 있던 훈구를 비판하였다.

사림의 성장과 붕당의 형성	사림과 훈구의 대립으로 여러 차례의 ❸　　　　 발생 → 서원과 향약을 바탕으로 사림의 세력 확대 → 사림, 선조 때 정국 주도 → 척신 정치 청산과 이조 전랑 자리를 두고 사림 내 갈등 심화 → 사림, 동인과 서인으로 나뉨 → 정치 세력의 결집으로 붕당 형성
붕당 정치의 전개와 변질	• 붕당 정치의 전개: 공론을 바탕으로 붕당 상호 간 비판과 견제 가능, 공존 관계 유지 • 붕당 정치의 변질: 붕당 간 대립 심화, 잦은 환국
탕평 정치	영조(탕평파 육성, 서원 정리, 균역법 시행 등), ❹　　　　(규장각 육성, 젊은 관료들 을 재교육하는 초계문신제 시행, 장용영 설치, 수원 화성 건설 등)
세도 정치의 전개	정조 사후, 소수 유력 가문이 권력을 독점하고 정치를 주도하는 세도 정치 전개 → 왕권 약화, ❺　　　　(전정, 군정, 환곡)의 문란

❸ 사화

❹ 정조

❺ 삼정

2 대외 관계 변화 ⸺ 조선 전기에는 사대교린(사대 – 명, 교린 – 일본, 여진 등)을 외교 정책의 기본으로 삼았다.

왜란	도요토미 히데요시의 조선 침략(임진왜란) → 조선 수군, 의병 활약, 명의 참전 → 휴전 협상 실패, 일본군 재침략(정유재란) → 일본군 철수
호란	광해군, 명과 후금 사이에서 ❻　　　　 외교 정책 시행 → 인조반정(광해군 폐위, 인조 즉위) → 인조와 서인 정권의 친명배금 정책 → 후금의 침략(정묘호란) → 후금과 화의 체결 → 청의 군신 관계 요구 → 청의 조선 침략(병자호란) → 조선의 항복, 강화 체결
조선 후기	• 북벌론 – ❼　　　　을 정벌하자는 북벌 운동 전개, 효종 때 왕성하게 추진 • 북학론 – 실학자들을 중심으로 청의 발전된 문물을 배우자는 주장

❻ 중립

❼ 청

예 병자호란은 조선에게 큰 충격을 주었고, 북벌론과 북학론이 나타나게 되었다.

1 괄호 안의 내용 중 알맞은 말을 골라 ○표 하시오.

(1) 태조는 (실학, 성리학)을 조선의 통치 이념으로 삼았다.

(2) 태종은 (왕권, 신권) 강화를 위해 사병을 혁파하고 6조 직계제를 실시하였다.

(3) (세조, 세종)은/는 집현전을 설치하고 경연을 중시하였다.

(4) 성종은 왕권과 신권의 조화를 위해 (홍문관, 집현전)을 설치하였다.

3 조선 시대 사림에 관한 설명으로 옳은 것은?

① 훈구 세력의 지지를 받았다.

② 세조의 즉위에 큰 공을 세웠다.

③ 홍건적과 왜구의 침입을 격퇴하였다.

④ 불교를 정치 이념으로 할 것을 주장하였다.

⑤ 척신 정치 청산과 이조 전랑 자리를 두고 사림 간 갈등이 심화되었다.

4 다음에서 설명하는 왕을 쓰시오.

영조의 탕평책을 계승하여 노론, 소론, 남인을 고루 등용하였고, 정책을 뒷받침할 기구로 규장각을 육성하였다. 또한 왕의 친위 부대인 장용영을 설치하였으며, 수원 화성을 건설하여 개혁 정치의 거점으로 삼고자 하였다.

(   )

2 (가), (나)에 들어갈 알맞은 말을 쓰시오.

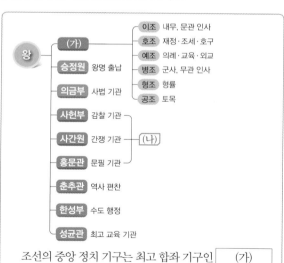

조선의 중앙 정치 기구는 최고 합좌 기구인 (가) 와/과 행정 업무를 담당하는 6조로 구성되었다. 국가의 정책은 국왕이 중심이 되어 (가) 와 6조의 고관들이 회의나 경연에서 합의하여 결정하였다. 사헌부, 사간원, 홍문관으로 구성된 (나) 은/는 권력의 독점을 견제하는 언론 기능을 담당하였다.

(가) (   )

(나) (   )

5 다음을 배경으로 일어난 일로 옳은 것은?

인조반정으로 즉위한 인조와 서인 정권은 명에 대한 의리를 강조하며 후금을 배척하는 친명배금 정책을 취했다.

① 과거제 실시   ② 척화비 건설

③ 임진왜란 발발   ④ 정묘호란 발발

⑤ 정유재란 발발

개념 3 조선의 신분 구조와 상품 화폐 경제의 발달

1 신분 구조와 생활 모습

양인	양반	❶ 을 가질 수 있는 가문으로, 군역 면제 등의 특권 보장
	중인	양반과 상민의 중간 계층, 기술관, 향리, 서리 등이 해당, 서얼도 포함
	상민	농민, 수공업자, 상인 등의 일반 백성으로, 조세, 역의 부담
천인	천민	대부분이 매매·상속·증여의 대상인 노비로, 백정, 무당, 광대 등도 포함

❶ 관직

2 수취 제도 개편

조선 전기	조선 후기
전세(토지 수확량의 10분의 1 납부)	영정법(토지 1결당 쌀 4~6두 징수)
공납(각 지방의 토산물을 거둠)	❷ (공납을 현물 대신 토지 1결당 쌀 12두, 삼베, 무명, 동전 등으로 거두어들임)
역(16세 이상 양인 남자의 노동력 징발)	❸ (군역 대신 군포 납부, 1인당 1필)

❷ 대동법

❸ 균역법

3 상품 화폐 경제의 발달

농업의 발달	┌ 노동력이 절감되고 벼와 보리의 이모작이 가능해져 농업 생산량이 증가하였다. 이앙법(모내기법)이 확산되고 담배, 인삼, 면화 등의 ❹ 재배가 활발해짐 → 농민층이 분화함(일부 농민이 부농으로 성장)
상업과 대외 무역의 발달	• 대동법 실시로 공인이 등장하고, ❺ 이 성장함 • 장시(5일장, 보부상 활동)가 발달하고, 포구에서의 상업 활동이 활발해짐 • 화폐 사용이 증가해 17세기에는 상평통보가 전국적으로 유통됨 • 청과의 무역에는 의주의 만상, 일본과의 무역에는 동래의 내상이 주로 활약하였고, 개성의 송상은 청과 일본을 연결하는 중계 무역을 하였음

❹ 상품 작물

❺ 사상

예 조선은 법제적으로는 양인과 천인으로 구분되는 양천제이지만 실제적으로는 4신분제였다.

개념 4 신분 질서의 변화와 농민 봉기

1 신분제의 동요
┌ 붕당 정치의 변질로 일부 양반에 권력이 집중되어 다수 양반이 향촌 사회에서 겨우 명맥만 유지하는 향반이거나 몰락하여 일반 농민과 다름없는 잔반이 되기도 하였다.

상민의 신분 상승	부유한 상민이 공명첩을 구입하고, 납속책 등을 통해 신분 상승
노비의 신분 상승	노비종모법, 공노비 해방 등을 통해 ❻ 의 수를 줄임

❻ 노비

└ 상민을 증가시켜 국가 재정을 확보하려고 노력하였다.

2 세도 정치기의 농민 봉기

(1) 홍경래의 난: 평안도에 대한 차별과 세도 정치의 수탈에 맞서 봉기 → 홍경래가 이끄는 군, 청천강 이북 장악 → 5개월 만에 관군에 진압

(2) 임술 농민 봉기: 삼정의 문란 → ❼   농민 봉기 발생 → 전국적으로 확산 → 정부, 안핵사를 파견하여 사태를 수습하고 삼정의 문란을 바로잡기 위한 삼정이정청 설치

❼ 진주

예 신분제의 동요로 양반 중심의 신분 질서가 서서히 붕괴되어 갔다.

3일

6 다음 조선의 신분에 해당하는 설명을 바르게 연결하시오.

(1) 양반 ·　　　· ㉠ 노비, 백정, 무당 등이 포함

(2) 중인 ·　　　· ㉡ 기술관, 향리, 서리 등이 해당

(3) 상민 ·　　　· ㉢ 군역 면제 등 각종 특권을 보장받은 지배층

(4) 천민 ·　　　· ㉣ 농민, 수공업자, 상인 등으로 조세, 역을 부담

7 대동법에 대한 설명으로 옳은 것은?

① 각 지방의 토산물을 거두었다.

② 군역 대신 군포를 납부하였다.

③ 토지 1결당 쌀 4~6두를 징수하였다.

④ 토지 수확량의 10분의 1을 납부하였다.

⑤ 공납을 현물 대신 쌀, 삼베, 무명 등으로 거두어들였다.

8 (가)에 들어갈 알맞은 농법을 쓰시오.

조선 후기에 위와 같은 □(가)□ 이/가 전국적으로 확산되면서 김매기에 필요한 노동력이 절감되고 벼와 보리의 이모작이 가능해졌다.

(　　　　　　　)

9 괄호 안의 내용 중 알맞은 말을 골라 ○표 하시오.

(1) 조선 후기, (대동법, 영정법)의 실시로 공인이 등장하고 사상들이 상업을 주도하였다.

(2) 조선 후기,(청, 일본)과의 무역에는 의주의 만상이 주로 활약하였다.

10 다음의 결과로 옳은 것을 〈보기〉에서 찾아 기호를 쓰시오.

- 순조 때 많은 수의 공노비를 해방하였다.
- 영조 때에는 노비종모법을 실시하여 어머니가 노비인 경우에만 자식을 노비로 삼도록 하였다.

━━━ 보기 ━━━
ㄱ. 신분 제도가 폐지되었다.
ㄴ. 노비의 수가 크게 증가하였다.
ㄷ. 신분 상승한 노비가 많아졌다.
ㄹ. 양반의 수가 크게 감소하였다.

(　　　　　　　)

11 (가)에 들어갈 알맞은 인물을 쓰시오.

□(가)□ 은/는 세도 정권의 수탈과 평안도 지방에 대한 차별 대우에 맞서 가산에서 봉기하여 청천강 이북의 여러 고을을 장악했다.

(　　　　　　　)

내신 기출 베스트

대표 예제 1 　 조선 왕의 업적

다음 조선의 왕이 한 일로 옳은 것은?

> 나는 안정된 왕권을 바탕으로 왕도 정치를 실현하고자 하였어. 정책 연구 기관인 집현전을 설치하여 인재를 육성하였고 또한 경연을 중시하였지.

① 한양 천도
② 호패법 시행
③ 6조 직계제 시행
④ 『경국대전』 반포
⑤ 의정부 서사제 시행

개념 가이드

세종은 집현전을 설치하였고 ❶ [　　　] 서사제를 시행하여 ❷ [　　　] 과 신권의 조화를 꾀하였다.

답 ❶ 의정부 ❷ 왕권

대표 예제 2 　 조선의 관리 등용 제도

다음 조선의 관리 등용 제도로 옳은 것은?

① 천거제
② 음서제
③ 과거제
④ 6조 직계제
⑤ 의정부 서사제

개념 가이드

조선 시대 관리를 등용할 때 ❸ [　　　] 시험이 가장 중시되었다. 과거에는 문관을 뽑는 문과, 무관을 뽑는 무과, 기술관을 뽑는 ❹ [　　　] 가 있었다.

답 ❸ 과거 ❹ 잡과

대표 예제 3 　 탕평책의 실시

영조가 다음의 일을 한 까닭으로 옳은 것은?

> 영조는 탕평파를 육성하여 이들을 중심으로 정국을 운영하였고 서원을 대폭 정리하였다. 탕평책의 의지를 알리기 위해 오른쪽의 탕평비를 세웠다.

① 서경으로 천도를 하기 위해서
② 세도 정치를 실시하기 위해서
③ 불교를 정치 이념으로 삼기 위해서
④ 붕당 정치의 폐해를 극복하기 위해서
⑤ 통상 수교 거부 의지를 널리 알리기 위해서

개념 가이드

영조는 붕당 정치의 근거지인 ❺ [　　　] 을 대폭 정리하였으며, 이조 전랑의 인사권을 약화시켰다.

답 ❺ 서원

대표 예제 4 　 북학론

다음 중 북학론을 주장하는 사람의 기호를 쓰시오.

> 병자호란의 치욕을 잊어서는 안 됩니다. 청을 정벌해야 합니다.

> 우리는 명의 문화를 계승한 문화 민족이요. 명에 대한 의리를 지켜야 합니다.

> 청의 발전된 문물을 수용하여 나라를 부강하게 해야 합니다.

(가)　　　(나)　　　(다)

(　　　　　)

개념 가이드

18세기에 들어 실학자들을 중심으로 청의 발전된 문물을 배우자는 ❻ [　　　] 이 나타났다.

답 ❻ 북학론

3일

대표 예제 **5** 조선 시대의 신분

다음 중 일반 백성으로, 조세와 역을 부담하던 신분에 해당하는 기호와 신분의 이름을 각각 쓰시오.

조선의 4신분제 (실제적)

- (가) 문반·무반(관료 계층)
- (나) 기술관, 향리, 서리, 서얼
- (다) 농민, 수공업자, 상인
- (라) 공·사노비, 백정, 무당, 광대

(1) 기호 (   )

(2) 이름 (   )

개념 가이드

조선의 신분은 법제적으로는 ❼   과 천인으로 구분되었지만, 실제적으로는 양반, 중인, ❽   , 천민으로 구분되었다.

답 ❼ 양인 ❽ 상민

대표 예제 **6** 군역의 폐단

다음 밑줄 친 '법'에 대한 설명으로 옳은 것은?

> 군역의 폐단이 심하여 백성들이 살 수 없을 지경이니 이제 이 법을 시행하여 군포를 영구히 1필로 감한다. …… 이제 감소된 액수를 채울 수 있는 대책을 강구하도록 하라.

① 대동법이라고 한다.
② 토지 1결당 쌀 4~6두를 거두어들였다.
③ 현물 대신 쌀, 삼베 등을 거두어들였다.
④ 각 지방의 토산물을 거두어들이는 제도이다.
⑤ 영조가 군역의 폐단을 바로잡기 위해 시행하였다.

개념 가이드

영조는 군역의 폐단을 바로잡기 위해 ❾   을 시행하였고, 그 결과 농민들은 1인당 1년에 군포 1필을 납부하였다.

답 ❾ 균역법

대표 예제 **7** 상평통보의 유통

다음의 화폐에 대한 설명으로 옳은 것은?

상평통보는 17세기 말에 유통된 화폐로, 구리와 주석의 합금으로 만들었다.

① 한양에서만 유통되었다.
② 우리나라 최초의 화폐이다.
③ 청과의 무역에서만 사용되었다.
④ 화폐로 인해 유통 경제의 발달이 쇠퇴하였다.
⑤ 상품 화폐 경제의 발전과 더불어 사용이 늘어나 전국적으로 유통되었다.

개념 가이드

조선 후기 화폐 사용이 증가해 17세기에는 ❿   가 전국적으로 유통되었다.

답 ❿ 상평통보

대표 예제 **8** 신분 사회의 동요

다음에서 설명하는 것은 무엇인지 쓰시오.

관직을 받는 사람의 이름을 쓰는 곳이 비어 있는 관직 임명장으로, 부유한 상민들은 이를 통해 신분 상승을 꾀했어요.

(   )

개념 가이드

상품 화폐 경제가 발전하면서 부유한 ⓫   들이 나타났고, 이들은 공명첩 구입, 납속 등의 방법으로 양반이 되려 하였다.

답 ⓫ 상민

4  일

Ⅱ-01. 서구 열강의 접근과 조선의 대응
~ Ⅱ-03. 근대 국민 국가 수립을 위한 노력

Quiz 홍선 대원군은 경복궁 중건, 호패법 실시, (서원, 우정국) 철폐 등을 실시하였다.   답 서원

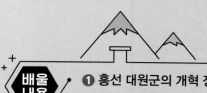

배울 내용

❶ 흥선 대원군의 개혁 정치
❷ 양요의 발발
❸ 갑신정변

❹ 동학 농민 운동
❺ 갑오·을미개혁
❻ 독립 협회의 활동

Quiz 서재필은 (독립 협회, 신민회)를 창립해 독립문 건설, 만민 공동회 개최 등을 하였다.

답 독립 협회

4 교과서 핵심 정리 ①

개념 1 흥선 대원군의 정책과 양요의 발발

1 흥선 대원군의 개혁 정치

통치 체제 정비	능력에 따른 인재 등용, 세도 가문이 주도하던 비변사를 사실상 폐지	
경복궁 중건	• 원납전 징수와 **❶** 　　　 발행으로 중건 비용을 마련하였음 • 많은 백성이 공사에 동원되고, 양반 묘지림이 훼손되어 불만을 초래	❶ 당백전
서원 철폐	서원을 47개만 남기고 모두 철폐하고, 서원 소유의 토지와 노비 몰수	
삼정의 문란 개혁	양전 사업 실시(누락된 토지를 찾아 세금 징수), 호포제 실시(양반에게도 군포 징수), 사창제 실시(지방관과 향리의 횡포를 막음)	

2 통상 수교 거부 정책과 양요의 발발

병인양요	**❷** 　　　를 구실로 프랑스가 강화도 공격 → 한성근 부대(문수산성)와 양헌수 부대(정족산성)의 활약으로 프랑스군 격퇴 → 프랑스군, 외규장각 도서 약탈	❷ 병인박해
오페르트 도굴 미수 사건	독일 상인 오페르트가 조선 조정에 통상을 요구하였다 거절당하자 남연군(흥선 대원군의 아버지)의 묘를 도굴하려고 시도 → 실패함	
신미양요	제너럴셔먼호 사건을 구실로 미국이 **❸** 　　　 침략 → 어재연 부대(광성보)의 항전 → 미군 철수 └─ 미국 상선 제너럴셔먼호가 통상을 요구하며 횡포를 부리자 평양 관민들이 상선을 침몰시킨 사건	❸ 강화도
척화비 건립	흥선 대원군은 척화비를 세워 통상 수교 **❹** 　　　 의지를 천명	❹ 거부

예 신미양요 이후 흥선 대원군은 전국 각지에 척화비를 세웠다.

개념 2 개화 정책과 위정척사 운동

1 문호 개방과 개화 정책 추진

강화도 조약 체결	• 일본, 운요호 사건을 일으켜 문호 개방 요구 → 일본과 조약 체결 • 외국과 맺은 최초의 근대적 조약이자 **❺** 　　　 조약	❺ 불평등
조·미 수호 통상 조약 체결	• 러시아를 견제한 청의 권고와 『조선책략』 유포 → 미국과 조약 체결 • 서양 국가와 맺은 최초의 근대적 조약이자 불평등 조약	
개화 정책 추진	개화 정책 담당 기구인 통리기무아문 설치, 신식 군대인 **❻** 　　　 설치, 5군영을 2영으로 개편, 해외 시찰단 파견 등 └─ 일본 – 조사 시찰단, 청 – 영선사	❻ 별기군

2 위정척사 운동과 임오군란 ┌─ 임오군란으로 조선은 일본과 제물포 조약을 체결하였고, 청과는 조·청 상민 수륙 무역 장정을 체결하였다.

위정척사 운동	• 서양 문물의 수용을 거부하고 성리학적 질서를 수호하려는 운동 • 통상 반대 → 개항 반대 → 개화 정책 반대	
임오군란	개항 이후 경제적 어려움, 구식 군인과 신식 군인 간의 차별 → 구식 군인들이 폭동을 일으킴(임오군란) → 하층민의 가세 → 흥선 대원군의 재집권 → 민씨 일파의 파병 요구로 **❼** 　　　 이 개입하여 진압 → 청의 내정 간섭 심화	❼ 청군

예 조선은 강화도 조약, 조·미 수호 통상 조약 등을 체결하여 문호를 개방하게 되었다.

기초 확인 문제

정답과 해설 **67**쪽

1 〈보기〉에서 흥선 대원군이 한 일로 옳은 것을 모두 찾아 기호를 쓰시오.

┌─────────────────── 보기 ───
│ ㄱ. 경복궁을 중건하였다.
│ ㄴ. 비변사를 설립하였다.
│ ㄷ. 호포제를 폐지하였다.
│ ㄹ. 서원을 47개만 남기고 모두 철폐하였다.
└────────────────────────────

(   )

2 다음 지도를 보고, 괄호 안의 내용 중 알맞은 말을 골라 ○표 하시오.

(1) 조선은 한성근 부대와 양헌수 부대의 활약으로 (미군, 프랑스군)의 침략을 물리쳤다.

(2) 미군이 강화도를 침략하여 초지진과 덕진진을 함락 하고 (광성보, 문수산성)을/를 공격하자 어재연이 이끄는 부대는 결사 항전을 벌였다.

3 신미양요 이후 흥선 대원군이 통상 수교 거부 의지를 알리기 위해 한 일로 옳은 것은?

① 병인박해   ② 탕평비 건립
③ 이양선 건조   ④ 척화비 건립
⑤ 조·미 수호 통상 조약 체결

4 다음에서 설명하는 조약을 쓰시오.

운요호 사건을 일으킨 일본이 조선에 문호 개방을 요 구하여 체결한 조약이다. 이 조약은 조선이 외국과 맺은 최초의 근대적 조약이었으나 조선에 불리한 불평등 조약 이다.

(   )

5 위 **4**의 조약을 체결한 이후 조선 정부가 추진한 개화 정책 으로 옳지 **않은** 것은?

① 별기군을 설치하였다.
② 사창제를 실시하였다.
③ 통리기무아문을 설치하였다.
④ 5군영을 2영으로 개편하였다.
⑤ 청과 일본에 해외 시찰단을 파견하였다.

6 다음 빈칸에 들어갈 알맞은 말을 쓰시오.

(1) 별기군에 차별을 받던 (   )들이 13개월 만에 급료로 지급된 쌀에 겨와 모래가 섞여 있자 분 노하여 임오군란을 일으켰다.

(2) 임오군란으로 (   )의 정치적 간섭과 경 제적 침투가 심화되었다.

개념 3 개화파의 분화와 갑신정변

1 개화파의 분화 개화 정책의 추진 방식과 **❶**　　　에 대한 입장 차이로 온건 개화파(동도서기론 주장)와 급진 개화파(문명개화론 주장)로 분화됨

❶ 청

2 갑신정변

배경과 전개	급진 개화파, **❷**　　　 개국 축하연에서 정변을 일으켜 개화당 정부 수립 → 개혁 정강 발표 → 청군의 개입으로 3일 만에 실패 ┌청에 대한 사대 관계 청산, 내각 제도 수립 등을 내용으로 하였다.
결과	일본과 한성 조약 체결, 청과 일본 간 텐진 조약 체결

❷ 우정총국

⟮예⟯ 갑신정변은 자주적 근대 국가 건설을 위한 정치 개혁 운동이었으나, 일본의 군사 지원에 의존하고 백성의 지지 확보에 실패하였다.

개념 4 근대 국민 국가 수립을 위한 노력

1 동학 농민 운동

전개	• 고부 농민 봉기: 고부 군수 조병갑의 횡포 → 전봉준이 이끄는 농민군이 고부 관아 점령 → 자진 해산 • 제1차 봉기(반봉건): 안핵사 이용태의 탄압 → 농민군 봉기 → 전주성 점령 → 전주 화약 체결 → 전라도 각지에 농민 자치 조직인 **❸**　　　 설치, 폐정 개혁 실시 • 제2차 봉기(반외세): 일본의 내정 간섭 심화 → 남·북접 부대, 논산 집결 후 서울 진격 → 공주 우금치 전투에서 농민군 패배 → 전봉준을 비롯한 지도자 체포, 처형
의의와 한계	반봉건, 반외세 성격을 가졌으며 **❹**　　　에 영향을 주었으나, 근대 사회 건설을 위한 구체적인 방안은 제시하지 못함

❸ 집강소

❹ 갑오개혁

2 갑오·을미개혁 ┌근대 국민 국가 수립의 기틀을 마련하였지만, 일본의 간섭 속에 추진되고 민중의 지지를 얻지 못하였다.

제1차 갑오개혁	김홍집 내각이 **❺**　　　를 설치하고 개혁 추진 → 궁내부 신설, 탁지아문으로 국가 재정 일원화, 과거제 폐지, 신분제 폐지 등을 추진함
제2차 갑오개혁	김홍집·박영효 연립 내각을 구성하여 개혁 추진 → **❻**　　　를 반포해 조선이 독립국임을 선포하고 내각 권한 강화, 80아문을 7부로 개편, 교육 입국 조서 반포 등을 추진함
을미개혁	김홍집 내각이 일본의 간섭 속에 개혁 추진 → 태양력 사용, '건양' 연호 사용, 종두법 시행, 단발령 실시 등을 추진함 → 고종이 아관 파천을 단행하여 개혁 중단

└ 제3차 갑오개혁

❺ 군국기무처

❻ 홍범 14조

3 독립 협회와 대한 제국

독립 협회	• 서재필이 『독립신문』을 창간하였고 이어 개화파 관료들과 독립 협회를 창립함 • 독립문과 독립관 건립, 만민 공동회를 개최하여 러시아의 이권 요구 저지, 관민 공동회에서 **❼**　　　를 채택하여 중추원 관제 반포 등을 함
대한 제국	• 러시아 공사관에 머물던 고종이 환궁하여 대한 제국 수립을 선포 • 대한국 국제를 반포해 자주독립국을 천명하고 황제권 강화 시도, 구본신참 원칙에 따른 광무개혁 추진 ┌양전 사업 실시, 토지 소유권을 보장하는 문서인 지계 발행, 상공업 진흥, 철도·전차 부설, 우편 제도 정비 등

❼ 헌의 6조

⟮예⟯ 대한 제국은 자주독립과 근대화를 지향하였지만 황제권 강화에 주력하였다는 한계가 있다.

7 〈보기〉에서 갑신정변에 대한 설명으로 옳은 것을 모두 찾아 기호를 쓰시오.

┌─────────────────────────── 보기 ───┐
ㄱ. 급진 개화파가 주도하였다.
ㄴ. 일본군의 개입으로 3일만에 실패하였다.
ㄷ. 우정총국 개국 축하연에서 정변이 일어났다.
ㄹ. 정변을 일으킨 사람들은 일본에 대한 사대 관계를 청
　산할 것을 주장하였다.
└─────────────────────────────────────┘

(　　　　　　　　　　)

8 (가)에 들어갈 알맞은 인물을 쓰시오.

　전라도 고부 군수로 부임한 조병갑은 부정과 탐학을
일삼았다. 이에 ┌─(가)─┐ 은/는 농민들을 이끌고 고부
관아를 습격하여 점령하였다. 농민들은 조병갑을 내쫓고
아전들을 처벌하였으며 관아의 곡식을 백성들에게 나누
어 주었다. 이를 알게 된 정부는 폐정의 시정을 약속하며
회유하자 농민들은 자진 해산하였다.

(　　　　　　　　　　)

9 동학 농민군의 제1, 2차 봉기와 관련된 일을 바르게 연결하시오.

(1) 제1차 봉기 ・　　　　　　・ ㉠ 우금치 전투

(2) 제2차 봉기 ・　　　　　　・ ㉡ 집강소 설치

10 괄호 안의 내용 중 알맞은 말을 골라 ○표 하시오.

(1) 제1차 갑오개혁 때 김홍집 내각이 군국기무처를 설
　립하고 (탁지아문, 통리기무아문)으로 국가 재정
　을 일원화하였다.

(2) 제2차 갑오개혁 때 고종은 국정 개혁의 기본 강령
　인 (홍범 14조, 전주 화약)을/를 반포하였다.

(3) 을미개혁 때 김홍집 내각은 일본의 간섭 속에서
　(단발령 실시, 호포제 실시), 종두법 시행, 태양력
　사용 등의 개혁을 추진하였다.

11 다음에서 설명하는 단체를 쓰시오.

　이 단체는 여러 계층의 사람들이 참여한 근대적 대중
집회인 만민 공동회를 개최하였다. 만민 공동회를 통해
개혁 운동에 국민이 직접 참여하게 함으로써 일부 관료
가 주도하던 갑신정변과 갑오개혁의 한계를 극복하려고
하였다.

(　　　　　　　　　　)

12 광무개혁의 내용으로 옳지 **않은** 것은?

① 지계 발행　　　　② 철도 부설
③ 당백전 발행　　　④ 양전 사업 실시
⑤ 우편 제도 정비

4일 내신 기출 베스트

대표 예제 1 　홍선 대원군의 개혁 정치

홍선 대원군이 군정의 폐단을 시정하기 위해 양반에게도 군포를 거두었던 (가) 제도를 쓰시오.

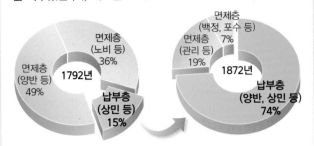

▲ ＿(가)＿ 실시에 따른 군포 부담층의 변화

(　　　　　　　　)

개념 가이드

홍선 대원군은 당파, 지역, 신분을 가리지 않고 ❶ ＿＿＿＿＿ 에 따라 인재를 등용하였고, ❷ ＿＿＿＿＿ 을 47개만 남기고 철폐하였으며 호포제와 사창제를 실시하였다. 　　　　답 ❶ 능력 ❷ 서원

대표 예제 2 　양요의 발발

(가)에 들어갈 알맞은 사건으로 옳은 것은?

의궤를 포함한 외규장각의 도서들은 조선 왕실의 역사를 알 수 있는 소중한 자료입니다. 그런데 이 소중한 자료들의 소유권은 프랑스에 있습니다. 외규장각의 도서들은 ＿(가)＿ 때 프랑스군이 불법으로 약탈해 간 것이므로, 그 소유권이 프랑스가 아닌 우리나라에 있어야 합니다.

① 임오군란　　② 갑신정변　　③ 갑오개혁
④ 신미양요　　⑤ 병인양요

개념 가이드

병인박해를 구실로 ❸ ＿＿＿＿＿ 은 강화도를 공격하였고, 한성근 부대와 양헌수 부대가 활약하여 이들은 강화도에서 철수하였다. 그러나 이 과정에서 외규장각 도서가 약탈당했다. 　　답 ❸ 프랑스군

대표 예제 3 　통상 수교 거부 정책

신미양요 이후, 통상 수교 거부 의지를 널리 알리기 위해 세운 비의 이름과 비를 세운 사람을 쓰시오.

서양 오랑캐가 쳐들어오는데 싸우지 않으면 화친하는 것이고, 화친을 주장하는 것은 나라를 파는 것이다.

(1) 비의 이름 (　　　　　　　　)
(2) 비를 세운 사람 (　　　　　　　)

개념 가이드

신미양요 이후 홍선 대원군은 전국 각지에 척화비를 세워 서양과의 ❹ ＿＿＿＿＿ 을 거부한다는 의지를 널리 알렸다. 　　답 ❹ 통상

대표 예제 4 　강화도 조약

(가)에 들어갈 나라로 옳은 것은?

강화도 조약

제1관　조선은 자주국이며 ＿(가)＿ 와/과 평등한 권리를 가진다.

제7관　조선국 연해를 ＿(가)＿ 국의 항해자가 자유롭게 측량하도록 허가한다.

제10관　＿(가)＿ 국 국민이 조선국이 지정한 각 항구에 머무르는 동안 죄를 범한 것이 조선국 국민에게 관계되는 사건일 때는 모두 ＿(가)＿ 국 관원이 심판한다.

① 미국　　　② 일본　　　③ 영국
④ 러시아　　⑤ 프랑스

개념 가이드

일본과 조선이 맺은 ❺ ＿＿＿＿＿ 은 조선이 외국과 맺은 최초의 근대적 조약이지만 조선에게 불리한 ❻ ＿＿＿＿＿ 조약이었다. 　　답 ❺ 강화도 조약 ❻ 불평등

대표 예제 5 급진 개화파의 정변

다음 신문의 (가)에 들어갈 사건으로 옳은 것은?

△△신문

1884년 ○월 △△일

오른쪽의 박영효, 김옥균, 서광범, 서재필 등의 급진 개화파는 우정총국 개국 축하연을 이용하여 (가) 을/를 일으켰다. 이들은 정치 개혁을 위해 개혁 정강을 발표하였다.

① 임오군란   ② 갑오개혁   ③ 갑신정변
④ 병인박해   ⑤ 운요호 사건

개념 가이드

급진 개화파는 **❼** 개국 축하연에서 정변을 일으키고 개화당 정부를 수립하였지만, **❽** 의 개입으로 3일 만에 정변이 실패로 끝났다.

답 **❼** 우정총국 **❽** 청군

대표 예제 6 동학 농민 운동의 성격

다음 밑줄 친 곳에 들어갈 내용으로 옳은 것은?

동학 농민군은 제1차 봉기 때 청·일 양군에 대한 철병 요구와 폐정 개혁을 조건으로 관군과 전주 화약을 맺고 해산하였어요. 그러나 동학 농민군은 _____ 위해 다시 봉기하였어요.

① 경복궁 중건을
② 조병갑을 파면하기
③ 대한 제국을 세우기
④ 일본의 침략을 물리치기
⑤ 청·일 전쟁에 참여해 일본을 돕기

개념 가이드

동학 농민 운동은 반봉건·**❾** 의 성격을 띤 민족 운동으로, 동학 농민군의 개혁 요구는 갑오개혁에 반영되었고 농민군의 잔여 세력은 항일 의병 투쟁에 참여하였다.

답 **❾** 반외세

대표 예제 7 갑오개혁

(가)에 들어갈 내용으로 옳은 것은?

김홍집 내각은 개혁 안건을 의결하기 위해 군국기무처를 설치하고 제1차 갑오개혁을 추진하였다. 군국기무처는 (가) 등의 개혁 안건을 의결하였다.

① 집강소 설치   ② 대동법 실시
③ 신분제 폐지   ④ 과거제 강화
⑤ 상평통보 유통

개념 가이드

제1차 갑오개혁에서 김홍집 내각은 **❿** 를 설치하고 과거제 폐지, 신분제 폐지 등의 개혁을 추진하였다.

답 **❿** 군국기무처

대표 예제 8 독립 협회의 활동

밑줄 친 '이 단체'가 한 일로 옳은 것은?

이 단체는 자주독립을 상징하기 위해 독립문을 세우고 모화관을 독립관으로 개조하였다.

① 원납전을 징수하였다.
② 병인박해를 주도하였다.
③ 아관 파천을 단행하였다.
④ 만민 공동회를 개최하였다.
⑤ 국정 개혁의 기본 강령인 홍범 14조를 반포하였다.

개념 가이드

독립 협회는 청의 사신을 맞이하던 영은문이 헐린 자리 부근에 **⓫** 을 세우고 청의 사신을 영접하던 모화관을 **⓬** 으로 개조하여 애국심을 고취하였다.

답 **⓫** 독립문 **⓬** 독립관

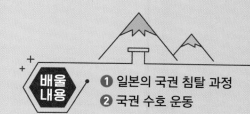

배울
내용
❶ 일본의 국권 침탈 과정
❷ 국권 수호 운동
❸ 경제적 구국 운동
❹ 근대 시설의 도입

Quiz (일진회, 신민회)는 인재 양성을 위해 평양에 대성 학교를 설립하였다.
답 신민회

개념 1 일본의 국권 침탈 과정

부당함을 알리는 논설인 '시일야방성대곡'이 발표되었으며, 민영환 등이 자결을 통해 항의하였고, 고종은 헤이그 특사를 파견하였다.

한·일 의정서	제1차 한·일 협약	제2차 한·일 협약 (❶)	고종의 강제 퇴위
전쟁 수행시 일본이 대한 제국의 영토를 마음대로 사용 가능	외교·재정 고문 파견 → 일본의 내정 간섭 본격화	외교권 박탈, 통감부 설치 → 각계각층의 저항	헤이그 특사 파견을 구실로 고종 퇴위

❶ 을사늑약

행정권을 장악하였다.

한·일 신협약 (정미 7조약)	군대 해산	사법권·경찰권 박탈	한국 병합 조약
차관 정치 실시	대한 제국의 군대 해산	사법·치안 등 장악	❷ 강탈

❷ 국권

개념 2 간도와 독도

간도 귀속 문제: 청과 조선은 백두산정계비로 간도 지역 국경 확정 → 19세기 조선인의 간도 이주 증가 → 청과 영유권 분쟁 발생 → 대한 제국, 간도 관리사(이범윤) 파견

간도	일본은 간도 협약을 통해 간도를 ❸ 의 영토로 인정해 이익을 얻음
독도	삼국 시대 이래 우리 영토로 편입·인식되었고, 대한 제국 칙령 제41호를 통해 우리 영토임을 분명히 함 → 일본, 시마네현 고시 제40호로 독도 불법 편입

❸ 청

개념 3 국권 수호 운동

1 항일 의병 운동

을미의병	을미사변과 ❹ 을 계기로 전개
을사의병	을사늑약 체결을 계기로 전개되었고, 신돌석 등의 ❺ 출신 의병장이 등장함
정미의병	• 고종의 강제 퇴위와 군대 해산을 계기로 전개되었고 해산 군인의 가담으로 전투력이 강화되고 다양한 계층이 참여하면서 의병 전쟁으로 발전 • 13도 창의군을 결성해 서울 진공 작전을 추진했으나 실패함

❹ 단발령

❺ 평민

2 의열 투쟁 나철, 오기호(을사 5적 처단 노력), 장인환·전명운(외교 고문 스티븐스 저격), ❻   (이토 히로부미 처단), 이재명(이완용 습격) 등

❻ 안중근

3 애국 계몽 운동 ─ 헌정 연구회는 입헌 정치 체제 수립을 지향하고 일진회의 친일을 규탄하였다.

보안회	일본의 황무지 개간권 요구 저지
대한 자강회	지회 설립, 고종 황제 강제 퇴위 반대 운동 전개
신민회	• 안창호, 양기탁 등이 비밀 결사로 조직 → ❼ 에 바탕을 둔 근대 국가 수립을 목표로 함 → 일제가 날조한 105인 사건으로 국내 조직 와해 • 주요 활동: 대성 학교, 오산 학교 설립, 남만주의 삼원보에 독립운동 기지를 건설하고 독립군 양성을 위해 신흥 강습소(이후 신흥 무관 학교)를 설립함

❼ 공화정

(비교) 항일 의병 운동은 무장 투쟁, 애국 계몽 운동은 실력 양성 운동을 통해 국권을 회복하고자 하였다.

정답과 해설 **68**쪽

1 다음 조약 체결로 일본이 대한 제국으로부터 침탈한 것을 바르게 연결하시오.

(1) 한국 병합 조약 •   • ㉠ 국권 강탈

(2) 제1차 한·일 •   • ㉡ 외교권 강탈
   협약

(3) 정미 7조약 •   • ㉢ 일본인 차관 정
              치 실시

(4) 을사늑약 •   • ㉣ 고문을 파견해
              일본의 내정 간
              섭 본격화

(5) 한·일 의정서 •   • ㉤ 전쟁 수행시 일
              본이 대한 제국
              의 영토 사용

2 (가)에 들어갈 알맞은 말을 쓰시오.

고종은 (가) 의 부당함을 알리기 위해 1907년 네덜란드 헤이그에서 열린 만국 평화 회의에 이준, 이상설, 이위종을 특사로 파견하였다. 그러나 일본 등의 방해로 성과를 거두지 못하였고, 일본은 특사 파견을 빌미로 고종을 강제 퇴위시키고 순종을 즉위시켰다.

(   )

3 괄호 안의 내용 중 알맞은 말을 골라 ○표 하시오.

(1) 대한 제국은 이범윤을 (간도, 독도) 관리사로 임명하고 토지와 호구를 조사하는 등 영유권을 행사하였다.

(2) 대한 제국은 대한 제국 칙령 제41호를 통해서 울도 군수의 관할 구역을 울릉도와 석도로 규정하여 (간도, 독도)가 우리 땅임을 분명히 하였다.

(3) 일본은 (시마네현 고시 제40호, 태정관 지령)을/를 통해 독도를 불법으로 일본의 영토에 편입하였다.

4 다음 〈보기〉에서 항일 의병 운동이 일어난 순서대로 기호를 쓰시오.

┌─────────────────── • 보기 •
│ ㄱ. 정미의병   ㄴ. 을사의병
│ ㄷ. 을미의병
└───────────────────

(   )

5 다음에서 설명하는 단체를 쓰시오.

▲ 대성 학교

안창호, 양기탁 등이 조직한 비밀 결사 단체로, 국권 회복과 공화정에 바탕을 둔 근대 국가 수립을 목표로 하였다. 인재 양성을 위해 정주에 오산 학교, 평양에 대성 학교를 설립하였다.

(   )

개념 4   개항 이후 열강의 경제 침략과 경제적 구국 운동

1 열강의 경제 침략

┌─ 외국 상인들은 개항장 10리 이내의 거류지에서만 활동이 가능하였다.

개항 이후	개항 초기(거류지 무역) → ❶ _____ 상인의 활동 본격화
임오군란 이후	외국 상인의 내륙 진출, 일본과 청 상인의 치열한 상권 경쟁 → 청 · 일 전쟁으로 청 상인의 세력이 약화되어 일본 상인이 국내 상권을 독점함
아관 파천 이후	열강의 이권 침탈 심화
제1차 한 · 일 협약 이후	일본의 한국 금융 및 재정 장악(백동화를 새 화폐로 교환하는 ❷ _____ 정리 사업 실시, 일본의 토지 약탈 · 장악 심화)

❶ 일본

❷ 화폐

2 경제적 구국 운동

상권 수호 운동	개항장의 객주, 일부 상인들의 회사 설립, 시전 상인의 철시 운동
방곡령 실시	지방관들이 곡물 유출을 막기 위해 실시하였으나 일본 측의 항의로 번번이 해제
근대적 산업 자본 육성 노력	조선 자본의 은행(조선 은행, 한성 은행 등)과 근대적 회사 설립(조선 유기 상회, 종로 직조사 등) → ❸ _____ 의 방해와 탄압
국채 보상 운동	일본에 진 빚을 갚고 국권을 회복하자는 운동으로 서상돈 등이 대구에서 시작해 「대한매일신보」 등을 통해 확산 → 통감부의 탄압으로 실패

❸ 일본

예 외세의 경제 침탈에 맞서 자주적 경제 발전을 위해 노력하였다.

개념 5   개항 이후 근대 문물의 수용과 근대 의식의 확대

1 근대 시설의 도입

┌─ 1899년 노량진과 제물포 사이에 처음으로 개통되었다.

교통	전차 가설(한성 전기 회사), 경인선 · 경부선 · 경의선 철도 개통
통신	우편 제도 실시 위해 우정총국 설치, ❹ _____ 에 최초로 전화 가설
의료	최초의 서양식 병원인 광혜원(이후 제중원으로 개칭) 운영

❹ 경운궁

2 근대 의식의 확대

┌─ 종교도 새 경향을 보여 손병희에 의해 동학이 천도교로 개칭되었고, 나철과 오기호는 대종교를 창시하였다.

(1) 민권 의식의 성장: 갑오개혁 때 신분제 폐지, 독립 협회의 민권 운동 전개 등

(2) 근대적 교육 기관의 설립: 최초의 근대적 교육 기관인 ❺ _____ , 서양식 근대 교육 기관 인 육영 공원 설립 등

❺ 원산 학사

(3) 언론 기관의 발달: 『한성순보』(❻ _____ 발행), 『독립신문』(최초의 순 한글 신문으로 영문판 발행), 『황성신문』(국한문 혼용 신문), 『대한매일신보』(국채 보상 운동에 앞장섬) 등

❻ 박문국

(4) 국학의 발달

한국사 연구	박은식(역사 관련 논설 발표), 신채호(위인 전기, 「독사신론」 저술)
국어 연구	❼ _____ 에서 주시경, 지석영 등이 한글 문법 연구 · 정리

❼ 국문 연구소

예 근대 문물과 시설은 일상생활을 편리하게 해 주었지만 제국주의 침략에 이용되기도 하였다.

5일

6 괄호 안의 내용 중 알맞은 말을 골라 ○표 하시오.

(1) (개항, 아관 파천) 초기 외국 상인들은 개항장 10리 이내에서만 활동이 가능해 이 시기 무역은 거류지 무역의 형태로 이루어졌다.

(2) (청·일 전쟁, 병인양요) 이후 청 상인의 세력이 약화되어 일본 상인이 조선의 국내 상권을 독점하였다.

(3) 제1차 한·일 협약 이후 일본은 화폐 정리 사업을 실시해 기존에 통용되던 (백동화, 건원중보)를 일본 제일 은행에서 발행하는 새 화폐로 교환하게 하였다.

(4) 방곡령은 일본으로부터 (곡물, 금속)의 유출을 막기 위해 실시되었다.

7 (가), (나)에 들어갈 알맞은 말을 쓰시오.

> **국채 보상 운동**
>
>
>
> ▲ 국채 보상 취지서
>
> • 취지: 차관 도입으로 ⬚(가)⬚ 에 대한 경제적 예속이 심각해지자 국민이 성금을 모아 ⬚(가)⬚ 에 진 빚을 갚고 국권을 회복하자는 목적
>
> • 활동: 대구 등지에서 시작되어 『대한매일신보』, 『황성신문』 등 각종 신문을 통해 전국적으로 확산되었음 → 각계각층이 금주, 금연, 패물 헌납 등으로 모금
>
> • 결과: 양기탁을 보상금 횡령으로 누명을 씌워 구속하는 등 ⬚(나)⬚ 의 탄압으로 더 이상 진전되지 못하였음

(가) (　　　　　　　　)

(나) (　　　　　　　　)

8 괄호 안의 내용 중 알맞은 말을 골라 ○표 하시오.

개항 이후 (1) (통신, 교통)의 발달

한성 전기 회사는 발전소를 세우고 전차를 운행하였다. 또한 노량진과 제물포 사이에 (2) (경인선, 경의선)이 처음으로 개통되었고, 이후 경부선이 개통되었다.

9 다음 언론 기관의 특징을 바르게 연결하시오.

(1) 『한성순보』　•

(2) 『독립신문』　•

(3) 『대한매일신보』　•

　• ㉠ 박문국에서 발행

　• ㉡ 국채 보상 운동에 앞장섬

　• ㉢ 최초의 순 한글 신문

10 다음 인물들의 공통점으로 옳은 것은?

▲ 박은식

▲ 신채호

① 천도교 창시

② 한국사 연구

③ 신문사 창간

④ 근대적 회사 설립

⑤ 우리말 체계 연구

내신 기출 베스트

 대표 예제 1 을사늑약 체결의 결과

다음의 결과로 옳지 <u>않은</u> 것은?

○○신문   1905년 ○○월 ○○일

대한 제국, 을사늑약 체결

1905년 일제는 고종의 반대에도 불구하고 대한 제국에 을사늑약 체결을 강요하였다.

① 통감부가 설치되었다.
② 항일 의병 운동이 전개되었다.
③ 청·일 전쟁이 일어나게 되었다.
④ 대한 제국의 외교권을 박탈당했다.
⑤『황성신문』에 '시일야방성대곡'이 게재되었다.

개념 가이드

을사늑약의 체결로 일본은 대한 제국의 ❶ [　　　　]을 빼앗고 ❷ [　　　　]를 설치하였다.   **답** ❶ 외교권 ❷ 통감부

대표 예제 2 간도 협약

(가)에 들어갈 알맞은 곳을 쓰시오.

일본은 청과의 협약을 통해 만주의 철도 부설권과 탄광 채굴권 등의 이익을 얻는 대신 (가) 을/를 청에 넘겨주었다.

(   )

개념 가이드

간도는 대한 제국의 영토였으나 일본이 청과 ❸ [　　　　]을 체결하여 이권을 얻어내고 간도를 청에 넘겨주었다.   **답** ❸ 간도 협약

대표 예제 3 항일 의병 운동

다음 대화의 밑줄 친 '의병'과 가장 관련 있는 것은?

일본이 고종 황제를 강제로 퇴위시키고 대한 제국의 군대를 해산하였다고 하오.

그래서 의병 투쟁이 더욱 격렬하게 전개될 것이라고 하오. 나 또한 의병에 참여해 일본에 맞서 싸울 것이오. 나와 뜻을 함께하겠소?

① 정미의병   ② 을사의병
③ 을미의병   ④ 갑신정변
⑤ 갑오개혁

개념 가이드

을미의병은 을미사변과 단발령을 계기로, ❹ [　　　　]은 을사늑약 체결을 계기로, ❺ [　　　　]은 고종의 강제 퇴위와 군대 해산을 계기로 전개되었다.   **답** ❹ 을사의병 ❺ 정미의병

대표 예제 4 신민회

신민회에 대해 정리한 내용으로 옳은 것을 모두 고른 것은?

- 주도자: ㉠ 이완용, 박제순
- 활동 목표: ㉡ 국권 회복과 공화정에 바탕을 둔 근대 국가 건설
- 활동 내용
  – ㉢ 한국 병합 조약 체결에 앞장섬
  – ㉣ 삼원보에 독립운동 기지를 건설함
- 해체: ㉤ 105인 사건으로 국내 조직 와해

① ㉠, ㉡   ② ㉠, ㉤   ③ ㉡, ㉢
④ ㉡, ㉢, ㉤   ⑤ ㉡, ㉣, ㉤

 개념 가이드

을사늑약 체결 이후 통감부의 탄압으로 정치·사회단체의 활동이 어려워지자, 안창호와 양기탁 등의 주도로 비밀 결사인 ❻ [　　　　]를 조직하였다.   **답** ❻ 신민회

44 7일 끝 · 한국사

5일

대표 예제 5   일본의 경제 침략

일본이 다음의 일을 한 까닭으로 옳은 것은?

> 일본은 화폐 유통과 물가 폭등을 빌미로 화폐 정리 사업을 추진했어요.

① 상평통보를 알리기 위해
② 거류지 무역을 추진하기 위해
③ 을사늑약 체결에 항의하기 위해
④ 대한 제국의 금융과 재정을 장악하기 위해
⑤ 대한 제국이 세운 은행을 성장시키기 위해

 개념 가이드

일본이 실시한 **❼**   으로 시중에 유통되던 화폐량이 줄어들고 한국 상인과 은행이 파산하기도 하는 등 큰 타격을 입었다.

답 ❼ 화폐 정리 사업

대표 예제 7   근대 시설의 도입

다음의 시설에 대한 설명으로 옳은 것은?

① 우정총국이 운행하였다.
② 경운궁에 처음 가설되었다.
③ 한성 전기 회사가 운행하였다.
④ 개항 이전부터 조선에 있었던 시설이다.
⑤ 일본과 대한 제국을 쉽게 오갈 수 있었다.

개념 가이드

개항 이후 증기선, 전차, 철도 등 근대적 **❾**   시설이 도입되었다.

답 ❾ 교통

대표 예제 6   경제적 구국 운동

(가)에 들어갈 알맞은 말을 쓰시오.

> 개항 이후 일본 상인들이 곡물을 대량 수입해 가면서 국내 식량 사정이 악화되었대.

> 그래서 일부 지방관은 곡물 유출을 막기 위해 (가) 을/를 내렸지.

> (가) 은/는 개항 이후 100여 차례 넘게 내려졌지만 일본 측의 항의로 해제되었대.

(   )

개념 가이드

흉작 등 식량난이 가중되자 일부 지방관들은 **❽**   의 유출을 막으려고 노력하였다.

답 ❽ 곡물

대표 예제 8   국학의 발달

다음 가상 인터뷰의 주인공으로 옳은 것은?

> 선생님께서 『을지문덕전』, 『이순신전』 등 외적의 침략에 맞서 싸운 위인들의 전기를 펴내고 「독사신론」을 발표하신 까닭은 무엇인가요?

> 역사를 통해 애국심을 일깨우고 민중을 계몽하기 위함입니다.

① 주시경   ② 신채호   ③ 이완용
④ 안창호   ⑤ 안중근

개념 가이드

박은식과 신채호는 **❿**   를 연구하여 독립과 자주 의식을 강조하고 애국심을 일깨우고자 하였다.

답 ❿ 한국사

1 밑줄 친 '이 시대'에 처음 제작된 문화유산으로 옳은 것은?

> 이 시대에는 농경과 목축이 시작되면서 식량을 생산하는 단계에 이르렀다. 주로 조, 기장, 피 등이 재배되었지만, 여전히 사냥과 채집, 고기잡이가 식량을 얻는 데 큰 비중을 차지하였다.

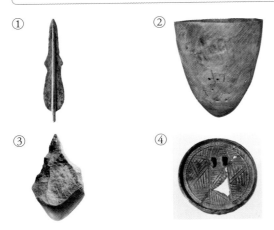

① ② ③ ④ ⑤

2 다음에서 설명하는 나라의 특징으로 옳은 것은?

> 우리 역사상 최초의 국가로, 단군이 건국하였다는 이야기가 전해진다.

① 사유 재산을 인정하지 않았다.
② 계급이 없는 평등한 사회였다.
③ 철기 문화를 바탕으로 세워졌다.
④ 정치와 종교가 분리된 사회였다.
⑤ 사회를 유지하기 위한 8조법이 있었다.

3 삼국의 형세가 다음 지도와 같았을 당시에 대한 설명으로 옳은 것은?

① 신라가 대가야를 병합하였다.
② 고구려가 한강 유역을 모두 장악하였다.
③ 단양 신라 적성비, 순수비 등이 세워졌다.
④ 고구려 장수왕이 평양으로 수도를 옮겼다.
⑤ 백제 근초고왕이 고구려의 평양성을 공격하였다.

4 (가)에 들어갈 내용으로 가장 적절한 것은?

> • 학습 목표: 신라가 삼국을 통일한 후 늘어난 영토와 백성을 효율적으로 통치하기 위해 체제를 정비하였음을 알아본다.
> • 모둠별 조사 내용
> 〈1모둠〉 중앙 정치 기구 – (가)
> 〈2모둠〉 지방 행정 구역 – 9주 5소경 체제 정비
> 〈3모둠〉 군사 조직 – 9서당 10정 편성

① 의정부 설치   ② 집현전 설치
③ 화랑도 개편   ④ 집사부 중심 운영
⑤ 3성 6부제의 관제 마련

5 (가) 국가에 대한 설명으로 옳지 <u>않은</u> 것은?

인물 카드

(가) 의 제1대 왕으로, 고구려 유민과 말갈 집단을 이끌고 지린 성 동모산 근처로 이동하여 나라를 건국하였다.

① 거란의 침입으로 멸망하였다.
② 고구려 계승 의식을 내세웠다.
③ 문무왕 때 삼국 통일을 완성하였다.
④ 중앙 정치 체제는 3성 6부를 기본으로 하였다.
⑤ 선왕 때 당으로부터 해동성국이라 불리기도 하였다.

6 다음은 고려의 후삼국 통일 과정을 나타낸 것이다. 일어난 순서대로 바르게 나열한 것은?

> ㄱ. 고려는 송악으로 천도하였다.
> ㄴ. 고려군이 후백제군을 격파하였다.
> ㄷ. 신라 경순왕이 고려에 항복하여 고려는 신라를 흡수하였다.

① ㄱ → ㄴ → ㄷ
② ㄱ → ㄷ → ㄴ
③ ㄴ → ㄷ → ㄱ
④ ㄴ → ㄱ → ㄷ
⑤ ㄷ → ㄱ → ㄴ

7 밑줄 친 '군대'에 해당하는 것으로 옳은 것은?

> 여진이 고려 국경을 침범하자 윤관은 <u>군대</u>를 이끌고 여진을 정벌한 뒤 동북 9성을 설치하였다.

① 중방
② 삼별초
③ 별기군
④ 별무반
⑤ 한국광복군

8 다음 대화의 주제로 적절한 것은?

전민변정도감을 설치해 권문세족이 불법적으로 빼앗은 토지를 본래 주인에게 돌려주었어.

또한 반원 자주 정책을 통해 친원 세력을 숙청하고 몽골식 생활 풍습도 금지하였어.

① 무신 정권의 성립
② 광종의 개혁 정치
③ 공민왕의 개혁 정치
④ 태조의 민생 안정 정책
⑤ 성종의 유교 정치 이념 채택

9 다음 마인드맵의 내용으로 적절하지 <u>않은</u> 것은?

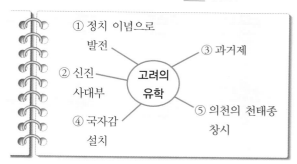

① 정치 이념으로 발전
② 신진 사대부
③ 과거제
④ 국자감 설치
⑤ 의천의 천태종 창시

고려의 유학

10 다음 조선의 왕인 (가)~(마)의 업적으로 옳은 것은?

(가) 태조	➡	(나) 태종	➡	(다) 세종	➡
(라) 세조	➡	(마) 성종			

① (가) – 집현전 설치
② (나) – 『경국대전』 완성
③ (다) – 경연 활성화
④ (라) – 한양 천도
⑤ (마) – 호패법 실시

누구나 100점 테스트 2회

1 다음 그림 속 조선의 왕과 대외 정책이 바르게 연결된 것은?

> 강홍립에게 명에 원군을 보내지만 후금과의 직접적인 충돌을 피할 수 있도록 상황에 따라 강구하라고 전하라.

① 효종 – 북벌 정책
② 인조 – 친명배금 정책
③ 인조 – 중립 외교 정책
④ 광해군 – 친명배금 정책
⑤ 광해군 – 중립 외교 정책

2 (가)에 들어갈 설명으로 적절한 것은?

> (가)
>
> 대동법

① 양인과 천인으로 구분하던 조선의 제도는?
② 토지 1결당 4~6두를 징수하던 조선의 제도는?
③ 문과, 무과, 잡과로 나누어 관리를 등용하던 조선의 제도는?
④ 공납을 현물 대신 쌀, 삼베, 무명 등으로 거두어들이는 조선의 제도는?
⑤ 군역을 대신하여 1인당 1년에 군포 1필을 납부하게 하던 조선의 제도는?

3 다음 밑줄 친 내용의 영향으로 옳은 것은?

> 이 작품은 김홍도의 「담배 썰기」라는 그림의 일부예요. 조선 후기에는 담배, 인삼, 면화, 고추 등의 상품 작물을 재배하였어요.

① 이앙법이 금지되었다.
② 한양 천도가 이루어졌다.
③ 상업 활동이 축소되었다.
④ 임진왜란이 발생하게 되었다.
⑤ 부농으로 성장하는 농민이 증가하였다.

4 홍경래의 난이 일어난 배경을 〈보기〉에서 모두 고른 것은?

> ▶ 보기 ◀
> ㄱ. 탕평책 실시
> ㄴ. 임술 농민 봉기
> ㄷ. 세도 정치의 수탈
> ㄹ. 평안도에 대한 차별

① ㄱ, ㄴ   ② ㄱ, ㄷ   ③ ㄴ, ㄷ
④ ㄴ, ㄹ   ⑤ ㄷ, ㄹ

5 다음에서 설명하는 인물이 한 일로 옳지 <u>않은</u> 것은?

> 고종의 아버지인 흥선군은 대원군이 되어 어린 나이에 즉위한 고종을 대신해 실권을 장악하였다.

① 호포제를 실시하였다.
② 경복궁을 중건하였다.
③ 능력에 따라 인재를 등용하였다.
④ 서원을 47개만 남기고 모두 철폐하였다.
⑤ 적극적인 문호 개방 정책을 추진하여 미국, 프랑스 등의 나라에게 통상 수교를 제안하였다.

6 다음의 조약에 대한 설명으로 옳지 <u>않은</u> 것은?

> 제1관 조선은 자주국이며 일본과 평등한 권리를 가진다.
>
> 제7관 조선국 연해를 일본국의 항해자가 자유롭게 측량하도록 허가한다.
>
> 제10관 일본국 국민이 조선국이 지정한 각 항구에 머무르는 동안 죄를 범한 것이 조선국 국민에게 관계되는 사건일 때는 모두 일본국 관원이 심판한다.

① 조선과 일본이 체결한 조약이다.
② 조선에 불리한 불평등 조약이다.
③ 제너럴셔먼호 사건을 구실로 체결되었다.
④ 조선이 외국과 맺은 최초의 근대적 조약이다.
⑤ 이 조약을 계기로 조선은 외국에 문호를 개방하게 되었다.

7 다음 밑줄 친 '봉기'에 대한 설명으로 옳은 것은?

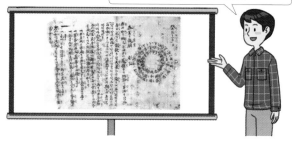

> 전봉준은 사발통문을 돌려 봉기를 계획했어요. 사발통문에는 사발을 엎어 그린 원을 중심으로 전봉준 등의 이름을 둥글게 작성해 주모자를 알 수 없도록 하였어요.

① 양반들이 주도하여 봉기를 일으켰다.
② 우정총국 개국 축하연에서 봉기를 일으켰다.
③ 전봉준은 일본의 지원을 받고 봉기를 일으켰다.
④ 전봉준은 봉기를 하여 개화당 정부를 수립했다.
⑤ 고부 군수 조병갑의 횡포가 계속되자 전봉준은 농민들을 이끌고 봉기를 일으켰다.

8 (가)에 대한 설명으로 옳은 것은?

> 1905년 일본은 군대를 동원하여 고종과 대신들을 위협하고 을사 5적을 앞세워 (가) 을/를 체결하였다. (가) (으)로 일본은 대한 제국의 외교권을 빼앗고 통감부를 설치하였다.

① 을미의병의 배경이 되었다.
② 비변사 설치의 계기가 되었다.
③ 4군 6진 개척의 배경이 되었다.
④ 6월 민주 항쟁의 원인이 되었다.
⑤ 헤이그 특사 파견의 원인이 되었다.

9 (가)에 들어갈 검색어로 적절한 것은?

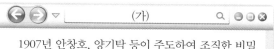

> 1907년 안창호, 양기탁 등이 주도하여 조직한 비밀 결사인 이 단체는 인재 양성을 위해 정주에 오산 학교, 평양에 대성 학교를 설립하였다. 또한 장기적인 무장 투쟁을 위해 남만주의 삼원보에 한인촌을 건설하고 신흥 강습소(이후 신흥 무관 학교)를 설립하였다.

① 사림의 성장
② 신민회의 활동
③ 독립 협회의 활동
④ 헌정 연구회의 활동
⑤ 정미의병의 전개 과정

10 다음 밑줄 친 부분에 들어갈 내용으로 적절한 것은?

> 개항 이후, _____ 방곡령이 100여 차례 넘게 내려졌다.

① 금융 자본을 키우기 위해
② 곡물의 유출을 막기 위해
③ 일본과 자유로운 통상을 위해
④ 무장 독립군을 육성하기 위해
⑤ 일본의 토지와 재정을 장악하기 위해

1 다음 법 조항을 보고 물음에 답하시오.

> (가) 에는 백성에게 금하는 법 8조가 있다. 사람을 죽인 자는 즉시 죽이고, 남에게 상처를 입힌 자는 곡식으로 갚는다. 도둑질한 자는 노비로 삼는다. 이를 용서받고자 하는 자는 한 사람마다 50만 전을 내야 한다.
> – 「한서」 –

(1) (가)에 들어갈 우리나라 최초의 국가를 쓰시오.

_____

(2) 위 법 조항을 통해 알 수 있는 (가)의 사회 모습을 서술하시오.

_____

_____

2 다음 연표를 보고 물음에 답하시오.

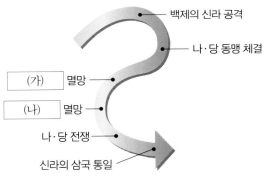

백제의 신라 공격
나·당 동맹 체결
(가) 멸망
(나) 멸망
나·당 전쟁
신라의 삼국 통일

(1) (가), (나)에 들어갈 나라를 순서대로 쓰시오.

_____

(2) 신라의 삼국 통일이 가지는 의의와 한계를 서술하시오.

_____

_____

3 다음 대화를 보고 물음에 답하시오.

후삼국을 통일한 왕이야.
후손들에게 훈요 10조를 제시했어.
호족 포용 정책과 호족 견제 정책을 실시했어.

(1) 대화에서 공통으로 설명하는 인물을 쓰시오.

_____

(2) 위 밑줄 친 '정책'의 사례를 서술하시오.

_____

_____

4 조선 태종이 다음의 정책을 실시한 까닭을 서술하시오.

> 태종은 6조 직계제를 실시하여 6조가 의정부를 거치지 않고 왕에게 직접 보고하고 명령을 받도록 하였다.

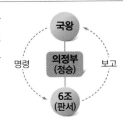

국왕
명령 의정부 (정승) 보고
6조 (판서)

_____

_____

5 다음 자료를 참고하여 대동법에 대해 서술하시오.

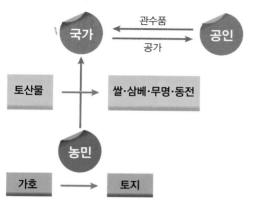

_____

_____

6 다음 책의 내용을 보고 물음에 답하시오.

▲ 별기군

(1) 밑줄 친 '이 사건'은 무엇인지 쓰시오.

_____

(2) 위 (1)번 답의 결과를 청과 관련해 서술하시오.

_____

_____

7 다음을 보고 물음에 답하시오.

서재필은 서구 사상 소개와 국민 계몽을 위해 정부의 지원을 받아 『독립 신문』을 창간하였다. 이어 정부 내의 개혁 세력은 독립문 건립을 추진하면서 1896년에 [(가)]을/를 창립하였다.

▲ 독립문

(1) (가)에 들어갈 단체를 쓰시오.

_____

(2) (가)의 단체가 한 일을 제시된 내용 외에 두 가지 서술하시오.

_____

_____

8 다음 자료를 참고하여 국채 보상 운동의 활동 목적을 서술하시오.

○○신문	○○○○년 ○○월 ○○일
국채 보상 취지서	

국채 1,300만 원은 바로 우리 대한 제국의 존망에 직결된 것이라. 갚으면 나라가 존재하고 갚지 못하면 나라가 망하는 것은 필연적인 사실이나, 지금 국고에서는 도저히 갚을 능력이 없으며, 만일 나라에서 갚지 못한다면 그때는 이미 삼천리 강토는 내 나라 내 민족의 소유가 못 될 것이다. …… 2천만 인민들이 3개월 동안 흡연을 금지하고 그 대금으로 한 사람에게서 매달 20전씩 거둔다면 1,300만 원을 모을 수 있다.

창의·융합·코딩 테스트

9 다음 ㉠~㉣에 들어갈 알맞은 말을 쓰시오.

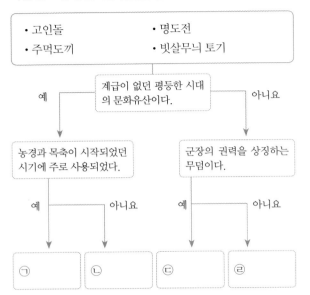

- 고인돌
- 주먹도끼
- 명도전
- 빗살무늬 토기

계급이 없던 평등한 시대의 문화유산이다.

예 ← → 아니요

| 농경과 목축이 시작되었던 시기에 주로 사용되었다. | 군장의 권력을 상징하는 무덤이다. |

예 / 아니요   예 / 아니요

㉠   ㉡   ㉢   ㉣

10 다음 가상 대화를 보고 물음에 답하시오.

오늘은 삼국의 ___(가)___ 의 발달에 대해 살펴보도록 하겠습니다.

우리는 태학과 경당을 설치하였소.

우리나라에서는 오경박사를 두었소.

우리에겐 두 청년이 『시경』, 『예기』 등을 습득할 것을 맹세한 임신서기석이 있소.

(1) 위 (가)에 들어갈 종교나 사상을 쓰시오.

_____

(2) 통일 신라 시대 때 (가)의 특징을 서술하시오.

_____

11 다음은 고려 시대에 있었던 일을 정리한 표이다. 빈칸에 알맞은 내용을 쓰시오.

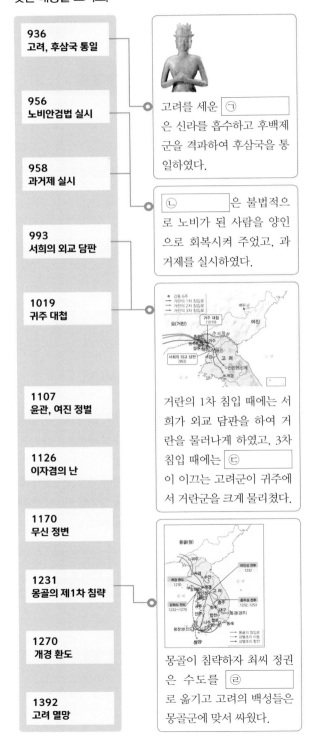

936 고려, 후삼국 통일

956 노비안검법 실시

958 과거제 실시

993 서희의 외교 담판

1019 귀주 대첩

1107 윤관, 여진 정벌

1126 이자겸의 난

1170 무신 정변

1231 몽골의 제1차 침략

1270 개경 환도

1392 고려 멸망

고려를 세운 ㉠ 은 신라를 흡수하고 후백제 군을 격파하여 후삼국을 통일하였다.

㉡ 은 불법적으로 노비가 된 사람을 양인으로 회복시켜 주었고, 과거제를 실시하였다.

거란의 1차 침입 때에는 서희가 외교 담판을 하여 거란을 물러나게 하였고, 3차 침입 때에는 ㉢ 이 이끄는 고려군이 귀주에서 거란군을 크게 물리쳤다.

몽골이 침략하자 최씨 정권은 수도를 ㉣ 로 옮기고 고려의 백성들은 몽골군에 맞서 싸웠다.

12 다음 그림을 보고 물음에 답하시오.

풍속화로 살펴본 조선 시대 사람들의 생활

(가)

(나) ─ (다)

 (가) 그림은 양반 신분을 상징하는 망건을 쓴 남자가 생산 활동에 참여한 모습을 보여 주고 있어. 아마 그는 몰락한 양반이거나 평민이었다가 양반이 된 사람일 것 같아.

 (나) 그림은 상민으로 추정되는 인물이 [(다)]에게 예를 갖추고 있군.

(1) 위 (가)에 들어갈 알맞은 그림을 〈보기〉에서 찾아 기호를 쓰시오.

▶ 보기 ◀

㉠ ▲ 「자리짜기」   ㉡ ▲ 「논갈이」

㉢ ▲ 「단오풍정」   ㉣ ▲ 「길쌈」

_____

(2) 위 (나) 그림 속 (다) 신분의 특징을 서술하시오.

_____

_____

[13 ~ 14] 가로 열쇠와 세로 열쇠 설명을 읽고 퍼즐을 완성하시오.

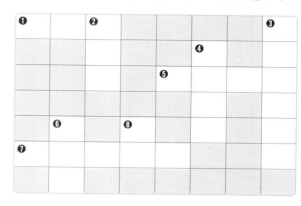

6일

13 가로 퍼즐을 완성하시오.

가로 열쇠

❶ 흥선 대원군이 경복궁 중건을 위해 발행한 고액 화폐

❺ 1895년, 을미사변과 단발령을 계기로 전개된 의병 운동으로 양반 유생층이 주도

❼ 1876년, 우리나라가 외국과 맺은 최초의 근대적 조약이자 불평등 조약

14 세로 퍼즐을 완성하시오.

세로 열쇠

❷ 작은 체구 때문에 녹두 장군으로 불렸던 동학 농민 운동의 지도자

❸ 1910년 3대 통감 데라우치와 총리대신 이완용이 체결한 조약으로, 이를 통해 대한 제국은 국권을 상실하고 일본의 식민지가 되었음

❹ 1871년, 제너럴셔먼호 사건을 구실로 미국 함대가 강화도를 침략한 사건

❻ 흥선 대원군이 서양과의 통상을 거부한다는 의지를 널리 알리기 위해 전국에 세운 비

❽ 단종을 몰아내고 왕위에 오른 왕으로 집현전과 경연을 폐지하고 6조 직계제를 시행하였음

1 다음 답사 보고서의 내용 중 (가)에 들어갈 내용으로 옳은 것은?

> 1. 주제 구석기 시대의 생활
> 2. 장소 – 전곡 선사 박물관
>   – 연천 전곡리 유적
> 3. 대표 유물 주먹도끼, 슴베찌르개 등
> 4. 사회 모습 ＿＿＿＿＿＿(가)＿＿＿＿＿＿

① 농경과 목축을 시작하였다.
② 돌을 갈아 만든 간석기를 사용하였다.
③ 빗살무늬 토기에 음식물을 저장하였다.
④ 동굴이나 바위 그늘에 살거나 강가에 막집을 짓고
   살았다.
⑤ 지배층은 비파형 동검, 거친무늬 거울 등을 무기와
   와 장신구 등으로 사용하였다.

2 (가)에 들어갈 나라로 옳은 것은?

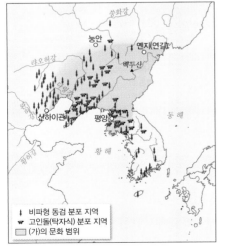

① 삼한
② 부여
③ 옥저
④ 동예
⑤ 고조선

3 다음에서 설명하는 왕과 왕의 업적으로 옳은 것은?

> 백제의 수도 한성을 함락하고 한강 유역을 차지한 고
> 구려의 왕이다.

① 장수왕 – 화랑도를 개편하였다.
② 소수림왕 – 율령을 반포하였다.
③ 소수림왕 – 마한을 정복하였다.
④ 법흥왕 – 금관가야를 정복하였다.
⑤ 장수왕 – 남진 정책을 추진하였다.

4 통일 신라의 신문왕이 왕권 강화를 위해 펼친 정책을 〈보기〉에서 모두 고른 것은?

> ● 보기 ●
> ㄱ. 불교를 공인하였다.
> ㄴ. 사비로 천도하였다.
> ㄷ. 유학 교육을 위해 국학을 설립하였다.
> ㄹ. 녹읍을 폐지하고 관료전을 지급하였다.

① ㄱ, ㄴ
② ㄱ, ㄷ
③ ㄴ, ㄷ
④ ㄴ, ㄹ
⑤ ㄷ, ㄹ

5 다음 고려의 통치 체제를 정리한 내용 중 옳지 않은 것은?

> • 중앙 정치 제도: ㉠ 의정부와 6조 중심
> • 지방 행정 제도: ㉡ 5도 양계, 향·부곡·소
> • 관리 등용 제도: ㉢ 과거와 음서
> • 교육 기관: ㉣ 개경에는 국자감, ㉤ 지방에는 향교 설치

① ㉠
② ㉡
③ ㉢
④ ㉣
⑤ ㉤

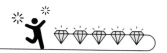

정답과 해설 **74**쪽

6 다음 장면과 관련된 사건에 대한 탐구 활동으로 적절한 것은?

너희 나라는 신라에서 일어났는데 어찌 우리 땅을 차지하고 있는가?

우리는 고구려의 옛 땅에 있기에 나라 이름을 고려라고 했다. 또한 땅의 경계로 따지자면 거란 땅의 일부도 우리 땅에 있다.

① 무신 정변의 과정을 이해한다.
② 삼별초의 이동 경로를 파악한다.
③ 윤관의 동북 9성 개척 과정을 알아본다.
④ 김춘추와 연개소문의 담판에 대해 알아본다.
⑤ 압록강 동쪽에 있는 강동 6주의 위치를 파악한다.

7 다음에서 설명하는 세력으로 옳은 것은?

> 원 간섭기에는 원과 특별한 관계를 가진 사람들이 고려의 지배 세력으로 등장하였다.

① 호족
② 권문세족
③ 신진 사대부
④ 신흥 무인 세력
⑤ 세도 정치 세력

8 (가), (나)에 들어갈 말을 바르게 연결한 것은?

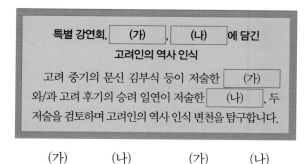

특별 강연회, ___(가)___, ___(나)___ 에 담긴 고려인의 역사 인식

고려 중기의 문신 김부식 등이 저술한 ___(가)___ 와/과 고려 후기의 승려 일연이 저술한 ___(나)___, 두 저술을 검토하며 고려인의 역사 인식 변천을 탐구합니다.

	(가)	(나)		(가)	(나)
①	『제왕운기』	『삼국사기』	②	『제왕운기』	『삼국유사』
③	『삼국사기』	「동명왕편」	④	『삼국사기』	『삼국유사』
⑤	『삼국유사』	『삼국사기』			

9 다음 사건들을 일어난 순서대로 바르게 나열한 것은?

> (가) 과전법이 실시되었다.
> (나) 한양으로 천도하였다.
> (다) 『경국대전』이 반포되었다.
> (라) 급진 개혁파가 이성계와 손잡고 조선을 건국하였다.

① (가) → (나) → (다) → (라)
② (가) → (나) → (라) → (다)
③ (가) → (다) → (라) → (나)
④ (가) → (라) → (나) → (다)
⑤ (라) → (가) → (나) → (다)

10 (가), (나) 사이에 일어난 사실로 옳은 것은?

> (가) 전세가 불리해진 왜군은 도요토미 히데요시가 죽자 본국으로 철수하였다.
> (나) 서인이 인조반정을 일으켜 정권을 잡았다.

① 세종은 집현전을 설치하였다.
② 효종은 북벌 운동을 전개하였다.
③ 태종은 6조 직계제를 실시하였다.
④ 조선은 후금과 강화를 체결하였다.
⑤ 광해군은 명과 후금 사이에서 신중한 중립 외교를 펼쳤다.

11 다음의 검색 결과로 옳은 것은?

통합검색	영정법	▼	검색

① 각 지방의 토산물을 거두게 하던 조선의 제도
② 군역 대신 군포를 납부하도록 한 조선의 제도
③ 토지 1결당 쌀 4~6두를 징수하던 조선의 제도
④ 문과, 무과, 잡과를 뽑던 조선의 관리 등용 제도
⑤ 공납을 쌀, 삼베, 무명 등으로 거두어들인 조선의 제도

12 다음을 통해 알 수 있는 조선 후기 사회 모습으로 적절한 것은?

> 1. 양반: 양반층의 분화가 일어나 일부 양반은 향반이나 잔반으로 몰락하였다.
> 2. 농민: 부농들은 납속과 공명첩을 통해 신분 상승을 하거나 양반의 족보를 위조하여 양반으로 행세하였다.
> 3. 중인: 서얼들이 집단 상소 운동을 펼쳤다.
> 4. 노비: 납속책이나 군공을 이용해 신분 상승을 하였다.

① 대외 무역이 발달하였다.
② 신분제가 더욱 강화되었다.
③ 신분제가 사라진 평등한 사회였다.
④ 양반 중심의 신분 질서가 동요하였다.
⑤ 양반도 상민처럼 조세와 역을 부담하게 되었다.

13 다음과 같은 변화를 가져 온 흥선 대원군의 정책으로 옳은 것은?

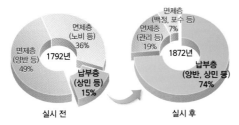

▲ 군포 부담층의 변화

① 사창제를 실시하였다.
② 호포제를 실시하였다.
③ 균역법을 실시하였다.
④ 서원을 47개만 남기고 모두 철폐하였다.
⑤ 양전 사업을 실시해 토지 대장에서 누락된 토지를 찾아 세금을 징수하였다.

14 다음 연표의 (가)에 들어갈 내용으로 옳은 것은?

① 을미의병이 일어나다.
② 신미양요가 발생하다.
③ 홍범 14조가 반포되다.
④ 거문도 사건이 발발하다.
⑤ 동학 농민군이 봉기하다.

15 다음은 갑신정변에 대한 필기 내용이다. ㉠~㉤ 중 옳지 않은 것은?

> **주제: 갑신정변의 의의와 한계**
> 1. 갑신정변의 의의
> • ㉠ 자주적 근대 국가 건설을 위한 우리나라 최초의 정치 개혁 운동
> • ㉡ 이후 근대화 운동에 영향
> 2. 갑신정변의 한계
> • ㉢ 농민들이 주도한 아래로부터의 개혁
> • ㉣ 민중의 지지를 이끌어 내지 못함
> • ㉤ 일본의 군사적 지원에 지나치게 의존

① ㉠   ② ㉡   ③ ㉢   ④ ㉣   ⑤ ㉤

16 다음 밑줄 친 '개혁'의 내용으로 옳은 것은?

> 고종은 대한 제국 수립을 선포하고 구본신참을 개혁의 원칙으로 삼아 개혁을 추진하였다.

① 지계 발행   ② 집강소 설치
③ 집현전 설치   ④ 성균관 설치
⑤ 과거제 강화

17 다음 상황이 전개된 직접적인 원인으로 옳은 것은?

> 일본의 노예가 되느니 자유민으로 죽는 것이 낫습니다.

> 군대가 해산되었으니 의병에 합류하는 것은 당연합니다.

① 임오군란이 발생하였다.
② 세도 정치가 전개되었다.
③ 동학 농민 운동이 발생하였다.
④ 청·일 전쟁에서 일본이 승리하였다.
⑤ 헤이그 특사 파견을 구실로 고종이 강제 퇴위되었다.

19 (가)에 들어갈 시설의 명칭으로 옳은 것은?

> (가) 은/는 1885년에 건립된 최초의 근대식 병원입니다. 처음에는 왕실 병원이었는데 제중원으로 이름을 바꾼 뒤에는 일반 백성들까지 치료했습니다.

① 영선사　　② 기기창　　③ 광혜원
④ 전환국　　⑤ 박문국

20 (가)에 들어갈 내용으로 가장 적절한 것은?

> **경제적 구국 운동의 전개**
> 1. 시기: 강화도 조약(1876년) ~ 국권 피탈(1910년)
> 2. 내용
>   • 방곡령을 선포하였다.
>   • 근대적 기업을 설립하였다.
>   • 조선 자본의 은행을 설립하였다.
>   • 시전 상인들이 청과 일본 상인들의 철수를 요구하며 철시 운동을 벌였다.
>   • _____(가)_____

① 『농사직설』을 편찬하였다.
② 새마을 운동을 전개하였다.
③ 국채 보상 운동을 전개하였다.
④ 물산 장려 운동을 전개하였다.
⑤ 화폐 정리 사업을 실시하였다.

18 밑줄 친 '근거'로 가장 적절한 것은?

> 일본은 시마네현 고시 제40호를 통해 독도가 일본의 영토라고 주장하였어.

> 이런, 일본의 주장은 말도 안 돼. 독도가 우리나라 고유의 영토라는 사실은 여러 근거를 통해 알 수 있어.

① 간도 협약　　② 정미 7조약
③ 강화도 조약　　④ 한·일 의정서
⑤ 대한 제국 칙령 제41호

1 (가)와 (나)를 사용한 시대에 대한 설명으로 옳은 것은?

(가)   (나)

▲ 빗살무늬 토기   ▲ 청동 거울

① (가): 고인돌이 제작되었다.
② (가): 이동 생활을 하였다.
③ (나): 뗀석기를 주로 사용하였다.
④ (나): 정복 전쟁이 활발하게 전개되었다.
⑤ (가), (나): 구성원 간의 관계는 평등하였다.

2 (가) 나라에 대한 설명으로 옳은 것은?

    (가)   의 여러 나라는 변한의 소국에서 시작하
였으며, 우수한 제철 기술을 바탕으로 화려한 문화를 꽃
피웠다.

▲ 덩이쇠   ▲ 철제 갑옷과 투구

① 서옥제 풍습이 있었다.
② 단군왕검이 지배자였다.
③ 광개토 대왕 때 전성기를 맞이하였다.
④ 화랑도를 국가적인 조직으로 개편하였다.
⑤ 중앙 집권적 영역 국가로 성장하지 못하였다.

3 다음의 사건이 일어난 시기를 연표에서 고른 것은?

    신라는 김춘추를 당에 파견하여 도움을 요청하였고,
당은 이를 받아들여 나·당 동맹이 체결되었다.

(가)	(나)	(다)	(라)	(마)
신라, 한강 유역 점령	백제의 신라 공격	백제 멸망	고구려 멸망	나·당 전쟁

삼국 통일

① (가)   ② (나)   ③ (다)   ④ (라)   ⑤ (마)

4 (가)에 들어갈 내용으로 옳은 것은?

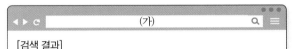

[검색 결과]
    선왕은 말갈족을 대부분 복속시키고 영토를 확장하여
고구려 옛 땅의 대부분을 차지하였다. 이 무렵 당은 '동쪽
의 융성한 나라'라는 의미로 이 나라를 해동성국이라고
부르기도 하였다.

① 발해의 건국 과정을 설명해 주세요.
② 백제의 전성기에 대해 설명해 주세요.
③ 발해의 전성기에 대해 설명해 주세요.
④ 건국 당시 고구려에 대해 설명해 주세요.
⑤ 삼국 통일 이후 신라의 상황을 설명해 주세요.

5 다음에서 설명하는 왕의 업적으로 옳지 않은 것은?

    궁예를 내쫓고 새 나라를 세웠고, 신라를 흡수하고 후
백제군을 격파해 후삼국을 통일하였다.

① 훈요 10조 제시   ② 북진 정책 실시
③ 발해 유민 포용   ④ 노비안검법 실시
⑤ 사심관 제도 실시

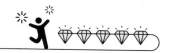

정답과 해설 76쪽

6 (가) 시기에 들어갈 내용으로 옳은 것은?

> 강감찬이 귀주에서 거란군을 크게 격파하였다.

↓

> (가)

↓

> 고려가 여진을 공격해 동북 9성을 쌓았다.

① 수도를 강화로 옮겼다.
② 윤관의 건의로 별무반을 편성하였다.
③ 세력을 키운 여진이 금을 건국하였다.
④ 서희의 담판으로 강동 6주를 확보하였다.
⑤ 여진의 충성 맹세를 받고 동북 9성을 돌려주었다.

7 다음 상황을 해결하기 위해 공민왕이 설치한 개혁 기구의 명칭으로 옳은 것은?

권문세족들의 토지 약탈이 나날이 더 심해지는 것 같소.

그렇소. 이제는 권문세족들이 산과 강을 경계로 할 정도로 대농장을 경영한다고 하지 않는가.

① 통감부
② 쌍성총관부
③ 군국기무처
④ 통리기무아문
⑤ 전민변정도감

8 다음 고려 시대 인물들의 공통점으로 적절한 것은?

나는 천태종을 창시하였습니다.

나는 수선사 결사를 주장하였습니다.

① 실학을 주장하였다.
② 삼별초를 이끌었다.
③ 역사서를 편찬하였다.
④ 불교 통합을 위해 노력하였다.
⑤ 도참 사상을 정치에 응용하였다.

9 다음 조선의 기관에 대한 설명으로 옳은 것은?

> 사헌부   사간원   홍문관

① 최고 합좌 기구이다.
② 불교 정치 이념에 따라 만들어졌다.
③ 국가의 큰 죄인을 다스리는 기관이다.
④ 권력의 독점을 견제하는 기능을 하였다.
⑤ 궁궐과 한성의 수비를 담당하는 기구이다.

10 다음 일을 한 조선 시대의 왕으로 옳은 것은?

> "원만해 편벽되지 않음은 곧 군자의 공정한 마음이고, 편벽해 원만하지 않음은 바로 소인의 사사로운 마음이다."라는 내용이 담긴 탕평비를 세웠다.

① 태조
② 영조
③ 세종
④ 태종
⑤ 성종

11 밑줄 친 운동에서 주장한 내용으로 옳은 것은?

> 효종은 송시열, 이완 등과 함께 북벌 운동을 추진하였으나, 효종의 죽음과 함께 계획이 중단되었다.

① 청의 부마국이 되자.
② 청과 군신 관계를 맺자.
③ 청에 당한 치욕을 씻자.
④ 청의 문물을 적극적으로 수용하자.
⑤ 명과 후금 사이에서 중립 외교를 펼치자.

12 (가)에 들어갈 말로 옳은 것은?

> 대동법의 실시로 공납을 현물 대신 쌀 등으로 거둔 정부는 나라에 필요한 물품을 마련하는 일을 __(가)__ 에게 맡겼다.

① 공인   ② 호족   ③ 사림
④ 덕대   ⑤ 잔반

13 다음 지도의 (가) 봉기에 대한 설명으로 옳은 것은?

① 전봉준이 이끌었다.
② 종교의 자유를 주장하였다.
③ 세도 정권의 수탈에 맞서 봉기하였다.
④ 중인들이 신분 상승을 위해 일으켰다.
⑤ 경상도 지방에 대한 차별이 주된 원인이었다.

14 '사진으로 보는 한국 근대사'를 주제로 전시회를 하고자 한다. (가)에 들어갈 제목으로 가장 적절한 것은?

▲ 미군이 빼앗아 간 어재연 장군기

▲ 프랑스군에게 약탈당한 외규장각 의궤

▲ 전국 각지에 건립된 척화비

① 사상의 성장
② 고종의 왕권 강화책
③ 개항과 불평등 조약 체결
④ 세도 정치로 인한 삼정의 문란
⑤ 흥선 대원군의 통상 수교 거부 정책

15 다음 질문에 대한 대답으로 옳은 것은?

> 조선이 1882년에 체결한 조·미 수호 통상 조약에 대해 이야기해 볼까요?

① 러시아와 체결하였다.
② 조선에 유리한 조약이었다.
③ 흥선 대원군이 주도해 체결하였다.
④ 운요호 사건을 구실로 체결하였다.
⑤ 조선이 서양 국가와 맺은 최초의 근대적 조약이다.

16 다음 대화의 밑줄 친 부분에 들어갈 내용으로 옳지 <u>않은</u> 것은?

1894년에 김홍집 내각은 군국기무처를 설치하고 개혁을 추진했어.

군국기무처는 3개월 동안 약 200여 건 의 개혁 안건을 의결했지.

정치·경제·사회 분야에서 _____ 등 의 다양한 개혁을 추진했어.

① 신분제 폐지　　　　② 집강소 설치

③ 궁내부 신설　　　　④ 과거제 폐지

⑤ 탁지아문으로 국가 재정 일원화

17 다음 마인드맵에서 (가)에 들어갈 단체로 옳은 것은?

창립

서재필이 개화파 관료 들과 1896년에 창립

활동

만민 공동회와 관민 공 동회 개최, 독립문과 독립관 건립 등

(가)

의의

민중의 직접 참여로 갑 신정변과 갑오개혁의 한계를 극복하려 함

한계

러시아를 제외한 열강 의 침략성을 제대로 인 식하지 못함

① 신민회　　② 보안회　　③ 신간회

④ 독립 협회　　⑤ 헌정 연구회

18 (가)에 들어갈 일로 적절한 것은?

일본의 국권 침탈 과정

한·일 의정서 → 제1차 한·일 협약 → 을사늑약 → (가) → 한·일 신협약 → 군대 해산 → 사법권· 경찰권 박탈 → 한국 병합 조합

① 임오군란　　　　② 을미사변

③ 갑신정변　　　　④ 아관 파천

⑤ 고종의 강제 퇴위

19 다음에서 설명하는 인물로 옳은 것은?

평민 출신 의병장으로, 을사늑약 에 맞서 경상도와 강원도 일대에서 항일 구국 투쟁을 전개하였다.

① 전봉준　　② 신돌석　　③ 유인석

④ 김홍집　　⑤ 최익현

20 다음의 근대 문물을 처음 볼 수 있었던 시기의 모습으로 적절하지 <u>않은</u> 것은?

① 고향으로 편지를 보내는 관리

② 경복궁의 전등 시설을 수리하는 관리

③ 한성에서 인천으로 전보를 보내는 상인

④ 경운궁에 가설된 전화를 사용하는 고종

⑤ 경부 고속 국도를 지나 짐을 운반하는 상인

Memo

정답과 해설

 정답과 해설 활용 만내

- ◈ 정답 박스로 빠르게 정답 확인하기!
- ◈ 정답과 오답의 이유, 한 번 더 짚고 넘어가기!
- ◈ 서술형 답안의 평가 요소는 직접 체크해 보며,
  주관식 문제 꼼꼼히 대비하기!

![7일 끝!] **정답과 해설**

1일 🔹 기초 확인 문제   9, 11쪽

1 (1) 이동 (2) 농경 (3) 군장 (4) 연맹(체)   **2** (1) ㄱ (2) ㄹ (3) ㄷ
(4) ㄴ   **3** ㄹ   **4** 고구려   **5** (1) ㉡ (2) ㉢ (3) ㉠   **6** ㄴ   **7**
(1) 문무왕 (2) 신문왕 (3) 견훤   **8** (1) ㉢ (2) ㉡ (3) ㉠   **9** 발해
10 유학

1일 🔹 내신 기출 베스트   12~13쪽

1 ①   **2** ㉡   **3** ㄴ   **4** ②   **5** ④   **6** ②   **7** ⑤   **8** ⑤

1 구석기 시대의 생활 모습
주먹도끼와 슴베찌르개는 돌을 깨뜨려 떼어 내어 만든 뗀석기
로, 구석기 시대의 대표적인 유물이다. 구석기인들은 식물 열매
나 뿌리 등을 채집하거나 짐승을 사냥하며 살았다. 또 무리를 이
루어 사냥감을 찾아 이동 생활을 하였으며, 동굴이나 바위 그늘
에 거주하거나 막집을 짓고 살았다.

`자료 분석 ➕`

주먹도끼는 한 손에 쥐고 도끼처럼 사용하였다.

슴베찌르개는 슴베를 자루와 연결하여 창처럼 사용하였다.

2 청동기 시대를 대표하는 문화유산
제시된 자료는 인천광역시 강화 고인돌로 청동기 시대의 유적이
다. 청동기 시대에는 계급의 분화가 일어나 여러 부족을 통합한
권력자인 군장이 출현하였고, 군장이 죽으면 그 권력을 상징하
는 거대한 고인돌이나 돌널무덤을 만들었다.

3 고조선의 특징과 사회 모습
고조선은 청동기 문화를 바탕으로 성립한 우리나라 최초의 국가
이다. 고조선은 사회 질서를 유지하기 위한 8조법이 있었다.
`오답 피하기`
ㄴ. 8조법을 통해 고조선은 노비가 존재하는 계급 사회였음을 알 수 있다.

4 삼국 시대 왕의 업적
한강 유역 차지, 화랑도 개편, 대가야 정복을 통해 신라 진흥왕에
대한 설명임을 알 수 있다. 6세기 후반 진흥왕은 화랑도를 국가
적인 조직으로 개편하여 인재를 양성하는 한편, 영토를 크게 확
장하였다. 백제와 연합하여 고구려를 공격해 한강 상류 지역을
차지하였고, 다시 백제를 공격하여 한강 하류 지역마저 차지하
였다. 이후 대가야를 정복하여 가야 연맹의 모든 지역을 편입하
였으며, 동해안을 따라 함흥평야까지 진출하였다.

`더 알아보기 ➕` 삼국 시대 왕의 업적

지증왕	신라의 왕으로, 신라를 공식 국호로 정하고 왕호도 마립간에서 왕으로 바꾸었으며 우산국을 정벌함
근초고왕	백제의 전성기를 이끈 왕으로, 마한의 소국들을 정복하여 남해안까지 진출하였고, 고구려를 공격하여 황해도 일대를 차지함
소수림왕	고구려의 왕으로 전진과 수교하여 대외 관계를 안정시키고, 태학 설립, 율령 반포, 불교 수용 등을 통해 국가 통치 조직을 정비함
광개토대왕	고구려의 왕으로, 요동을 포함한 만주 일대를 장악하였으며, 백제를 공격하여 한강 이북 지역을 차지함

5 신라의 삼국 통일 과정
고구려가 수와 당에 맞서 싸우던 시기에 백제는 신라를 여러 차
례 공격하였다. 신라는 백제의 공격으로 여러 성을 빼앗겨 위기
를 맞았다. 이에 김춘추를 고구려와 왜에 보내 도움을 요청하였
으나, 모두 거절당하였다. 신라는 다시 김춘추를 당에 파견하여
도움을 요청하였고, 당이 이를 받아들여 나·당 동맹이 체결되었
다. 나·당 연합군은 백제와 고구려를 차례로 멸망시켰다.

6 발해의 중앙 정치 체제
발해의 중앙 정치 조직은 3성 6부를 기본으로 하였다. 이는 당의
제도를 수용한 것이지만 운영과 명칭은 독자적이었다.

`자료 분석 ➕`

* [ ]: 당의 관제

3성 중 정당성이 최고 집행 기구로, 그 장관인 대내상이 국정을 총괄하였다.
정당성은 6부를 좌사정과 우사정으로 나누어 관할하였는데, 6부의 명칭에
는 유교 이념이 반영되어 있다.

7 원효와 의상의 업적

통일 이후 신라의 불교는 당과의 교류가 활발해지면서 교리에 대한 이해가 깊어지고 학문적이고 철학적인 성향이 강해졌다. 또한 귀족뿐만 아니라 민간에까지 확대되었는데, 여기에는 원효와 의상과 같은 승려들의 활약이 컸다. 원효는 모든 것이 한마음에서 나온다는 일심 사상을 제시하였고, 의천은 모든 존재는 상호 의존적 관계에 있으면서 조화를 이루고 있다는 화엄 사상을 정립하였다.

8 통일 신라의 유학

독서삼품과는 원성왕 때 실시한 제도이다. 신문왕이 설립한 교육 기관인 국학의 학생들을 대상으로 유교 경전의 이해 수준을 시험하여 관리 선발에 활용하고자 하였다.

선택지 바로 보기

① 황룡사를 지었다. (×)
→ 황룡사는 신라 진흥왕 때 국가적 사찰로 지어졌다.
② 불국사를 지었다. (×)
→ 불국사는 통일 신라 시기 불교 예술을 대표하는 건축물이다.
③ 사신도를 제작하였다. (×)
→ 사신도는 동서남북을 지키는 도교의 방위신을 그린 그림으로, 사신은 도교에서 사방을 수호하는 상상의 동물로, 청룡(동), 백호(서), 주작(남), 현무(북)를 가리킨다.
④ 오경박사를 두어 교육하게 하였다. (×)
→ 백제 시대의 유학에 대한 설명이다.
⑤ 독서삼품과를 실시하여 관리 선발에 활용하고자 하였다. (○)

2일 기초 확인 문제
17, 19쪽

1 (1) 고려 (2) 고구려 (3) 신라 **2** (1) ㄱ (2) ㄷ (3) ㄴ **3** 2성 6부제 **4** ② **5** ㄴ **6** ④ **7** 공민왕 **8** (1) 위화도 회군 (2) 급진 **9** (가) 양인 (나) 천인 **10** ① **11** (1) 국자감(국학) (2) 풍수지리설 (3) 도교

2일 내신 기출 베스트
20~21쪽

1 ⑤ **2** ⑤ **3** 여진 **4** ② **5** (가) 몽골 (나) 강화(도) **6** ② **7** ② **8** ①

1 고려의 후삼국 통일 과정

(가)는 왕건, (나)는 송악, (다)는 신라, (라)는 후백제군이다. 송악(개성)의 호족 출신인 왕건은 궁예의 신하로 활동하였고, 많은 공을 세워 주변의 신망을 얻었다. 궁예의 폭정이 날이 갈수록

심해지자, 왕건은 여러 호족과 함께 궁예를 내쫓고 새 나라를 세웠다. 왕건은 고구려 계승을 표방하며 국호를 '고려'로 하고, 송악에 새 도읍(개경)을 건설하였다. 고려는 신라 경순왕의 항복으로 전쟁을 치르지 않고 신라를 흡수하고 내분이 일어난 후백제군을 격파하여 936년에 후삼국을 통일하였다.

2 고려 태조 왕건의 업적

후삼국을 통일한 태조 왕건은 국가의 기틀을 다지는 과정에서 호족 포용 정책을 폈다. 또 고구려 계승 의식을 바탕으로 북진 정책을 추진하였다. 그는 평양을 서경으로 삼아 북진 정책의 기지로 활용하고 청천강 유역까지 영토를 확대하였다. 후손들에게는 훈요 10조를 남겨 고려 왕조의 나아갈 방향을 제시하였다.

자료 분석 +

제시된 자료는 태조 왕건 청동상이다. 태조 왕건은 황제만이 착용한다는 통천관을 쓰고 있다. 고려는 송, 거란, 금 등 국가에 사대하며 왕국을 표방하였지만, 내부적으로 고구려를 비롯한 삼국의 독자적인 천하관을 계승하면서 황제국 체제를 지향하였다.

3 고려 전기의 대외 관계

고려는 여진을 경제적으로 도와주고 관직 등을 주어 회유하였고 투항하는 여진인들에게는 살 곳을 제공하고 그들의 풍속을 존중하였다. 그러나 12세기 초 부족을 통일한 여진은 고려 국경을 자주 침범하였다. 이에 고려는 여진을 상대하기 위해 별무반을 창설하였다. 윤관은 별무반을 이끌고 여진을 정벌한 뒤 동북 9성을 설치하였다. 이후 여진의 계속된 침입에 방어가 어렵게 되자, 조공을 약속받고 돌려주었다.

4 무신 정권의 성립

고려는 이자겸의 난과 서경 천도 운동 등으로 문벌 사회 안팎의 갈등이 심화되는 가운데, 문신에 비해 승진 및 처우에서 차별을 받아 온 무신들의 불만이 커져 갔다. 결국 정중부, 이의방 등을 중심으로 한 무신들이 정변을 일으켜 많은 문신을 제거하고 왕을 교체하였다(무신 정변). 정권을 잡은 무신들은 주요 관직을 차지하고 무신들의 회의 기구인 중방을 중심으로 정치를 운영하였다.

더 알아보기 + 무신 정권

초기의 무신 정권	무신들의 회의 기구인 중방을 중심으로 정치 운영 → 무신들의 권력 다툼으로 최고 집권자가 자주 바뀜
최씨 무신 정권	• 최충헌이 이의민을 제거하고 권력을 장악하여 최씨 가문이 4대 60여 년간 정권을 주도함 • 최충헌: 교정도감(국정 총괄) 설치, 도방(사병 조직) 개편 • 최우: 정방(인사권 장악) 설치

5 몽골에 대한 고려의 항전

13세기 초 몽골은 여러 부족을 통일한 후 세력을 확대하였다. 몽골은 고려에 해마다 많은 공물을 요구하였고 이에 고려와 갈등을 빚었다. 이러한 상황에서 고려를 방문한 몽골 사신이 귀국길에 피살되는 사건이 발생하였고, 관계가 악화된 끝에 1231년에 몽골이 고려를 침략하였다. 최씨 정권은 수도를 강화도로 옮겼고, 고려의 백성들은 삶의 터전과 나라를 지키고자 부곡민, 노비, 초적들까지 나서 몽골군에 맞서 싸웠다.

6 고려의 신분 사회

고려의 신분은 대체로 양인과 천인으로 나뉘었고 노비 등 천민을 제외하고는 양인층에 속하였다. 양인 중 중간 계층에는 궁궐의 실무를 맡은 남반, 지방 행정 실무를 담당한 향리, 환관, 하급 장교 등이 있었다.

선택지 바로 보기

① 최상위 지배층이다. (×)
→ 양반에 대한 설명이다.

② 서리, 향리 등이 해당한다. (○)

③ 문반과 무반으로 구성되었다. (×)
→ 양반에 대한 설명으로, 문반은 정부의 문신직을 담당하였고, 무반은 2군 6위의 장군직 등에 복무하였다.

④ 재산처럼 취급되어 매매·증여·상속의 대상이 되었다. (×)
→ 천민의 대부분은 노비로, 노비는 재산처럼 취급되어 매매·증여·상속의 대상이 되었다.

⑤ 농민, 상인, 수공업자, 특수 행정 구역에서 거주하는 향·부곡·소 주민이 해당한다. (×)
→ 평민에 대한 설명으로 대다수의 양인은 평민이었다. 향·부곡과 소의 주민은 평민에 속하였지만, 일반 군현의 주민에 비해 차별을 받았다.

7 고려의 유학

고려 시대에 유교는 정치 이념으로 발전하였고, 유학 교육도 확대되었다. 태조 왕건은 6두품 출신 유학자들을 등용하여 국가 운영의 방향을 모색하였고, 광종은 과거제를 시행하여 유교적 소양을 갖춘 관리를 등용하였다. 성종 때 최승로는 나라를 다스리는 근본으로 유교를 채택해야 한다고 주장한 최승로의 시무 28조를 받아들여 유교 정치 이념에 따라 통치 제도를 정비하였으며, 유학 교육을 위해 지방에 경학 박사를 파견하고 개경에 국자감(국학)을 설치하였다.

8 지눌의 불교 통합 운동

지눌은 불교 본연의 정신을 확립하기 위해 독경과 선 수행, 노동에 힘쓸 것을 주장하며 수선사 결사를 제창하였다. 지눌의 결사 운동은 개혁적인 승려들과 지방민의 호응으로 활발하게 전개되었으며, 이후 조계종이 발전하는 계기가 되었다. 지눌은 수행 방법으로 정혜쌍수와 돈오점수를 내세웠다.

더 알아보기 + 지눌의 수행 방법

| 정혜쌍수 | 선과 교학을 분리하지 않고 함께 수행해야 함 |
| 돈오점수 | 내 마음이 곧 부처라는 깨달음을 얻은 뒤 꾸준히 수행해야 함 |

3일 기초 확인 문제   25, 27쪽

1 (1) 성리학 (2) 왕권 (3) 세종 (4) 홍문관   **2** (가) 의정부 (나) 3사
3 ⑤   **4** 정조   **5** ④   **6** (1) ⓒ (2) ⓛ (3) ⓔ (4) ⓣ   **7** ⑤
8 이앙법(모내기법)   **9** (1) 대동법 (2) 청   **10** ㄷ   **11** 홍경래

3일 내신 기출 베스트   28~29쪽

1 ⑤   **2** ③   **3** ④   **4** (다)   **5** (1) (다) (2) 상민   **6** ⑤
7 ⑤   **8** 공명첩

1 세종의 업적

집현전 설치, 경연 중시 등을 통해 제시된 왕이 조선의 세종임을 알 수 있다. 세종은 6조가 먼저 의정부에 업무를 보고하면 의정부 재상들이 이를 심의한 후 국왕의 재가를 얻어 시행하는 의정부 서사제를 통해 왕권과 신권의 조화를 꾀하였다. ① 한양 천도는 태조, ② 호패법 시행은 태종, ③ 6조 직계제 시행은 태종과 세조, ④ 『경국대전』은 성종이 반포하였다.

2 조선의 관리 등용 제도

조선의 관리 등용은 과거, 음서, 천거를 통해 이루어졌지만, 과거 시험이 관리 선발에서 가장 중시되었다. 과거에는 문관을 뽑는 문과, 무관을 뽑는 무과, 기술관을 뽑는 잡과가 있었다.

3 탕평책의 실시

영조는 붕당의 폐해를 극복하기 위해 탕평책을 실시하였다. 영조는 탕평파를 육성하여 이들을 중심으로 정국을 운영하였고, 이조 전랑의 인사권을 약화하고 붕당 정치의 근거지인 서원을 대폭 정리하였다. 정조도 영조의 탕평책을 계승하여 노론, 소론, 남인을 고루 등용하였다.

자료 분석 +

영조는 탕평책의 의지를 알리기 위해 성균관 앞에 탕평비를 세웠다. 탕평비에는 "원만해 편벽되지 않음은 곧 군자의 공정한 마음이고, 편벽해 원만하지 않음은 바로 소인의 사사로운 마음이다."라는 내용이 담겨 있다.

◀ 탕평비

4 북학론

호란 이후 조선은 청에 연행사를 파견하였는데, 청에 다녀온 사신들은 청의 문물을 국내에 소개하였다. 이 과정에서 조선인들의 대외 인식에도 변화가 나타났다. 이에 따라 18세기경 실학자들을 중심으로 청의 발전된 문물을 배우자는 북학론이 나타났다.

오답 피하기

(가), (나)는 청을 정벌하자는 북벌론을 주장하고 있다. 이들은 조선이 명의 문화를 계승한 문화 민족이라는 소중화주의를 바탕으로 오랑캐에 당한 수치를 씻고 임진왜란 때 조선을 도와준 명에 대한 의리를 지킬 것을 주장하였다.

5 조선 시대의 신분

(가)는 양반, (나)는 중인, (다)는 상민, (라)는 천민에 해당한다. 이들 중 일반 백성으로 조세와 역을 부담하던 신분은 상민이다. 조선 시대는 법제적으로 양인과 천인으로 구분된 양천제이지만, 현실에서는 좀 더 복잡한 양상을 띠면서 양반, 중인, 상민, 천민의 4신분제로 구분되었다.

더 알아보기 + 조선 시대 신분 구성의 특징

양반	• 군역을 면제받는 등 각종 특혜를 보장받던 지배층 • 생산 활동에 직접 참여하기보다 학문과 가문을 배경으로 관직에 나가는 것을 목표로 함
중인	• 역관, 의관 같은 기술관이나 관청의 서리, 지방 향리 등이 해당하며 이들은 신분을 세습하며 기술 교육을 받아 잡과에 응시하였음 • 양반 첩의 자식인 서얼은 중인과 같은 신분적 대우를 받음
상민	• 상민은 농민, 수공업자, 상인 등을 말함 • 정부는 생산에 종사하는 계층인 상민들에게 세금을 거두어 국가를 운영하였음 • 법적으로 교육을 받고 과거에 응시할 수 있었지만, 실제로 과거 응시는 어려웠음
천민	• 최하층 신분인 천민은 대부분 노비였음 • 노비는 재산으로 취급되어 매매·상속·증여할 수 있었으며 관청에 소속된 공노비와 개인에게 속한 사노비로 구분됨

6 군역의 폐단

조선 후기 농민은 군포 2필 납부로 군역을 대신하였는데, 정부는 양인 장정의 수와 징수할 군포의 양을 미리 정해 놓고 고을 단위로 부과하였다. 양반 신분을 얻어 군역 부담에서 벗어나는 자들도 증가해 군포 부담은 가난한 농민에게 집중되었다. 영조는 이러한 군역의 폐단을 바로잡기 위해 균역법을 시행하였다.

7 상평통보의 유통

17세기 말에 상평통보가 전국적으로 유통되었으며, 18세기 후반에는 세금과 소작료를 화폐로 납부하는 모습도 나타났다. 이러한 화폐의 사용은 유통 경제의 발달을 더욱 촉진하였다.

8 신분 사회의 동요

조선 후기에 상품 화폐 경제가 발전하면서 부유한 상민들이 나타났다. 이들은 공명첩 구입, 납속, 족보 위조 등 갖은 방법으로 양반이 되려 하였다. 양반이 되면 군역 등 각종 국역이 면제되고 지배층의 수탈에서도 어느 정도 벗어날 수 있기 때문이었다.

4일 기초 확인 문제   33, 35쪽

1 ㄱ, ㄹ   **2** (1) 프랑스군 (2) 광성보   **3** ④   **4** 강화도 조약
5 ②   **6** (1) 구식 군인 (2) 청   **7** ㄱ, ㄷ   **8** 전봉준   **9** (1) ㉡
(2) ㉠   **10** (1) 탁지아문 (2) 홍범 14조 (3) 단발령 실시   **11** 독립 협회   **12** ③

4일 내신 기출 베스트   36~37쪽

1 호포제   **2** ⑤   **3** (1) 척화비 (2) 흥선 대원군   **4** ②   **5** ③
6 ④   **7** ③   **8** ④

1 흥선 대원군의 개혁 정치

흥선 대원군은 군정의 폐단을 시정하기 위해 호포제를 실시하여 상민에게만 거두었던 군포를 양반에게도 징수하였다.

자료 분석 +

▲ 호포제 실시에 따른 군포 부담층의 변화

흥선 대원군은 군정의 문란을 시정하기 위해 양반과 상민의 구별 없이 집집마다 군포를 징수하는 호포제를 실시하였다. 호포제 실시로, 양반층에게도 군포를 징수하여 양반층은 반발하였으나 농민층은 크게 환영하였다.

2 병인양요

프랑스는 병인박해를 구실로 강화도를 침략하였다. 그러나 한성근 부대가 문수산성에서 활약하였고, 양헌수 부대가 정족산성에서 프랑스군을 물리쳤다. 조선의 완강한 저항에 부딪힌 프랑스군은 약 1개월 만에 강화도에서 철수하였는데, 철수 과정에서 외규장각 건물에 불을 지르고, 의궤를 비롯한 각종 도서와 재물을 약탈하였다.

오답 피하기

④ 신미양요는 제너럴셔먼호 사건을 구실로 미군이 강화도를 침략한 사건으로, 병인양요 이후에 발생하였다.

정답

3　통상 수교 거부 정책

신미양요 이후 흥선 대원군은 전국 각지에 척화비를 세워 서양과의 통상을 거부한다는 의지를 널리 알렸다. 흥선 대원군의 통상 수교 거부 정책은 서양 세력의 침투를 일시적으로 저지하였으나 조선의 근대화가 늦어지게 하였다.

4　강화도 조약

일본은 조선 침략의 발판을 마련하기 위해 운요호 사건을 일으켰다. 강화도에 나타난 일본 군함 운요호는 초지진을 공격하고, 영종도에 상륙하여 관아와 민가를 노략질하며 조선에 문호 개방을 요구하였다. 조선에서는 일본의 문호 개방 요구에 찬반 논란이 일어났지만, 박규수와 신헌 등의 의견을 들어 강화도 조약을 체결하고 문호를 개방하였다. 제시된 강화도 조약의 제1관은 청의 간섭을 배제해 일본의 조선 침략을 쉽게 하려는 의도이다. 또한 제7관은 조선의 해양 측량권을 허용, 제10관은 영사 재판권을 허용한 불평등 조약이다.

5　갑신정변

베트남에서 청·프 전쟁이 일어날 조짐이 보이자 청이 조선에 파견하였던 병력의 일부를 철수했고, 이를 기회로 여긴 급진 개화파는 병력을 지원해 주겠다는 일본 공사의 약속을 믿고 정변을 단행하였다. 이들은 개화당 정부를 수립하고 개혁 정강을 발표하였지만, 청군이 개입하자 일본군이 약속을 어기고 곧바로 철수하면서 정변은 3일 만에 실패로 끝났다.

자료 분석 +

김옥균, 서재필, 서광범, 박영효의 사진으로 이들 급진 개화파는 갑신정변을 일으킨 주역이다. 갑신정변 실패 이후 일본으로 망명하였으나, 일본 정부의 냉대로 김옥균을 제외한 세 사람은 미국으로 건너갔다.

6　동학 농민 운동의 성격

청·일 전쟁에서 전세가 유리해진 일본은 조선에 대한 내정 간섭을 강화하면서 관군과 함께 동학 농민군을 토벌하려고 하였다. 이에 동학 농민군은 2차 봉기를 일으켰다.

오답 피하기

② 조병갑의 파면을 위해 봉기한 것은 고부 농민 봉기 때의 일로 제2차 봉기보다 이전의 일이다.

7　갑오개혁

군국기무처는 국정에 관한 일체의 개혁 안건을 의결하기 위해 만든 임시 회의 기구이다. 김홍집 내각은 제1차 갑오개혁 때 군국기무처를 설치해 신분제 폐지, 과거제 폐지 등을 추진하였다.

더 알아보기 +　제1차 갑오개혁의 내용

정치	중국 연호를 폐지하고 개국 기년 사용, 궁내부를 설치하여 왕실 사무와 국정 사무 분리, 6조를 8아문으로 개편, 과거제 폐지, 경무청 설치 등
경제	탁지아문으로 재정 일원화, 은 본위 화폐 제도 채택, 조세 금납화, 도량형 통일 등
사회	신분제 폐지, 조혼 금지, 과부의 재가 허용, 고문과 연좌제 폐지 등

8　독립 협회의 활동

독립문과 독립관을 세운 단체는 독립 협회이다. 만민 공동회는 여러 계층의 사람들이 참여한 근대적 대중 집회이다. 독립 협회는 만민 공동회를 통해 개혁 운동에 국민이 직접 참여하게 하여 갑신정변과 갑오개혁의 한계를 극복하려 하였다.

선택지 바로 보기

① 원납전을 징수하였다. (×)
→ 원납전은 흥선 대원군이 경복궁 중건을 위해 징수하였다.

② 병인박해를 주도하였다. (×)
→ 흥선 대원군은 병인박해를 통해 천주교도에 대한 대대적인 탄압을 가하였다.

③ 아관 파천을 단행하였다. (×)
→ 고종에 대한 설명으로, 고종이 신변의 안전과 일본의 영향력 약화를 위해 러시아 공사관으로 거처를 옮긴 일을 말한다.

④ 만민 공동회를 개최하였다. (○)

⑤ 국정 개혁의 기본 강령인 홍범 14조를 반포하였다. (×)
→ 홍범 14조는 제2차 갑오개혁 때 반포된 국정 개혁의 기본 강령이다.

5일　기초 확인 문제　41, 43쪽

1 (1) ㉠ (2) ㉣ (3) ㉢ (4) ㉡ (5) ㉤　**2** 을사늑약(제2차 한·일 협약)　**3** (1) 간도 (2) 독도 (3) 시마네현 고시 제40호　**4** ㄷ → ㄴ → ㄱ　**5** 신민회　**6** (1) 개항 (2) 청·일 전쟁 (3) 백동화 (4) 곡물　**7** (가) 일본 (나) 통감부　**8** (1) 교통 (2) 경인선　**9** (1) ㉠ (2) ㉢ (3) ㉡　**10** ②

5일　내신 기출 베스트　44~45쪽

1 ③　**2** 간도　**3** ①　**4** ⑤　**5** ④　**6** 방곡령　**7** ③　**8** ②

1 을사늑약 체결의 결과

을사늑약으로 일본은 대한 제국의 외교권을 빼앗고 통감부를 설치하였다. 초대 통감으로 부임한 이토 히로부미는 대한 제국의 외교뿐만 아니라 내정 전반을 간섭하였다. 을사늑약이 체결되자 각계각층에서 항일 운동이 펼쳐져 을사의병이 일어났고, 『황성신문』에서는 을사늑약의 부당함을 규탄하는 논설인 '시일야방성대곡(이 날에 목 놓아 통곡하노라)'을 발표하였다.

③ 청 · 일 전쟁은 1894년, 을사늑약은 1905년에 일어난 일이다.

2 간도 협약

을사늑약 체결 이후 일본은 간도에 통감부의 파출소를 설치하고, 간도는 대한 제국의 영토이며, 간도에 거주하는 한국인이 청 정부에 세금을 낼 의무가 없다고 발표하기도 하였다. 그러나 1909년 일본은 청과 간도 협약을 체결하여 만주의 철도 부설권과 탄광 채굴권 등의 이권을 얻는 대신 간도를 청에 넘겨주었다.

제시된 지도는 대한 제국 지도인 「대한전도」로 두만강 건너 간도가 한국 땅으로 표시되어 있다.

3 항일 의병 운동

정미의병은 고종의 강제 퇴위와 군대 해산을 계기로 전개되었다. 해산 군인의 가담으로 전투력이 강화되고 다양한 계층이 참여하면서 의병 전쟁으로 발전하게 되었다.

을미의병 (1895)	• 을미사변과 단발령을 계기로 일어남 • 단발령 철회와 고종의 해산 권고에 따라 해산, 이후 일부 농민은 활빈당으로 활동
을사의병 (1905)	• 을사늑약 체결을 계기로 일어남 • 최익현 등 양반 유생 의병장, 신돌석 등 평민 출신 의병장이 주도함
정미의병 (1907)	• 양반 유생, 농민, 상인, 해산 군인, 노동자 등 다양한 계층이 참여 • 의병 연합 부대인 13도 창의군을 결성하여 서울 진공 작전을 추진하였으나 실패

4 신민회

을사늑약 체결 이후 통감부의 탄압으로 합법적인 정치 · 사회 단체의 활동이 어려워졌다. 이에 안창호와 양기탁 등의 주도로 1907년에 비밀 결사 단체인 신민회가 조직되었다. 신민회는 실력 양성과 함께 만주 삼원보에 독립운동 기지를 건설하는 등 무장 투쟁을 준비하였다.

㉠의 이완용과 박제순은 을사 5적에 속하며, ㉢ 한국 병합 조약은 1910년에 일본이 대한 제국의 국권을 강탈한 조약이다.

5 일본의 경제 침탈

일본이 실시한 화폐 정리 사업으로 기존에 통용되던 백동화가 일본 제일 은행에서 발행한 새 화폐로 교환되었다. 그러나 백동화는 액면가 이하로 교환되거나 교환이 거부되기도 하였다. 그 결과 시중에 유통되던 화폐량이 줄어들고 한국 상인과 은행이 파산하기도 하는 등 큰 타격을 입었으며, 한국은 일본의 화폐권에 편입되었다.

6 경제적 구국 운동

방곡령은 일본으로의 곡물 유출을 막기 위해 개항 이후 100여 차례 넘게 내려졌으나, 일본 측의 항의로 번번이 실패하였다. 특히 1889년 함경도, 1890년 황해도 관찰사가 내린 방곡령은 조선과 일본 간 외교적 마찰로 확대되었다.

7 근대 시설의 도입

황실과 미국인의 합작으로 설립된 한성 전기 회사는 발전소를 세우고 1899년부터 전차를 운행하였다. 전차는 서대문과 청량리 사이에 개통되었다.

① 우정총국이 운행하였다. (×)
→ 한성 전기 회사가 운행하였다.
② 경운궁에 처음 가설되었다. (×)
→ 전화에 대한 설명이다.
③ 한성 전기 회사가 운행하였다. (○)
④ 개항 이전부터 조선에 있었던 시설이다. (×)
→ 개항 이후 도입된 근대 시설이다.
⑤ 일본과 대한 제국을 쉽게 오갈 수 있었다. (×)
→ 전차는 서대문과 청량리 사이를 운행하였다.

8 국학의 발달

을사늑약 이후에 신채호, 박은식 등의 학자들은 역사를 통해 애국심을 일깨우고 민중을 계몽하고자 하였다. 신채호는 『독사신론』을 통해 민족을 역사 서술의 주체로 내세워 민족주의 사학의 연구 방향을 제시하였다.

1 ②   **2** ⑤   **3** ⑤   **4** ④   **5** ③   **6** ②   **7** ④   **8** ③
9 ⑤   **10** ③

1 신석기 시대의 유물

제시된 글은 신석기 시대에 대한 설명이다. 신석기인들은 흙으로 토기를 빚어 음식을 조리하거나 저장하였다. ① 비파형 동검은 청동기 시대, ③ 주먹도끼는 구석기 시대, ④ 거친무늬 거울은 청동기 시대, ⑤ 고인돌은 청동기 시대의 문화유산이다.

자료 분석 ✚

빗살무늬 토기는 빗살 모양의 가는 선 무늬를 새긴 토기로, 신석기 시대의 대표적인 유물이다. 신석기 시대 초기에는 이른 민무늬 토기와 덧무늬 토기를 사용하다가 점차 빗살무늬 토기를 널리 사용하게 되었다.

2 고조선의 특징

8조법 중 세 가지 조항만이 전해지는데, 이를 통해 고조선은 사유 재산을 중시하고 형벌과 노비가 존재하는 계급 사회였음을 알 수 있다.

선택지 바로 보기

① 사유 재산을 인정하지 않았다. (×)
→ 사유 재산을 인정하였다.
② 계급이 없는 평등한 사회였다. (×)
→ 노비가 존재하는 계급 사회였다.
③ 철기 문화를 바탕으로 세워졌다. (×)
→ 청동기 문화를 바탕으로 세워졌다.
④ 정치와 종교가 분리된 사회였다. (×)
→ 제사장을 뜻하는 단군과 정치적 지배자를 뜻하는 왕검을 합친 '단군왕검'을 통해 고조선이 제정일치 사회였음을 알 수 있다.
⑤ 사회를 유지하기 위한 8조법이 있었다. (○)

3 백제의 전성기

제시된 지도는 백제의 전성기인 4세기 당시의 삼국의 형세를 보여준다. 4세기 중엽 백제의 근초고왕은 백제의 전성기를 이끌었다.

선택지 바로 보기

① 신라가 대가야를 병합하였다. (×) → 6세기
② 고구려가 한강 유역을 모두 장악하였다. (×) → 5세기
③ 단양 신라 적성비, 순수비 등이 세워졌다. (×) → 6세기
④ 고구려 장수왕이 평양으로 수도를 옮겼다. (×) → 5세기
⑤ 백제 근초고왕이 고구려의 평양성을 공격하였다. (○)

자료 분석 ✚

제시된 지도는 4세기 후반 근초고왕 때로, 백제의 전성기를 나타낸다. 근초고왕은 마한의 소국들을 정복하여 남해안까지 진출하였고, 고구려를 공격하여 황해도 일대를 차지하기도 하였다. 한편, 가야와 외교 관계를 맺어 왜로 가는 교통로를 확보하였고, 이를 토대로 중국의 동진, 왜의 규슈 지방과 교류하면서 중국-백제-왜를 잇는 해상 교역망을 확보하였다.

4 통일 신라의 통치 체제 정비

신라는 삼국을 통일한 후 왕권을 강화하기 위한 노력의 일환으로 집사부의 장관인 시중의 권한을 강화하고 귀족 세력을 대표하던 상대등의 권한을 약화시켰다.

5 발해의 건국과 특징

제시된 인물 카드는 대조영에 관한 것으로, (가)는 발해이다. 신라 북쪽에 발해가 건국되면서 신라와 발해가 양립하는 남북국의 형세를 이루었다. 발해는 선왕 때 당에게 해동성국이라 불리며 전성기를 맞았지만, 10세기 초 지배층이 분열하는 가운데 거란의 침략으로 멸망하였다.

오답 피하기

③은 신라에 대한 설명이다.

6 고려의 후삼국 통일 과정

왕건은 고구려 계승을 표방하며 국호를 '고려'로 하고, 송악으로 도읍을 옮겼다. 고려는 이후 신라 경순왕의 항복으로 전쟁을 치르지 않고 신라를 흡수하였고, 내분이 일어난 후백제군을 격파하고 후삼국을 통일하였다.

7 별무반

12세기 초 부족을 통일한 여진은 고려 국경을 자주 침범하였다. 이에 고려는 여진을 상대하기 위해 별무반을 창설하였다. 윤관은 별무반을 이끌고 여진을 정벌한 뒤 동북 9성을 설치하였다.

8 공민왕의 개혁 정치

14세기 중엽 원이 쇠퇴하자, 공민왕은 원의 간섭에서 벗어나고자 하였다. 공민왕은 원 황실의 외척으로 권력을 행사하던 기철을 비롯한 기씨 세력을 제거하였고, 고려의 내정을 간섭하던 정동행성 이문소를 철폐하였으며, 지방에서 백성을 괴롭히던 몽골의 만호부를 폐지하였다. 또한 왕실 호칭과 관제를 복구하고 변발 등 몽골식 생활 풍습도 금지하였다.

9 고려의 유학

고려 시대에 유교는 정치 이념으로 발전하였고, 유학 교육도 확대되었다. 이를 위해 성종은 지방에 경학 박사를 파견하고 개경에 국자감(국학)을 설치하였다. 광종은 과거제를 실시해 유교적 소양을 갖춘 관리를 등용하였다. 신진 사대부는 유학의 한 갈래인 성리학을 개혁 사상으로 이해하고 고려 사회의 모순을 개혁하는 데 관심을 기울였다.

> **오답 피하기**
> ⑤ 의천은 불교계의 갈등을 해결하기 위해 교종과 선종을 통합하려 하였다. 의천은 천태종을 창시해 교종의 입장에서 선종을 통합하였다.

10 세종의 업적

세종은 경연을 중시하고 의정부 서사제를 시행하여 왕권과 신권의 조화를 꾀하였다. 경연은 왕과 신하가 모여 유교 경전과 역사를 공부하면서 학문과 정책을 토론하던 제도이며, 의정부 서사제는 6조가 먼저 의정부에 업무를 보고하면 의정부 재상들이 이를 심의한 후 국왕의 재가를 얻어 시행하는 체제를 말한다.

> **오답 피하기**
> ①은 세종, ②는 성종, ④는 태조, ⑤는 태종의 업적이다.

> **더 알아보기** ➕ 조선 유교 정치의 확립

태조	• 국호를 '조선', 수도를 '한양'으로 정함 • 성리학을 바탕으로 제도와 의례 정비
태종	• 왕권 강화: 사병 혁파(군사권 장악), 6조 직계제 실시 • 재정 확충: 양전 사업(토지), 호패법(호구 파악) 실시
세종	• 왕도 정치: 집현전 설치, 의례와 제도 정비 • 왕권과 신권의 조화: 경연 중시, 의정부 서사제 실시
세조	왕권 강화: 집현전과 경연 폐지, 6조 직계제 실시
성종	• 왕권과 신권의 조화: 홍문관 설치, 경연 강화 • 유교적 통치 체제 확립: 「경국대전」 반포

6일 누구나 100점 테스트 2회   48~49쪽

1 ⑤   2 ④   3 ⑤   4 ⑤   5 ⑤   6 ③   7 ⑤   8 ⑤
9 ②   10 ②

1 광해군의 중립 외교 정책

후금이 명을 공격하자 명은 조선에 원군을 요청하였다. 그러나 광해군은 강성해지는 후금과의 직접적 충돌을 피하기 위해 명과 후금 사이에서 중립 외교 정책을 폈다. 광해군은 강홍립을 도원수로 삼아 명에 원군을 보냈지만, 상황에 따라 대처하도록 하였다. 이러한 광해군의 중립 외교 정책은 명에 대한 의리를 중시하는 서인의 비판을 받았다.

2 대동법

대동법은 광해군 때부터 시행되었다. 경기도에서 먼저 시행하였고 공납을 현물 대신 토지 1결당 쌀 12두 또는 삼베, 무명, 동전 등으로 거두어들이도록 하였다.

> **선택지 바로 보기**
> ① 양인과 천인으로 구분하던 조선의 제도는? (×) → 양천제
> ② 토지 1결당 4~6두를 징수하던 조선의 제도는? (×) → 영정법
> ③ 문과, 무과, 잡과로 나누어 관리를 등용하던 조선의 제도는? (×) → 과거제
> ④ 공납을 현물 대신 쌀, 삼베, 무명 등으로 거두어들이는 조선의 제도는? (○)
> ⑤ 군역을 대신하여 1인당 1년에 군포 1필을 납부하게 하던 조선의 제도는? (×) → 균역법

3 조선 후기 상품 작물의 재배

조선 후기에는 시장에 팔기 위한 담배, 인삼, 면화, 고추 등의 상품 작물 재배도 활발해졌다. 상품 작물을 재배하여 시장에 내다 팔아 부를 축적할 수 있는 상황을 잘 이용하여 부농으로 성장하는 농민들이 나타났다.

4 홍경래의 난

1811년 홍경래는 세도 정권의 수탈과 서북 지방에 대한 차별 대우에 맞서 가산에서 봉기하였다. 홍경래는 평안도의 상인, 무반, 광산 노동자, 농민 등을 이끌고 봉기하여 청천강 이북의 여러 고을을 장악하였다. 그러나 정부군에 밀려 정주성으로 후퇴하였고, 이곳에서 4개월 정도 버텼으나 끝내 패배하였다.

5 흥선 대원군의 개혁 정치

어린 고종을 대신해 실권을 장악한 흥선 대원군은 혼란한 민심을 수습하고 나라 안팎의 위기를 극복하기 위해 여러 개혁 정책을 추진하였다. 호포제를 실시해 재정을 확충하였고, 왕실 권위를 회복하기 위해 경복궁을 중건하였다. 또한 민생 안정 및 국가 재정 확충을 위해 서원을 철폐하였다.

> **오답 피하기**
> ⑤ 흥선 대원군은 통상 수교 거부 정책을 실시하였고 서양과의 통상 거부 의지를 널리 알리기 위해 척화비를 세웠다.

6 강화도 조약

일본 군함 운요호는 강화도에 나타나 초지진을 공격하고, 영종도에 상륙해 관아와 민가를 노략질하며 조선에 문호 개방을 요구하였다. 조선은 결국 강화도 조약을 체결하고 문호를 개방하였다.

오답 피하기

③ 제너럴셔먼호 사건은 신미양요의 원인이 된 사건이다.

7 동학 농민 운동

밑줄 친 봉기는 고부 농민 봉기에 대한 설명이다. 전라도 고부 군수로 부임한 조병갑은 부정과 탐학을 일삼았다. 이에 전봉준은 1894년에 농민들을 이끌고 고부 관아를 습격하였다. 농민들은 조병갑을 내쫓고 아전들을 처벌하였으며, 만석보를 허물어 버리고 관아의 곡식을 백성들에게 나누어 주었다. 이를 알게 된 정부는 조병갑을 파면하고 박원명을 고부 군수로 파견하였다. 박원명이 폐정의 시정을 약속하며 회유하자 농민들은 자진 해산하였다.

자료 분석 ➕

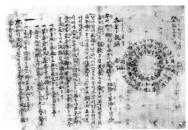

고부 농민 봉기 발발 전에 작성된 사발통문이다. 전봉준 등 20명의 이름을 둥글게 작성하여 주모자를 알 수 없게 하였다. 사발통문에는 '고부성을 격파하고 조병갑을 효수할 것, 군기창과 화약고를 점령할 것, 군수에게 아부하여 백성을 침탈한 탐리(貪吏)를 엄벌할 것' 등의 내용이 함께 담겨 있다.

8 을사늑약 체결

제시된 자료에서 1905년에 체결, 외교권 박탈, 통감부 설치 등의 내용을 통해 (가)는 을사늑약이라는 것을 알 수 있다. 고종은 네덜란드 헤이그에서 열린 만국 평화 회의에 특사를 파견하여 을사늑약의 부당함을 알리려고 하였다.

9 신민회의 활동

을사늑약 체결 이후 통감부의 탄압이 심해지자 안창호, 양기탁 등이 신민회를 조직하였다. 신민회는 국권 회복과 공화정에 바탕을 둔 근대 국가 건설을 목표로 삼았다.

10 방곡령 실시

개항 이후 일본 상인이 조선의 곡물을 대량으로 수입해 가면서 국내 식량 사정이 악화되고 곡물 가격이 크게 상승하였다. 일부

지방관들은 곡물의 유출을 막기 위해 방곡령을 내렸으나 일본 측의 항의로 번번이 해제되었다.

6일 서술형·사고력 테스트 / 창의·융합·코딩 테스트 50~53쪽

1 고조선의 8조법

(1) 고조선

(2) 🖊 모범 답안 사유 재산을 중시하고 형벌과 노비가 존재하는 계급 사회였음을 알 수 있다.

핵심 단어 사유 재산, 형벌, 노비, 계급 사회

채점 기준	구분
핵심 단어를 모두 사용하여 고조선의 사회 모습을 바르게 서술한 경우	상
핵심 단어 중 두 가지만 사용하여 고조선의 사회 모습을 바르게 서술한 경우	중
핵심 단어 중 한 가지만 사용하여 고조선의 사회 모습을 바르게 서술한 경우	하

2 삼국 통일이 가지는 의의와 한계

(1) (가) 백제, (나) 고구려

(2) 🖊 모범 답안 신라의 삼국 통일은 삼국의 문화를 융합하여 민족 문화가 발전할 수 있는 기틀을 마련하였지만, 외세인 당을 끌어들였고 대동강 이남에 한정된 불완전한 통일이었다.

핵심 단어 삼국 문화 융합, 민족 문화 발전 기틀, 외세, 불완전한 통일

채점 기준	구분
핵심 단어를 모두 사용하여 삼국 통일의 의의와 한계를 바르게 서술한 경우	상
핵심 단어 중 두 가지만 사용하여 삼국 통일의 의의와 한계를 바르게 서술한 경우	중
핵심 단어 중 한 가지만 사용하여 삼국 통일의 의의와 한계를 바르게 서술한 경우	하

3 태조 왕건의 정책

(1) 태조 왕건

(2) 🖊 모범 답안 호족들에게 관직, 토지, 성씨를 내려 주는 등 호족 세력을 우대하였고, 호족 세력의 딸들과 정략결혼을 하였다.

핵심 단어 관직, 토지, 성씨, 결혼

채점 기준	구분
핵심 단어를 모두 사용하여 태조 왕건의 정책 사례를 바르게 서술한 경우	상
핵심 단어 중 두 가지만 사용하여 태조 왕건의 정책 사례를 바르게 서술한 경우	중
핵심 단어 중 한 가지만 사용하여 태조 왕건의 정책 사례를 바르게 서술한 경우	하

4 6조 직계제의 실시

🖉 **모범 답안** 의정부의 기능을 상대적으로 축소해 왕권을 강화하여 국왕 중심의 정치 체제를 마련하기 위해서이다.

핵심 단어 의정부 기능 축소, 왕권 강화, 국왕 중심의 정치 체제

채점 기준	구분
핵심 단어를 모두 사용하여 태종이 6조 직계제를 실시한 까닭을 바르게 서술한 경우	상
핵심 단어 중 두 가지만 사용하여 태종이 6조 직계제를 실시한 까닭을 바르게 서술한 경우	중
핵심 단어 중 한 가지만 사용하여 태종이 6조 직계제를 실시한 까닭을 바르게 서술한 경우	하

5 대동법

🖉 **모범 답안** 대동법은 공납을 토산물 대신 토지 1결당 쌀 12두 또는 삼베, 무명, 동전 등으로 거두어들이는 제도로, 정부는 관수품을 마련하는 일을 공인에게 맡겼다.

핵심 단어 공납, 토지, 쌀, 공인

채점 기준	구분
핵심 단어를 모두 사용하여 대동법에 대해 바르게 서술한 경우	상
핵심 단어 중 두 가지만 사용하여 대동법에 대해 바르게 서술한 경우	중
핵심 단어 중 한 가지만 사용하여 대동법에 대해 바르게 서술한 경우	하

6 임오군란

(1) 임오군란

(2) 🖉 **모범 답안** 임오군란의 결과, 조선은 청과 조·청 상민 수륙 무역 장정을 체결하였고, 청의 내정 간섭이 심화되었다.

핵심 단어 조·청 상민 수륙 무역 장정, 체결, 내정 간섭, 심화

채점 기준	구분
핵심 단어를 모두 사용하여 임오군란의 결과를 청과 관련해 바르게 서술한 경우	상
핵심 단어 중 두 가지만 사용하여 임오군란의 결과를 청과 관련해 바르게 서술한 경우	중
핵심 단어 중 한 가지만 사용하여 임오군란의 결과를 청과 관련해 바르게 서술한 경우	하

7 독립 협회의 활동

(1) 독립 협회

(2) 🖉 **모범 답안** 만민 공동회를 개최하여 러시아의 이권 요구를 저지하였다, 의회 설립 운동을 전개하였다, 관민 공동회에서 헌의 6조를 채택하여 중추원 관제를 반포하였다.

핵심 단어 만민 공동회 개최, 러시아의 이권 요구 저지, 의회 설립 운동, 관민 공동회, 헌의 6조

채점 기준	구분
핵심 단어를 사용하여 독립 협회가 한 일 두 가지를 바르게 서술한 경우	상
핵심 단어를 사용하여 독립 협회가 한 일 한 가지를 바르게 서술한 경우	중
자주 국권 확립을 위해서 노력하였다, 또는 근대 국민 국가를 지향한 개혁을 추진하였다 등의 내용만 서술한 경우	하

8 국채 보상 운동

🖉 **모범 답안** 국민 성금을 모아 일본에 진 빚을 갚고 국권을 회복하자는 목적으로 전개되었다.

핵심 단어 국민 성금, 일본, 빚, 국권 회복

채점 기준	구분
핵심 단어를 모두 사용하여 국채 보상 운동의 활동 목적을 바르게 서술한 경우	상
핵심 단어 중 두 가지만 사용하여 국채 보상 운동의 활동 목적을 바르게 서술한 경우	중
핵심 단어 중 한 가지만 사용하여 국채 보상 운동의 활동 목적을 바르게 서술한 경우	하

9 시대에 따른 문화유산

🖉 **답안** ㉠ 빗살무늬 토기 ㉡ 주먹도끼 ㉢ 고인돌 ㉣ 명도전

10 유학의 발달

(1) 유학

(2) 🖉 **모범 답안** 통일 신라는 유교 정치 이념을 통해 왕권의 강화를 뒷받침하고자 유학을 장려하였다.

핵심 단어 정치 이념, 왕권 강화, 유학 장려

채점 기준	구분
핵심 단어를 모두 사용하여 통일 신라 시대 유학의 특징을 바르게 서술한 경우	상
핵심 단어 중 두 가지만 사용하여 통일 신라 시대 유학의 특징을 바르게 서술한 경우	중
핵심 단어 중 한 가지만 사용하여 통일 신라 시대 유학의 특징을 바르게 서술한 경우	하

11 고려 시대의 발달

🖉 **답안** ㉠ 왕건 ㉡ 광종 ㉢ 강감찬 ㉣ 강화도

12 조선 시대 사람들의 생활

(1) ㉠

(2) 🖉 **모범 답안** 관직을 가질 수 있는 가문으로 군역 면제 등의 특권이 보장되었다.

핵심 단어 관직, 군역 면제, 특권

채점 기준	구분
핵심 단어를 모두 사용하여 조선 시대 양반의 특징을 바르게 서술한 경우	상
핵심 단어 중 두 가지만 사용하여 조선 시대 양반의 특징을 바르게 서술한 경우	중
핵심 단어 중 한 가지만 사용하여 조선 시대 양반의 특징을 바르게 서술한 경우	하

13~14 낱말 퍼즐

❶당	백	❷전			❸한
		봉		❹신	국
		준	❺을	미	의	병
				양		합
	❻척		❽세	요		조
❼강	화	도	조	약		약
	비				

7일 학교시험 기본 테스트 1회

54~57쪽

1 ④ 2 ⑤ 3 ⑤ 4 ⑤ 5 ① 6 ⑤ 7 ② 8 ④
9 ④ 10 ⑤ 11 ③ 12 ④ 13 ② 14 ② 15 ③
16 ① 17 ⑤ 18 ⑤ 19 ③ 20 ③

1 구석기 시대의 생활 모습

구석기 시대 사람들은 무리를 이루어 이동 생활을 하였으며, 동굴이나 바위 그늘에 살거나 강가에 막집을 짓고 살았다.

선택지 바로 보기

① 농경과 목축을 시작하였다. (×)
→ 신석기 시대에 대한 설명이다.

② 돌을 갈아 만든 간석기를 사용하였다. (×)
→ 구석기 시대에는 돌을 깨뜨려 떼어 내서 만든 뗀석기를 사용하였다.

③ 빗살무늬 토기에 음식물을 저장하였다. (×)
→ 신석기 시대에 대한 설명이다.

④ 동굴이나 바위 그늘에 살거나 강가에 막집을 짓고 살았다. (○)

⑤ 지배층은 비파형 동검, 거친무늬 거울 등을 무기와 장신구 등으로 사용하였다. (×)
→ 청동기 시대에 대한 설명이다.

2 고조선의 문화 범위

청동기 문화를 바탕으로 성립한 고조선은 랴오닝 지방을 중심으로 성장하여 점차 주변 지역을 통합하면서 세력을 넓혔다.

자료 분석 +

범례
↑ 비파형 동검 분포 지역
⏷ 고인돌(탁자식) 분포 지역
▭ (가)의 문화 범위

탁자식 고인돌과 비파형 동검은 청동기 시대의 대표적인 유적과 유물로, 탁자식 고인돌과 비파형 동검의 출토 분포를 통해 고조선의 문화 범위를 짐작할 수 있다.

3 고구려 장수왕의 업적

고구려는 장수왕 때 수도를 평양으로 옮기고 남진 정책을 추진하였다. 이에 백제와 신라가 나·제 동맹을 맺어 맞섰지만 고구려는 한성을 함락하였다.

4 신문왕의 왕권 강화 정책

신문왕은 김흠돌의 반란 사건을 계기로 귀족 세력을 숙청하고 유교 정치 이념을 내세우며 유학 교육을 위한 국학을 설립하였고, 녹읍을 폐지하여 귀족의 경제 기반을 약화하였다. 또한 중앙과 지방 행정 조직 및 군사 조직을 재정비하였다.

5 고려의 통치 체제

고려는 당의 3성 6부제를 받아들여 고려의 실정에 맞게 중서문하성과 상서성의 2성 6부제로 고쳐 운영하였다. 중서문하성은 정책을 계획·결정하였고, 상서성은 6부를 통해 이를 집행하였다.

더 알아보기 + 고려의 중앙 정치 제도

중추원	왕명의 출납과 군사 기밀 등을 맡음
어사대	풍속의 교정과 관료 감찰
삼사	중앙과 지방의 화폐와 곡식에 대한 회계
도병마사	국방과 안보 문제를 논의하는 회의 기구
식목도감	각종 법률 제정과 관련한 회의 기구

6 거란의 1차 침략

제시된 장면은 서희와 거란의 소손녕이 대화하는 모습이다. 고려가 발해를 멸망시킨 거란을 적대시하고 송과 교류하자 거란은 송을 공격하기에 앞서 고려를 침략하였다. 고려는 서희의 담판을 통해 압록강 동쪽 지역을 확보하였다.

7 권문세족

원 간섭기에 권문세족은 고위 관직을 독점하고 권력을 이용하여 다른 사람의 토지를 빼앗아 농장을 경영하였고 가난한 백성을 노비로 만들어 자신의 농장에서 일하게 하기도 하였다.

8 고려의 역사서

김부식은 인종의 명을 받아 유교적 합리주의 사관을 토대로 『삼국사기』를 편찬하였다. 승려 일연은 『삼국유사』에서 단군을 우리 민족의 시조로 기록하여 통합된 민족의식을 드러냈다.

고려 후기의 역사서

『동명왕편』	이규보의 「동명왕편」은 동명왕(주몽)의 삶과 업적을 서술한 영웅 서사시로, 고구려 계승 의식을 드러냄
『제왕운기』	이승휴의 『제왕운기』는 한국사를 고조선부터 시작하여 발해와 후삼국 시대까지 서술하였고, 뒤이어 고려의 건국부터 충렬왕 대까지의 역사를 시문으로 집필함

9 조선의 건국 과정

권력을 장악한 이성계는 급진 개혁과 신진 사대부와 개혁을 추진해 권문세족이 불법적으로 차지한 농장을 몰수하고, 관리들에게 지위(등급)에 따라 수조권을 지급하는 과전법을 단행하였다. 이성계와 급진 개혁파는 새 왕조 수립에 반대하던 정몽주 등 온건 개혁파를 제거하고 조선을 건국하였다. 이성계는 국가의 새로운 기틀을 마련하며 한양을 새 도읍으로 정하였다. 성종은 『경국대전』을 반포하여 유교적 통치 체제의 정비를 마무리하였다.

10 광해군의 중립 외교 정책

정유재란 이후 왕위에 오른 광해군은 명과 후금 사이에서 중립 외교 정책을 펴 명에 대한 의리를 중시하는 서인의 비판을 받았다. 서인 세력은 광해군이 영창 대군을 죽이고 인목 대비를 유폐한 일 등을 구실로 인조반정을 일으켰다.

11 영정법

조선은 임진왜란과 병자호란 등을 겪으면서 토지 대장이 불타고 경작지가 황폐해져 국가 재정 수입이 크게 줄었다. 또 수많은 농민이 전쟁으로 사망하였고 굶주림과 질병 등으로 심각한 고통을 받았다. 정부는 재정을 확보하고 민생을 안정시키기 위해 수취 제도를 개편하였다. 인조는 영정법을 실시하여 풍년과 흉년에 상관없이 토지 1결당 쌀 4~6두를 거두었다.

12 조선 후기 신분 사회의 동요

조선 후기에 붕당 정치가 변질되어 일부 양반에 권력이 집중되면서 양반층이 분화하였고, 부유한 상민이 등장해 갖은 방법으로 양반이 되려 하였다. 또한 서얼과 중인, 노비들도 신분 상승을 꾀하였다.

13 호포제의 실시

흥선 대원군은 군정의 폐단을 고치기 위해 호포제를 실시하였다. 상민에게만 거두던 군포를 양반에게까지 징수하여 신분에 관계없이 세금을 부담하였다.

14 서구 열강의 침략과 조선의 대응

제시된 자료는 흥선 대원군의 집권 시기에 일어난 일들이다. 프랑스군이 강화도를 침략한 사건인 병인양요는 1866년, 오페르트 도굴 미수 사건은 1868년, 신미양요는 1871년이며, 신미양요 이후 흥선 대원군은 전국 곳곳에 척화비를 세웠다.

오페르트 도굴 미수 사건

내용	독일 상인 오페르트가 두 차례에 걸쳐 통상을 요구하다 거절당하자, 무장한 선원을 동원하여 남연군(흥선 대원군의 아버지)의 묘를 도굴하려다 실패한 사건
영향	이 사건으로 흥선 대원군은 서양과의 통상 거부 의지를 더욱 굳히게 되었음

15 갑신정변의 의의와 한계

갑신정변은 일본의 군사적 지원에 지나치게 의존하였으며 일반 백성의 지지를 이끌어 내지 못하였다. 그러나 청의 간섭을 물리치고 자주적 근대 국가 건설을 위해 전개된 정치 개혁 운동으로, 이후 갑오개혁과 독립 협회의 활동에 영향을 끼쳤다.

ⓒ 갑신정변은 소수의 지식인들이 중심이 된 위로부터의 개혁이었다.

16 광무개혁

대한 제국은 갑오·을미개혁의 급진성을 비판하며 '옛것을 근본으로 삼고 새것을 참고한다.'는 구본신참(舊本新參)을 개혁의 원칙으로 삼아 점진적인 개혁을 추진하였다. 대한 제국은 지계아문을 설치하여 토지 소유권을 보장하는 문서인 지계를 일부 지역에 발급하였다.

광무개혁

경제	양지아문을 설치하여 양전 사업 실시, 상공업 진흥을 위해 회사·공장·민간 은행(대한 천일 은행 등) 설립
사회	·교통·통신 산업 진흥을 위해 철도·전차 부설, 전화 가설, 우편 제도 정비 등 ·근대적 산업·기술 진흥을 위해 실업 학교 설립, 해외에 유학생 파견 등

17 정미의병

군대 해산과 관련된 의병은 정미의병이다. 1907년 일제가 헤이그 특사 파견을 구실로 고종을 강제로 퇴위시키고 대한 제국 군대를 해산하자, 이를 계기로 정미의병이 일어났다.

런던 『데일리 메일((Daily mail)』의 특파원으로 한국을 방문한 매켄지가 정미의병을 찍은 사진이다. 어린 소년, 군대의 제복을 입은 해산 군인 등의 모습을 통해 다양한 계층이 의병 활동에 참여하였음을 알 수 있다.

18 독도

1900년 대한 제국은 대한 제국 칙령 제41호를 통해 울릉도를 울도로 개칭하고 울도 군수의 관할 구역을 울릉도와 석도로 규정하여 독도가 우리 땅임을 분명히 하였다. 일본은 러·일 전쟁 중이던 1905년 '무주지 선점'을 주장하며 시마네현 고시 제40호를 통해 독도를 일본의 영토라고 선언하였다. 이후 일본은 1905년에 독도를 편입한 것은 원래 일본의 영토인 '독도 영유 의사를 재확인한 것'으로 말을 바꾸었다.

더 알아보기 + 독도가 우리 영토임을 알려 주는 자료

『삼국사기』	신라의 이사부가 우산국(울릉도와 독도가 포함된 지역)을 복속한 내용이 담겨 있음
태정관 지령	울릉도와 독도의 귀속에 관한 시마네현의 질의에 대해 1877년 일본 메이지 정부 최고 행정기관인 태정관에서는 '울릉도와 독도가 일본과는 관계없음을 명심할 것'이라는 지령을 내려 독도가 조선의 영토라는 점을 일본 스스로 인정하였음
『신찬지지』	19세기 후반 일본의 지리 교과서로, 조선의 해역을 표시한 빗금 안에 울릉도와 독도가 그려져 있음

19 광혜원

(가)는 광혜원으로, 1885년에 제중원으로 바뀌었다. 정부는 광혜원을 세우고 미국인 선교사 알렌에게 운영하게 하였다. 이후 대한 제국에서는 의료 인력 양성과 백성의 진료를 위해 관립 의학교와 국립 광제원, 적십자 병원 등을 설립하였다.

20 경제적 구국 운동의 전개

대한 제국의 국채가 증가하자, 1907년 성금을 모아 국채를 갚고 일본의 예속에서 벗어나는 것을 목표로 국채 보상 운동이 시작되었다. 각계각층의 사람들이 이 운동에 참여하였으며, 담배 끊기, 음주 절제, 금은 패물 헌납 등으로 상당한 성금을 모을 수 있었다.

---

① 『농사직설』을 편찬하였다. (×)
→ 『농사직설』은 조선 세종이 농사에 관한 지식을 모아 편찬한 책이다.

② 새마을 운동을 전개하였다. (×)
→ 새마을 운동은 박정희 정부 때 농가 소득 증대와 농촌 환경 개선을 위해 전개된 운동이다.

③ 국채 보상 운동을 전개하였다. (○)

④ 물산 장려 운동을 전개하였다. (×)
→ 물산 장려 운동은 민족 산업의 보호와 육성을 위해 경제적 실력을 양성하자는 실력 양성 운동으로 1920년대에 전개되었다.

⑤ 화폐 정리 사업을 실시하였다. (×)
→ 화폐 정리 사업은 일본이 한국의 재정을 장악하기 위해 1905년에 실시한 사업이다.

7일 학교시험 기본 테스트 2회 · 58~61쪽

1 ④ **2** ⑤ **3** ② **4** ③ **5** ④ **6** ② **7** ⑤ **8** ④
9 ④ **10** ② **11** ③ **12** ① **13** ③ **14** ⑤ **15** ⑤
16 ② **17** ④ **18** ⑤ **19** ② **20** ⑤

1 신석기 시대와 청동기 시대 유물

(가)는 신석기 시대, (나)는 청동기 시대의 유물이다. 청동기 시대에 우세한 부족은 청동 무기를 사용하여 주변의 약한 부족을 정복하거나 통합하였다.

① (가): 고인돌이 제작되었다. (×)
→ 고인돌은 청동기 시대에 제작되었다.

② (가): 이동 생활을 하였다. (×)
→ 신석기 시대에는 농경과 목축이 시작되면서 정착 생활을 하였다.

③ (나): 뗀석기를 주로 사용하였다. (×)
→ 청동기 시대에는 지배자의 무기와 제기, 장신구 등은 청동으로 만들었지만, 농기구를 비롯한 생활 도구는 여전히 간석기를 사용하였다.

④ (나): 정복 전쟁이 활발하게 전개되었다. (○)

⑤ (가), (나): 구성원 간의 관계는 평등하였다. (×)
→ 신석기 시대는 계급 차별이 없는 평등한 사회였으나, 청동기 시대에는 계급의 분화가 일어났다.

2 가야의 특징

가야는 중앙 집권적 영역 국가로 성장하지 못하였으나, 우수한 제철 기술을 바탕으로 화려한 문화를 꽃피웠다. 금관가야는 3세기 중반 가야 연맹을 주도하였으나, 4세기 말 고구려의 공격으로 쇠퇴하고 가야 연맹의 주도권을 상실하였다. 5세기 후반에는 금관가야를 대신하여 대가야가 가야 연맹을 주도하였지만, 562년에 신라에 병합되고 말았다.

① 서옥제 풍습이 있었다. (×)
→ 고구려에 대한 설명이다.

② 단군왕검이 지배자였다. (×)
→ 고조선에 대한 설명이다.

③ 광개토 대왕 때 전성기를 맞이하였다. (×)
→ 광개토 대왕은 고구려의 왕이다.

④ 화랑도를 국가적인 조직으로 개편하였다. (×)
→ 신라 진흥왕에 대한 설명이다.

⑤ 중앙 집권적 영역 국가로 성장하지 못하였다. (○)

자료 분석 +

▲ 덩이쇠   ▲ 철제 갑옷과 투구

가야의 무덤에서 발견되는 덩이쇠 및 철제 갑옷과 투구 등을 통해 가야의 철기 문화가 발달하였음을 알 수 있다. 가야는 중국 군현과 왜에 철을 수출하는 등 대외 교류로 크게 발전하였다.

3   나·당 동맹 체결 시기

백제가 신라를 공격하자 신라는 김춘추를 당에 파견해 나·당 동맹을 체결하였다. 나·당 연합군은 백제를 멸망시키고(660), 이어 고구려를 멸망시켰다(668). 이후 당이 한반도 전체를 지배하려고 하자, 신라는 매소성 전투(675)와 기벌포 전투(676)에서 당군을 물리쳤다.

4   발해의 전성기

발해는 9세기 전반 선왕 때 전성기를 맞이하여 당으로부터 해동성국이라 불렸다.

5   태조 왕건의 업적

태조 왕건은 국가의 기틀을 다지는 과정에서 호족 포용 정책을 폈으나, 한편으로는 사심관 제도와 기인 제도를 활용해 호족을 견제하고 지방 통치를 보완하였다. 또 민생 안정을 위해 백성의 조세 부담을 덜어 주었고, 불교도 장려하였다. 태조 왕건은 고구려 계승 의식을 바탕으로 북진 정책을 추진하여 평양을 서경으로 삼아 북진 정책의 기지로 활용하고 청천강 유역까지 영토를 확대하였다. 후손들에게는 훈요 10조를 남겨 고려 왕조의 나아갈 방향을 제시하였다.

④ 불법적으로 노비가 된 사람을 조사하여 양인으로 회복시켜 주는 법인 노비안검법은 광종이 실시하였다.

6   여진의 침략

12세기 초 부족을 통일한 여진이 고려 국경을 자주 침범하자, 이에 고려는 여진을 상대하기 위해 별무반을 창설하였고, 윤관은 별무반을 이끌고 여진을 정벌한 뒤 동북 9성을 설치하였다.

① 수도를 강화로 옮겼다. (×)
→ 이후의 사건으로, 1231년 몽골이 고려를 침략하자 고려는 수도를 강화로 옮기고 항전하였다.

② 윤관의 건의로 별무반을 편성하였다. (○)

③ 세력을 키운 여진이 금을 건국하였다. (×)
→ 이후의 사건으로 1115년 여진은 금을 세우고 고려에 군신 관계를 요구하였다.

④ 서희의 담판으로 강동 6주를 확보하였다. (×)
→ 이전의 사건으로 993년 거란의 1차 침입 때의 일이다.

⑤ 여진의 충성 맹세를 받고 동북 9성을 돌려주었다. (×)
→ 이후의 사건으로, 동북 9성을 설치한 후 여진의 계속된 침입에 방어가 어렵게 되자, 고려는 여진에 조공을 약속받고 동북 9성을 돌려주었다.

7   공민왕의 개혁

공민왕은 신돈을 등용하고 전민변정도감을 설치하여 권문세족이 불법적으로 빼앗은 토지를 본래 주인에게 돌려주고, 강제로 노비가 된 사람을 평민으로 되돌리려 하였다.

더 알아보기 + 공민왕의 개혁 정치

반원 자주 정책	• 기철 등 친원 세력 제거, 정동행성 이문소 폐지, 만호부 폐지 • 쌍성총관부를 공격하여 철령 이북 영토 회복 • 왕실 칭호와 관제 복구, 몽골식 생활 풍습 금지
왕권 강화 정책	• 정방 폐지(인사권 장악), 신진 사대부 등용 • 신돈을 등용하고 전민변정도감 설치

8   불교 통합 운동

고려 불교계가 여러 교단과 종파로 나뉘어 대립하자, 의천은 천태종을 창시하였고 지눌은 수선사 결사를 통해 불교를 통합하려 노력하였다.

9   3사의 기능

사헌부, 사간원, 홍문관으로 구성된 3사는 권력의 독점을 견제하는 언론 기능을 담당하였다. 3사는 잘못된 정책 결정을 비판·견제하고 관리와 사족의 여론을 정책에 반영하였다.

정답

① 최고 합좌 기구이다. (×)
→ 의정부에 대한 설명이다.

② 불교 정치 이념에 따라 만들어졌다. (×)
→ 조선은 성리학을 통치 이념으로 삼아 여러 제도와 의례를 정비하였다.

③ 국가의 큰 죄인을 다스리는 기관이다. (×)
→ 의금부에 대한 설명이다.

④ 권력의 독점을 견제하는 기능을 하였다. (○)

⑤ 궁궐과 한성의 수비를 담당하는 기구이다. (×)
→ 5위에 대한 설명으로, 조선은 중앙군은 5위, 지방군은 육군과 수군으로 구성되었다.

더 알아보기 + 조선의 중앙 정치 제도

의정부	최고 합좌 기구
6조	행정 업무 담당
3사	사헌부(관리 감찰), 사간원(간쟁), 홍문관(경연) → 권력 독점 견제, 언론 기능 담당
기타	승정원(왕명 출납 담당), 의금부(국가의 큰 죄인을 다스림), 한성부(수도의 행정 담당), 춘추관(역사 편찬 담당) 등

10 탕평책

영조는 탕평파를 중심으로 정국을 운영하였으며, 이조 전랑의 인사권을 축소하고, 붕당의 근거지였던 서원을 정리하였다. 또한 영조는 신문고 설치, 균역법 시행, 가혹한 형벌 제도를 개선하는 민생 안정을 위한 각종 제도 개혁을 추진하였고, 『속대전』 등을 편찬하였다.

11 북벌 운동 추진

병자호란으로 청에 대한 조선 정부와 백성의 적개심은 커져 갔다. 이러한 상황에서 청에 끌려갔다가 돌아와 왕위에 오른 효종은 송시열, 이완 등과 함께 청에 당한 치욕을 씻고 명에 대한 의리를 지키자는 북벌 운동을 추진하였다. 효종은 송시열 등 서인의 지지를 받아 국방력을 강화하였으나, 청의 국력은 더욱 커져 북벌은 현실적으로 어려웠다. 결국 효종의 죽음과 함께 북벌 계획은 중단되었다.

오답 피하기
④는 청의 발전된 문물을 배우자는 북학론과 관련 있다.

12 대동법의 실시

대동법의 실시로 현물 대신 쌀을 거둔 정부는 나라에 필요한 물품을 마련하는 일을 공인에게 맡겼다. 공인이 시장에서 대량으로 물품을 구입하고 수공업자들에게 물품 생산을 주문하면서 수공업 제품에 대한 수요가 증가해 수공업 생산이 활기를 띠고 상품 화폐 경제가 발달하였다.

13 홍경래의 난

(가)는 1811년에 발생한 홍경래의 난으로, 홍경래는 세도 정권의 수탈과 평안도 지방에 대한 차별 대우에 맞서 봉기하였다. 홍경래의 난 이후에도 크고 작은 봉기들이 지속되었다.

자료 분석 +

홍경래는 세도 정권의 수탈과 서북 지방에 대한 차별 대우에 맞서 1811년에 가산에서 봉기하였다. 홍경래는 평안도의 상인, 향임층, 무반, 광산 노동자, 농민 등을 이끌고 봉기하여 청천강 이북의 여러 고을을 장악하였지만 정부군에 밀려 정주성으로 후퇴하였고, 이곳에서 4개월 정도 버텼으나 끝내 패배하였다.

14 흥선 대원군의 통상 수교 거부 정책

병인양요와 신미양요를 겪은 흥선 대원군은 통상 수교 거부 정책을 널리 알리기 위해 전국 각지에 척화비를 건립하였다.

자료 분석 +

▲ 미군이 빼앗아 간 어재연 장군기

'수' 자 기는 대장이 있는 곳을 표시하는 깃발이다. 신미양요 때 미군이 빼앗아 간 어재연 장군의 '수' 자 기는 미국 해군 사관 학교 박물관에 보관되어 있다가, 2007년 장기 대여 방식으로 한국에 돌아왔다.

▲ 프랑스군에게 약탈당한 외규장각 의궤

병인양요 때 프랑스군이 외규장각의 도서를 약탈해 갔다. 이 외규장각 도서들은 프랑스 국립 도서관에 보관되어 있다가 지속적인 환수 요구로 2011년에 영구 임대 방식으로 반환되었다.

▲ 전국 각지에 건립된 척화비

흥선 대원군은 '서양 오랑캐가 쳐들어오는데 싸우지 않으면 화친하는 것이고, 화친을 주장하는 것은 나라를 파는 것이다.'라는 내용의 척화비를 전국 각지에 세워 서양과의 통상을 거부한다는 의지를 널리 알렸다.

15 조·미 수호 통상 조약

조선은 청의 알선으로 미국과 조·미 수호 통상 조약을 체결하였다. 이 조약은 조선이 서양 국가와 맺은 최초의 근대적 조약으로,

거중 조정 조항과 수출입 상품에 대한 관세 조항을 규정하였다. 그러나 영사 재판권과 최혜국 대우를 규정하여 조선에 불리한 불평등 조약이었다.

① 러시아와 체결하였다. (×)
→ 미국과 체결하였다.

② 조선에 유리한 조약이었다. (×)
→ 조선에 불리한 불평등 조약이었다.

③ 흥선 대원군이 주도해 체결하였다. (×)
→ 흥선 대원군은 정치에서 물러난 상태였다.

④ 운요호 사건을 구실로 체결하였다. (×)
→ 강화도 조약에 대한 설명이다.

⑤ 조선이 서양 국가와 맺은 최초의 근대적 조약이다. (○)

16 제1차 갑오개혁

경복궁을 점령한 일본의 위협 속에서 흥선 대원군을 섭정으로 하는 김홍집 내각이 수립되었다. 김홍집 내각은 군국기무처를 설치하고 개혁을 추진하였다. 군국기무처는 국정에 관한 일체의 개혁 안건을 의결하기 위해 만든 임시 회의 기구로, 총재관 김홍집을 비롯하여 어윤중, 김윤식, 유길준 등으로 구성되었다. 제1차 갑오개혁은 일본의 압력으로 시작되었으나, 청·일 전쟁 중인 일본의 간섭이 적은 상황에서 비교적 자율적으로 추진되었다. 제1차 갑오개혁은 갑신정변 때의 개혁안과 동학 농민군의 개혁 요구도 일부 반영되었다.

오답 피하기
② 집강소는 동학 농민군이 전주 화약 이후 전라도 각지에 설치한 농민 자치 조직이다.

17 독립 협회

아관 파천 이후 조선에 대한 러시아의 영향력이 강화되고 러시아를 비롯한 열강의 이권 침탈이 가속화되었다. 이러한 상황에서 서재필은 서구 사상 소개와 국민 계몽을 위해 정부의 지원을 받아 『독립신문』을 창간하였다. 이어 정부 내의 개혁 세력은 독립문 건립을 추진하면서 독립 협회를 창립하였다. 독립 협회는 독립문 건립 기금을 내면 누구나 회원이 될 수 있게 하여 학생, 노동자, 농민 등 다양한 계층이 참여할 수 있었다.

18 일본의 국권 침탈 과정

고종은 을사늑약의 부당함을 알리기 위해 1907년 네덜란드 헤이그에서 열린 만국 평화 회의에 이준, 이상설, 이위종을 특사로 파견하여 을사늑약의 불법성을 폭로하고자 하였다. 그러나 일본 등의 방해로 성과를 거두지 못하였고, 오히려 특사 파견을 빌미로 일본은 고종을 강제 퇴위시키고 순종을 즉위시켰다.

더 알아보기 ➕ 일본의 국권 침탈 과정

한·일 의정서	러·일 전쟁 발발 직후 일본이 서울을 점령하여 체결한 조약으로, 이를 통해 일본은 전쟁 수행에 필요한 경우 대한 제국의 영토를 마음대로 사용할 수 있게 되었음
제1차 한·일 협약	러·일 전쟁 시 전세가 유리해지자 체결한 조약으로, 재정 고문으로 메가타, 외교 고문으로 스티븐스를 파견하여 대한 제국의 내정 간섭을 본격화하였음
을사늑약	열강으로부터 한국에 대한 독점적 지배권을 인정받은 일본은 군대를 동원하여 황제와 대신들을 위협하고 을사 5적을 앞세워 조약을 체결하여 대한 제국의 외교권을 빼앗음
한·일 신협약	고종을 강제 퇴위시키고 순종을 즉위시킨 후 체결한 조약으로, 일본은 법령 제정, 고등 관리 임면 등에 대한 동의권을 확보하였으며, 각 부처에 일본인 차관을 임명하였고 언론·출판의 자유를 금지하는 신문지법과 집회·결사의 자유를 금지하는 보안법을 제정함
한국 병합 조약	1910년 3대 통감 데라우치와 총리대신 이완용이 체결한 조약으로, 이 조약을 통해 대한 제국은 국권을 상실하고 일본의 식민지가 되었음

19 신돌석

태백산 호랑이라고 불렸던 신돌석은 영해, 평해, 울진 등 경상도와 강원도 일대에서 유격전을 펼치며 많은 전과를 올렸다.

오답 피하기
① 전봉준은 동학 농민 운동의 지도자이고, ③ 유인석은 위정척사 사상을 가진 유생으로, 을미의병을 주도하였다. ④ 김홍집은 갑오개혁을 추진하였으며, ⑤ 최익현은 위정척사 운동을 전개하였고 을사의병 때 전라도 태인에서 봉기하여 정읍·순창 일대를 장악하였다.

20 근대 시설의 도입

제시된 자료는 1899부터 서대문과 청량리 간을 운행하던 전차이다. 우편 제도 실시를 위해 우정총국이 설치되었고, 1887년에 경복궁에 전등이 처음으로 가설되었다. 전화는 경운궁 안에 처음 가설된 후, 한성과 인천 사이의 시외 전화가 개통되었다.

오답 피하기
⑤ 경부 고속 국도는 1970년에 개통되었다.

더 알아보기 ➕ 근대 시설의 도입

교통	• 전차: 한성 전기 회사, 서대문 ~ 청량리 구간 가설 • 철도: 경인선(1899), 경부선(1905), 경의선(1906) 개통
통신	• 우편: 우정총국 설치(1894), 갑신정변 때 폐지된 후 1895년에 우편 업무 재개 • 전신: 부산~나가사키 해저 전신 개통(1884) • 전화: 경운궁에 처음 가설되어 서울 시내로 확대
의료	광혜원(1895, 최초의 서양식 병원으로 제중원으로 개칭), 국립 광제원(1900), 적십자 병원(1905) 등
기타	박문국 설립(1883, 신문 발행), 기기창 설립(1883, 무기 제조), 전환국 설립(1883, 화폐 발행), 경복궁에 전등 가설(1887)

Memo

7일 끝!

핵심 용어 풀이

 핵심 용어 풀이 활용 안내

💎 쉽고 재미있는 문제로 단원별 필수 어휘 익히기!

💎 교과서에서 뽑은 예시 문장으로 내용 학습에, 개념 학습까지 한 번 더!

01 움집

땅을 파고 바닥을 편평하게 고른 뒤, 기둥을 세우고 그 위에 억새나 나뭇가지 등으로 덮어 만든 집

예1 농경과 함께 정착 생활이 시작되면서 신석기인들은 주로 강가나 바닷가에 움집을 지어 생활하였다.

예2 움집의 중앙에는 취사와 난방을 위한 화덕을 두었다.

02 고인돌

만주와 한반도 지역의 대표적인 청동기 시대 유적으로, 권력자인 [❶]이 죽으면 그 권력을 상징하여 만듦

답 ❶ 군장

예1 고인돌은 많은 사람을 동원할 수 있는 지배자의 권력을 보여 준다.

예2 탁자식 고인돌과 비파형 동검의 출토 범위를 통해 고조선의 문화 범위를 짐작할 수 있다.

03 서옥제 　사위 婿 , 집 屋 , 제도 制

신부 집에 작은 별채를 지어 신랑이 들어가 살다가 아이가 장성하면 부인과 아이를 신랑 집으로 데려가는 [❶]의 혼인 풍습

답 ❶ 고구려

예1 고구려에는 형사취수혼의 풍습과 서옥제라는 혼인 풍습이 있었다.

04 민며느리제

10세 정도의 며느릿감을 데려다 키우고, 장성한 뒤 일단 다시 여자 집으로 돌려보내 그쪽에서 청구하는 돈을 지급한 후 다시 데려와 혼인하는 [❶]의 결혼 풍습

답 ❶ 옥저

예1 옥저에는 여자아이를 데려와 기른 후 며느리로 삼는 민며느리제라는 혼인 풍습이 있었다.

05 태학 | 클 太 , 배울 學

고구려 소수림왕 때 설립한 국립 교육 기관으로, 귀족 자제들에게 ❶ [　　　] 경전과 무예 등을 가르침

나, 소수림왕은 태학을 설립하여 인재를 양성하겠노라!

답 ❶ 유교

예1 소수림왕은 태학 설립, 율령 반포, 불교 수용 등을 통해 국가 통치 조직을 정비하였다.

예2 소수림왕은 국립 교육 기관인 태학을 설치하여 인재를 양성하였다.

06 녹읍 | 녹봉 祿 , 고을 邑

신라 시대 때 ❶ [　　　] 에게 지급한 토지로, 토지에 대한 수조권뿐만 아니라 노동력 징발과 특산물을 거둘 수 있는 권한도 부여받은 것으로 보임

이제 녹읍을 폐지하고 관료전을 지급할 것이다!

→ 신문왕

답 ❶ 관리

예1 녹읍은 노동력까지도 동원할 수 있는 권한이 있어 귀족의 특권이 되었다.

예2 신문왕은 녹읍을 폐지하여 귀족의 경제 기반을 약화시켰다.

07 임신서기석 | 북방 壬 , 거듭 申 , 맹세할 誓 , 기록할 記 , 돌 石

임신년에 ❶ [　　　] 의 두 청년이 나라에 충성을 바치며 3년 안에 유교 경전을 열심히 공부하고, 그것을 몸소 실천하기로 맹세한 내용이 적혀 있는 돌

답 ❶ 신라

예1 임신서기석을 통해 신라에서 청년들이 유교 경전을 공부하였다는 사실을 알 수 있다.

08 사심관 제도 | 일 事 , 살필 審 , 벼슬 官 , 절제할 制 , 법도 度

중앙의 관리를 출신 지역의 ❶ [　　　] 으로 임명하여 그 지역을 통제하도록 한 제도로, 고려 태조 왕건 때 실시됨

사심관 제도를 통해 호족을 견제해야겠군

답 ❶ 사심관

예1 태조 왕건은 사심관 제도를 통해 호족이나 공신이 그들의 출신 지역을 통제하게 하였다.

예2 태조 왕건은 사심관 제도를 활용해 호족을 견제하고 지방 통치를 보완하였다.

핵심 용어

09 노비안검법 | 종 奴 , 여자 종 婢 , 누를 按 , 검사할 檢 , 법도 法

불법적으로 **①** 가 된 사람을 조사하여 평민으로 회복시켜 준 법으로, 고려 광종이 시행함

답 ❶ 노비

예1 노비안검법으로 공신과 호족 출신의 경제·군사적 기반이었던 많은 노비가 풀려났다.

예2 고려 광종은 노비안검법을 시행해 공신과 호족 출신 세력의 세력 기반을 해체하였다.

10 문벌 | 문 門 , 문벌 閥

여러 대에 걸쳐 재상 등 고위 관료를 배출한 가문으로, 고려 시대 때 문벌은 과거와 **①** 를 통해 고위 관직을 독점하였음

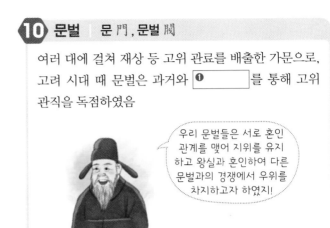

답 ❶ 음서

예1 문벌은 고려 사회의 지배 계층으로 여러 특권을 누렸다.

예2 이자겸의 난과 서경 천도 운동 등으로 문벌 사회 안팎의 갈등이 심화되었다.

11 쌍성총관부 | 쌍 雙 , 성 城 , 다 摠 , 집 管 , 마을 府

원이 고려 영토의 일부를 빼앗아 화주 이북을 통치하기 위하여 설치한 관아로, **①** 때 쌍성총관부를 공격하여 철령 이북의 영토를 회복하였음

답 ❶ 공민왕

예1 원은 고려 영토의 일부를 빼앗아 쌍성총관부를 설치한 후 직접 지배하였다.

예2 명이 쌍성총관부가 있던 철령 이북 지역을 차지하려 하자, 고려 우왕과 최영은 요동 정벌을 추진하였다.

12 신진 사대부 | 새로울 新 , 나아갈 進 , 선비 士 , 클 大 , 지아비 夫

고려 말에 등장한 정치 세력으로, **①** 을 개혁 사상으로 수용하였고 고려 왕조 개혁을 두고 온건·급진 개혁파로 분열됨

답 ❶ 성리학

예1 공민왕은 개혁을 추진할 세력으로 신진 사대부를 적극 등용하였다.

예2 신진 사대부는 권문세족의 농장 확대를 비판하고 불교의 부패를 지적하였다.

13 『삼국사기』 | 셋 三 , 나라 國 , 역사 史 , 기록할 記

고려 중기에 ❶ [　　　]이 왕명을 받아 편찬한 역사서로, 유교적 합리주의 사관을 토대로 집필되었음

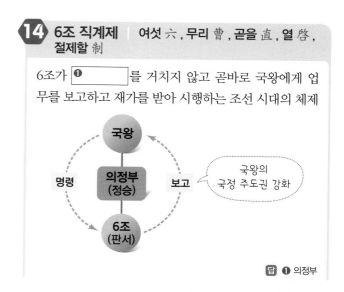

답 ❶ 김부식

예1 『삼국사기』는 고구려, 백제, 신라 삼국의 정치적인 흥망과 변천을 중심으로 통일 신라까지 편찬되었다.

예2 『삼국사기』는 기전체로 서술되었다.

14 6조 직계제 | 여섯 六 , 무리 曹 , 곧을 直 , 열 啓 , 절제할 制

6조가 ❶ [　　　]를 거치지 않고 곧바로 국왕에게 업무를 보고하고 재가를 받아 시행하는 조선 시대의 체제

국왕

의정부 (정승)

명령　보고

6조 (판서)

국왕의 국정 주도권 강화

답 ❶ 의정부

예1 태종과 세조는 왕권을 강화하기 위해 6조 직계제를 실시하였다.

15 의정부 서사제 | 의논할 議 , 정사 政 , 마을 府 , 마을 署 , 일 事 , 절제할 制

6조가 먼저 ❶ [　　　]에 업무를 보고하면 ❶ [　　　] 재상들이 이를 심의한 후 국왕의 재가를 얻어 시행하는 조선 시대의 체제

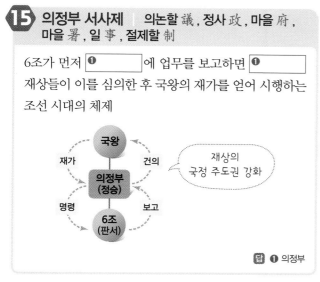

답 ❶ 의정부

예1 세종은 의정부 서사제를 실시하여 왕권과 신권의 조화를 이루고자 하였다.

16 붕당 | 벗 朋 , 무리 黨

조선 시대 정치적 이념과 학문적 경향에 따라 이루어진 ❶ [　　　]의 집단을 이르는 말

답 ❶ 사림

예1 붕당 정치는 정치와 학문적 입장에 따라 모인 사람들이 공론을 내세우고 이를 바탕으로 국정을 이끌어 가는 정치 형태를 말한다.

17 탕평 | 방탕할 蕩, 평평할 平

국왕의 정치가 어느 쪽에도 치우치지 않고 공평한 상태로 이루어지는 것을 말함

예1 탕평 정치는 붕당 간의 세력 균형을 도모하며 국왕이 국정 운영을 주도하는 정치 형태를 말한다.
예2 영조와 정조의 탕평 정치는 붕당 간의 세력 균형을 통한 국왕 중심의 정치 운영을 목적으로 하였다.

18 환곡 | 돌아올 還, 곡식 穀

춘궁기에 농민에게 ❶ [　　　　]을 빌려주고 추수기에 약간의 이자를 붙여 돌려받는 제도

답 ❶ 곡식

예1 환곡은 원래 빈민 구제 제도였으나 환곡의 이자가 관청의 경비로 사용되면서 환곡은 고리대처럼 운영되었다.
예2 삼정은 전정, 군정, 환곡을 말한다.

19 대동법 | 클 大, 한가지 同, 법 法

공납을 현물 대신 토지 1결당 ❶ [　　　　] 12두 또는 삼베, 무명, 동전 등을 거두어들인 제도

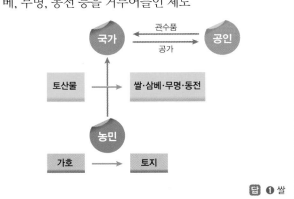

답 ❶ 쌀

예1 대동법은 땅이 없거나 적은 농민들에게 환영받았다.
예2 대동법의 시행으로 나라에 필요한 물품을 마련하는 일을 하는 공인이 등장하였다.

20 이앙법 | 옮길 移, 모 秧, 법도 法

논에 볍씨를 바로 뿌리는 것이 아니라 일정하게 자란 어린 ❶ [　　　　]를 못자리에서 논으로 옮겨 심는 농법

답 ❶ 모

예1 조선 후기에 이앙법이 전국적으로 보급되었다.
예2 이앙법이 확산되면서 김매기에 필요한 노동력이 절감되고 벼와 보리의 이모작이 가능해졌다.

21 보부상 포대기 褓 , 질 負 , 장사 商

봇짐장수(보상)와 등짐장수(부상)를 말하며, 조선 후기에 보부상은 전국의 ❶[　　　]를 하나의 유통망으로 연결하는 역할을 함

📋 ❶ 장시

예1 조선 후기에는 전국 각지에 장시가 들어섰는데 보부상은 5일마다 열리는 장시를 돌면서 물건을 팔았다.

예2 보부상은 장시를 돌며 흩어져 있는 장시와 장시를 연결하였다.

22 공명첩 빌 空 , 이름 名 , 문서 帖

받는 사람의 ❶[　　　] 쓰는 곳이 비어 있는 관직 임명장으로, 돈이나 곡식을 바친 사람에게 실제 관직이 아닌 명예직을 줌

— 이름 쓰는 곳

📋 ❶ 이름

예1 조선 후기 경제 활동으로 부유해진 농민이나 상인은 공명첩을 사서 양반 신분을 얻었다.

예2 국가 재정을 보충하기 위해 공명첩을 발급하였다.

23 척화비 물리칠 斥 , 화할 和 , 비석 碑

흥선 대원군이 서양과의 ❶[　　　] 수교를 거부한다는 뜻을 널리 알리기 위해 세운 비석

앞으로 서양 세력과 교류나 접촉은 안 돼!

척화비

📋 ❶ 통상

예1 신미양요 이후 흥선 대원군은 척화비를 세워 통상 수교 거부 정책의 의지를 널리 알렸다.

예2 척화비는 전국 각지에 세워졌다.

24 별기군 다를 別 , 재주 技 , 군사 軍

조선 정부가 개화 정책을 추진하며 창설한 ❶[　　　] 군대로, 5군영에서 선발해 일본인 교관에게 근대적인 훈련을 받게 함

📋 ❶ 신식

예1 정부는 군사력을 강화하기 위해 별기군을 창설했다.

예2 별기군은 급료나 피복 지급 등 모든 대우가 구식 군대보다 월등하였다.

25 군국기무처 | 군사 軍, 나라 國, 틀 機, 힘쓸 務, 곳 處

김홍집 내각이 설치한 국정에 관한 일체의 개혁 안건을 의결하기 위해 만든 임시 회의 기구

예1 김홍집 내각은 군국기무처를 설치하고 제1차 갑오개혁을 추진하였다.
예2 군국기무처는 3개월 동안 약 200여 건의 개혁 안건을 의결하였다.

26 만민 공동회 | 일 만 萬, 백성 民, 한가지 共, 한가지 同, 모일 會

여러 계층의 사람들이 참여한 근대적 대중 집회로 ❶_____가 개최하였음

답 ❶ 독립 협회

예1 독립 협회는 구국 운동 상소문을 올리고 만민 공동회를 개최하여 러시아의 이권 요구를 규탄하였다.
예2 독립 협회는 만민 공동회를 통해 개혁 운동에 국민이 직접 참여하게 하였다.

27 헤이그 특사 | Hague, 특별할 特, 부릴 使

고종이 1907년 네덜란드 헤이그에서 열린 만국 평화 회의에 ❶_____의 불법성을 폭로하고자 파견한 특사로, 이준, 이상설, 이위종으로 이루어짐

이준
이상설
이위종

답 ❶ 을사늑약

예1 헤이그 특사 파견은 일본 등의 방해로 큰 성과를 거두지 못하였다.
예2 일본은 헤이그 특사 파견을 구실로 고종을 강제 퇴위시켰다.

28 방곡령 | 막을 防, 곡식 穀, 하여금 令

❶_____에 대한 곡물 수출을 금지한 명령

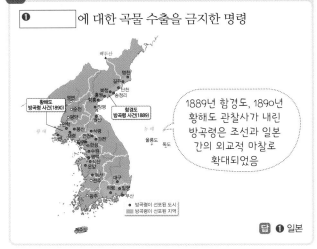

1889년 함경도, 1890년 황해도 관찰사가 내린 방곡령은 조선과 일본 간의 외교적 마찰로 확대되었음

• 방곡령이 선포된 도시
▨ 방곡령이 선포된 지역

답 ❶ 일본

예1 흉작 등으로 식량난이 가중되자 일부 지방관들은 곡물 유출을 막기 위해 방곡령을 내렸다.
예2 방곡령은 개항 이후 100여 차례 넘게 내려졌으나, 일본 측의 항의로 번번이 해제되었다.

핵심개념 01 선사 문화의 전개와 국가의 등장

1. 구석기 시대: ❶ [　　　] 사용, 이동 생활, 평등 사회
2. 신석기 시대: 간석기·빗살무늬 토기·가락바퀴 사용, ❷ [　　　] 과 목축이 시작되고 강가나 바닷가의 움집에 거주하며 정착 생활
3. 청동기 시대: 지배층의 무기와 장신구 등에 청동기 사용, 빈부 격차와 계급 분화 발생 → 군장 출현
4. 철기 시대: 철제 농기구와 철제 무기의 보급으로 농업 생산량이 크게 향상하고 정복 전쟁 활발 → 연맹체 국가 등장

⬆ 주먹도끼(뗀석기)

⬆ 갈돌과 갈판(간석기)

📋 답 ❶ 뗀석기 ❷ 농경

핵심개념 02 고조선과 초기 여러 나라의 성장

1. 고조선: 우리나라 최초의 국가로 단군왕검이 건국, 제정일치 사회, ❶ [　　　] 으로 사회 질서 유지, 한의 침략으로 멸망
2. 초기 여러 나라: 철기 문화를 바탕으로 부여, 고구려, 옥저, 동예, 삼한의 연맹체 국가 성장

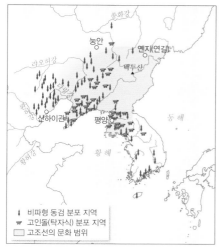

⬆ 고조선의 문화 범위

범례:
- ↓ 비파형 동검 분포 지역
- ⛰ 고인돌(탁자식) 분포 지역
- ▢ 고조선의 문화 범위

📋 답 ❶ 8조법

핵심개념 03 삼국의 발전과 삼국 통일

1. 삼국의 발전

고구려	· 소수림왕: 태학 설립, 율령 반포, 불교 공인 · 광개토 대왕: 요동과 만주 장악 · 장수왕: ❶ [　　　] 천도, 한강 유역 차지
백제	· 근초고왕: 마한 정복, 고구려의 평양성을 공격해 황해도 일대 차지, 해상 교역망 확보 · 성왕: 사비(부여) 천도, '남부여' 국호 사용
신라	· 지증왕: 국호 '신라'·왕 호칭 사용 · 법흥왕: ❷ [　　　] 공인, 금관가야 정복 · 진흥왕: 화랑도 개편, 한강 유역 차지, 대가야 정복

2. 신라의 삼국 통일 과정: 백제의 신라 공격 → 나·당 동맹 체결 → 나·당 연합군의 공격으로 백제 멸망 → 나·당 연합군의 공격으로 고구려 멸망 → 나·당 전쟁 전개 → 신라의 삼국 통일

📋 답 ❶ 평양 ❷ 불교

핵심개념 04 통일 신라와 발해의 발전

1. 통일 신라의 발전

왕권 강화	· 문무왕: 삼국 통일 완수, 민족 통합 도모 · ❶ [　　　]: 국학 설립, 녹읍 폐지
통치 체제	· 중앙: 집사부를 중심으로 운영 · 지방: 9주 5소경으로 정비 · 군사 조직: 9서당 10정으로 편성

2. 발해의 발전: 대조영이 ❷ [　　　] 를 계승해 건국하였고, 선왕 때 해동성국이라 불리며 전성기를 맞음

▲ 발해의 영역

📋 답 ❶ 신문왕 ❷ 고구려

예제 다음은 (가)의 문화 범위를 나타낸 지도이다. (가) 나라의 특징으로 옳은 것은?

① 불교 수용
② 대조영이 건국
③ 제정 분리 사회
④ 당의 침략으로 멸망
⑤ 8조법으로 사회 유지

답 ⑤

★기억해요!

우리나라 최초의 국가인 [　　　]은 청동기 문화를 바탕으로 성립하였다.
답 고조선

예제 다음의 문화유산이 만들어진 시대에 주로 볼 수 있는 모습으로 적절한 것은?

① 뗀석기를 사용하였다.
② 동굴, 바위 그늘에서 거주하였다.
③ 빗살무늬 토기에 음식을 담았다.
④ 군장이 여러 부족을 통합해 다스렸다.
⑤ 무리를 이루어 사냥감을 찾아 이동 생활을 하였다.

답 ④

★기억해요!

청동기 시대는 빈부 격차와 계급 분화가 발생해 여러 부족을 통합한 [　　　]이 출현하였다.
답 군장

예제 (가)에 들어갈 질문으로 적절한 것은?

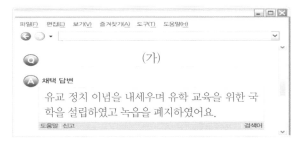

① 장수왕의 업적을 알고 싶어요.
② 신라의 삼국 통일 과정을 알고 싶어요.
③ 전성기 때의 발해에 대해 알고 싶어요.
④ 신문왕이 왕권 강화를 위해 한 일을 알고 싶어요.
⑤ 문무왕이 삼국 통일을 위해 한 일을 알고 싶어요.

답 ④

★기억해요!

신문왕은 유학 교육을 위해 [　　　]을 설립하고, 녹읍을 폐지해 귀족들의 경제 기반을 약화시켰다.
답 국학

예제 삼국의 형세가 오른쪽 지도와 같았을 당시의 왕과 왕의 업적이 바르게 연결된 것은?

① 장수왕 – 불교 공인
② 장수왕 – 평양 천도
③ 진흥왕 – 불교 공인
④ 진흥왕 – 대가야 정복
⑤ 근초고왕 – 마한 정복

답 ④

★기억해요!

삼국은 백제(4세기 – [　　　]) → 고구려(5세기 – 광개토 대왕과 장수왕) → 신라(6세기 – 진흥왕) 순으로 전성기를 맞이하였다.
답 근초고왕

핵심개념 05 고려의 건국과 국가 기틀의 확립

1. **고려의 후삼국 통일 과정:** 궁예의 호족 탄압 → 왕건의 고려 건국 → 고려, ❶ [   ]으로 천도 → 경순왕의 항복으로 신라 흡수 → 후백제군 격파 → 후삼국 통일

2. **국가 기틀의 확립**

태조 왕건	호족 세력 우대, 사심관 제도와 기인 제도 실시, 발해 유민 포용, 민생 안정을 위해 조세 부담을 줄여줌, 불교 장려, 고구려 계승 의식을 바탕으로 북진 정책 실시, 훈요 10조 제시  ▲ 태조 왕건 청동상
광종	노비안검법, 과거제 실시
성종	최승로의 시무 28조 수용 → 유교 정치 이념을 바탕으로 중앙 통치 체제 정비

답 ❶ 송악

핵심개념 06 고려 전기의 대외 관계

1. **거란:** 1차 침략(❶ [   ]의 외교 담판, 강동 6주 획득) → 2차 침략(양규의 활약) → 3차 침략(강감찬의 귀주 대첩), 천리장성 축조

2. **여진:** 여진이 고려에게 조공을 바침 → 여진이 고려 국경을 침범하자 윤관이 ❷ [   ]을 이끌고 정벌하여 동북 9성 설치 → 여진의 금 건국 → 금, 고려에 군신 관계 요구 → 고려, 금의 요구 수용

▲ 강동 6주

답 ❶ 서희 ❷ 별무반

핵심개념 07 몽골의 침략과 고려 후기의 정치 변동

1. **몽골의 침략:** 고려, ❶ [   ] 천도 → 처인성 전투, 충주성 전투 → 강화 체결 → 개경 환도 → 삼별초의 항쟁 및 진압

2. **원 간섭기의 고려:** 원의 내정 간섭 심화, 고려의 영토 상실(쌍성총관부 설치), 권문세족의 성장

3. **공민왕의 개혁 정치:** 친원 세력 숙청, 쌍성총관부를 공격해 철령 이북 영토 회복, 전민변정도감 설치 등

답 ❶ 강화(도)

핵심개념 08 조선 정치 운영의 변화

1. **유교 정치 확립:** 태조(한양 천도), 태종(6조 직계제 · 호패법 실시), 세종(집현전 설치, 의정부 서사제 실시), 세조(6조 직계제 실시), 성종(『경국대전』 반포)

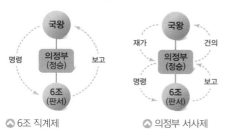

▲ 6조 직계제 　　　 ▲ 의정부 서사제

2. **붕당 정치:** 공론을 바탕으로 붕당 상호 간 비판과 견제 → 붕당 간 대립 심화(잦은 환국)

3. **탕평 정치:** 영조(탕평파 육성, 서원 정리), 정조(규장각 육성, 초계문신제 시행, ❶ [   ] 건설)

4. **세도 정치:** 왕권 약화, 삼정(전정, 군정, 환곡)의 문란

답 ❶ 수원 화성

예제 〈보기〉를 일어난 순서대로 나열한 것으로 옳은 것은?

→ 보기 ←

ㄱ. 고려는 서희의 외교 담판을 통해 강동 6주를 확보하였다.

ㄴ. 윤관이 별무반을 이끌고 여진을 정벌한 뒤 동북 9성을 설치하였다.

ㄷ. 거란이 고려를 다시 침략하자 강감찬이 이끄는 고려군이 귀주에서 거란군을 크게 물리쳤다.

① ㄱ → ㄴ → ㄷ　　② ㄱ → ㄷ → ㄴ
③ ㄴ → ㄱ → ㄷ　　④ ㄴ → ㄷ → ㄱ
⑤ ㄷ → ㄴ → ㄱ

답 ②

★기억해요!

고려는 세 차례에 걸친 거란의 침략을 극복하였고, 별무반을 창설하여 ☐☐☐의 성장에 대응하였다.　답 여진

예제 다음과 같은 제도가 시행될 당시에 있었던 사실로 옳은 것은?

광종 7년(956), 노비를 안검하여 시비를 가려내게 하자, 그 주인을 배반하는 자가 매우 많아지고 윗사람을 능멸하는 풍습이 성행하였다.

① 화랑도를 정비하였다.
② 훈요 10조를 제시하였다.
③ 고려가 마한을 정복하였다.
④ 고려가 대가야를 정복하였다.
⑤ 과거제가 처음으로 시행되었다.

답 ⑤

★기억해요!

고려의 ☐☐은 왕권 강화를 위해 노비안검법과 과거제를 시행하였다.　답 광종

예제 다음의 정치 시기에 일어난 일로 적절한 것은?

순조, 헌종, 철종 3대에 이르는 60여 년간은 안동 김씨, 풍양 조씨 등 소수의 유력 가문이 권력을 독점하고 정치를 주도하는 세도 정치가 전개되었다.

① 규장각이 세워졌다.
② 탕평비가 세워졌다.
③ 삼정의 문란이 나타났다.
④ 6조 직계제가 실시되었다.
⑤ 이조 전랑의 자리를 두고 기성 사림과 신진 사림 간에 갈등이 생겨 동인과 서인으로 나뉘었다.

답 ③

★기억해요!

세도 정치가 전개되면서 왕권이 약화되었고 ☐☐의 문란이 나타났다.　답 삼정

예제 다음 지도의 (가) 왕의 업적으로 옳은 것은?

① 조선 건국　　　　② 무신 정권 수립
③ 친원 세력 육성　④ 전민변정도감 설치
⑤ 몽골식 생활 풍습 장려

답 ④

★기억해요!

공민왕은 ☐☐☐☐☐를 공격하여 철령 이북 영토를 회복하였다.　답 쌍성총관부

핵심개념 09 조선의 대외 관계의 변화

1. **조선 전기의 대외 관계**: 사대교린을 외교 정책의 기본으로 삼음

사대	명과 조공·책봉 관계를 맺음
교린	· 여진: 회유책(무역소 설치), 강경책(4군 6진 개척) · 일본: 회유책(3포 개항), 강경책(쓰시마섬 토벌)

2. **왜란**: 도요토미 히데요시의 조선 침략(임진왜란) → 조선 수군과 의병의 활약, 명의 참전 → 휴전 협상 실패, 일본군 재침략(정유재란) → 일본군 철수

3. **호란**: ❶ [   ], 중립 외교 정책 시행 → 인조반정 → 인조와 서인 정권의 친명배금 정책 → 후금의 침략(정묘호란) → 후금과의 화의 체결 → 청의 군신 관계 요구 → 청의 침략(병자호란) → 조선의 항복, 강화 체결

답 ❶ 광해군

핵심개념 10 조선의 수취 체제 변화와 경제 변동

1. **수취 체제의 변화**

전세	➡	❶ [ ]
공납	➡	대동법
역	➡	균역법

2. **조선 후기의 경제 변동**

농업의 발달	이앙법의 확산으로 노동력 절감, 상품 작물의 재배 → 농민층의 분화(일부 농민이 부농으로 성장)
상업의 발달	· 대동법 실시로 공인이 등장하고 사상이 성장함 · 화폐 사용이 증가해 상평통보가 전국적으로 유통

⬆ 상평통보

답 ❶ 영정법

핵심개념 11 흥선 대원군의 개혁 정치

1. **통치 체제의 정비**: 능력에 따른 인재 등용, 비변사 사실상 폐지

2. **경복궁 중건**: 원납전 징수와 ❶ [   ] 발행으로 중건 비용을 마련

3. **서원 철폐**: 서원을 47개만 남기고 모두 철폐

4. **삼정의 문란 개혁**

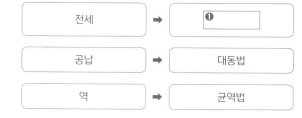

전정	양전 사업을 실시해 누락된 토지를 찾아 세금 징수
군정	❷ [ ]를 실시해 양반에게도 군포 징수
환곡	사창제를 실시해 지방관과 향리의 횡포를 막음

답 ❶ 당백전 ❷ 호포제

핵심개념 12 통상 수교 거부 정책과 양요의 발발

병인양요	❶ [ ]를 구실로 프랑스가 강화도 공격 → 한성근 부대와 양헌수 부대의 활약으로 격퇴
신미양요	제너럴셔먼호 사건을 구실로 미국이 강화도 침략 → 어재연 부대의 항전 → 미군 철수
척화비 건립	흥선 대원군은 척화비를 세워 통상 수교 거부 의지를 널리 알림

⬆ 병인양요와 신미양요

답 ❶ 병인박해

예제 (가), (나)에 들어갈 제도가 바르게 연결된 것은?

> • 광해군 때부터 공납 제도를 개편해 공납을 현물 대신 토지 1결당 쌀 12두 또는 삼베, 무명 등을 거두어들이는 제도인 (가) 을/를 실시하였다.
> • 영조 때 군역의 폐단을 바로잡기 위해 1인당 1년에 군포 1필을 납부하도록 하는 (나) 을/를 실시하였다.

① (가) – 대동법, (나) – 영정법
② (가) – 대동법, (나) – 균역법
③ (가) – 대동법, (나) – 타조법
④ (가) – 균역법, (나) – 대동법
⑤ (가) – 균역법, (나) – 영정법

답 ②

★기억해요!

조선은 [　　] 제도를 개편해 대동법을 시행하였고 군역 제도를 개편해 균역법을 시행하였다.
답 공납

예제 (가)에 들어갈 내용으로 적절한 것은?

> 인조반정이 일어났다. → (가) → 후금이 조선을 침략하였다. → 조선과 후금 사이에 화의가 이루어졌다. → 청이 조선을 침략하였다. → 조선이 항복하고 강화를 체결하였다.

① 효종이 북벌 운동을 전개하였다.
② 광해군이 중립 외교 정책을 취했다.
③ 인조와 서인 세력이 친명배금 정책을 취했다.
④ 이순신이 명량 해전에서 큰 승리를 거두었다.
⑤ 도요토미 히데요시가 전국 시대를 통일하였다.

답 ③

★기억해요!

인조와 서인 세력이 [　　]에 대한 의리를 강조하며 후금을 배척하는 정책을 취하자 후금은 조선을 침략하였다.
답 명

예제 다음 대화의 주제가 되는 역사적 사건으로 옳은 것은?

여보게, 우리 군사들이 강화도를 침략한 프랑스군을 물리쳤다는 이야기를 들었는가?

들었지. 양헌수와 한성근의 부대가 활약해 1개월 만에 프랑스군이 강화도에서 철수했다는군.

① 신미양요
② 병인양요
③ 척화비 건립
④ 제너럴셔먼호 사건
⑤ 오페르트 도굴 미수 사건

답 ②

★기억해요!

병인양요, 오페르트 도굴 미수 사건, 신미양요를 겪은 흥선 대원군은 [　　]를 세워 통상 수교 거부 의지를 널리 알렸다.
답 척화비

예제 다음 내용과 관련 있는 흥선 대원군의 정책으로 옳은 것은?

> 원납전이라는 명목의 기부금을 강제로 징수하고, 당백전이라는 고액 화폐를 발행하였다. 또한 많은 백성을 동원하고, 양반들의 묘지림까지 베었다.

▲ 당백전

① 호포제를 실시하였다.
② 경복궁을 중건하였다.
③ 양전 사업을 실시하였다.
④ 비변사를 사실상 폐지하였다.
⑤ 서원을 47개만 남기고 모두 철폐하였다.

답 ②

★기억해요!

흥선 대원군은 비변사 축소, [　　] 중건, 양전 사업 실시, 호포제 실시, 사창제 실시 등을 하였다.
답 경복궁

핵심개념 13 임오군란과 갑신정변

임오군란	· 배경: 개항 이후 경제적 어려움, 구식 군인과 신식 군인 간의 차별 · 전개: 구식 군인들이 폭동을 일으킴 → 하층민의 가세 → 흥선 대원군의 재집권 → 민씨 일파의 파병 요구로 청군이 개입하여 진압 · 결과: ❶ [　　　] 의 내정 간섭 심화
갑신정변	급진 개화파, 우정총국 개국 축하연에서 정변을 일으켜 개화당 정부 수립 → 개혁 정강 발표 → 청군의 개입으로 3일 만에 실패 → 일본과 한성 조약 체결, 청과 일본 간 톈진 조약 체결  ⬆ 정변의 주역들

답 ❶ 청

핵심개념 14 근대 국가 수립을 위한 노력

1. **동학 농민 운동**: 고부 농민 봉기 → 제1차 봉기(반봉건 성격, ❶ [　　　] 화약 체결, 전라도 각지에 집강소 설치) → 2차 봉기(반외세 성격, 우금치 전투에서 농민군 패배)

2. **갑오·을미개혁**

제1차 갑오개혁	· 군국기무처를 설치해 개혁 추진 · 과거제 폐지, 신분제 폐지 등
제2차 갑오개혁	· 홍범 14조를 통해 조선이 독립국임을 선포 · 8아문을 7부로 개편, 교육 입국 조서 반포 등
을미개혁	태양력 사용, 종두법과 단발령 시행 등

3. **독립 협회의 활동**: 독립문과 독립관 건립, 만민 공동회를 개최하여 러시아의 이권 요구 저지 등

4. **대한 제국**: 고종은 대한국 국제를 반포해 자주독립국을 천명하고 황제권 강화 시도, 구본신참 원칙에 따른 광무개혁 추진

답 ❶ 전주

핵심개념 15 일본의 국권 침탈 과정

한·일 의정서	대한 제국의 영토를 군사 기지로 사용
제1차 한·일 협약	외교·재정 고문 파견
제2차 한·일 협약(을사늑약)	외교권 박탈, 통감부 설치 맨 뒷장 ─ 박제순의 날인 조약의 명칭이 없음. 맨 앞장 황제의 서명과 도장이 없음. ⬆ 황제의 서명과 도장이 없는 을사늑약 문서
고종 강제 퇴위	❶ [　　　] 파견을 구실로 퇴위당함
한·일 신협약	차관 정치 실시(행정권 장악)
군대 해산	대한 제국 군대 해산
사법권·경찰권 박탈	사법·치안 등 장악
한국 병합 조약	국권 강탈

답 ❶ 헤이그 특사

핵심개념 16 국권 수호 운동

1. **항일 의병 운동**

을미의병	을미사변과 단발령을 계기로 전개
을사의병	❶ [　　　] 체결을 계기로 전개
정미의병	고종의 강제 퇴위와 군대 해산을 계기로 전개, 해산 군인의 가담

2. **애국 계몽 운동**

보안회	일본의 황무지 개간권 요구 저지
❷ [　　　]	고종 황제 강제 퇴위 반대 운동 전개
신민회	대성 학교, 오산 학교 설립, 삼원보에 독립운동 기지 건설, 신흥 강습소 설립

답 ❶ 을사늑약 ❷ 대한 자강회

14

예제 다음은 동학 농민군의 제2차 봉기 당시 발표된 격문의 일부이다. 제2차 봉기에 대한 설명으로 옳은 것은?

> 일본 오랑캐가 구실을 만들어 군대를 동원하여 우리 임금을 핍박하고 우리 백성을 근심케 하니 어찌 그대로 참을 수 있겠습니까.

① 반외세의 성격을 지녔다.
② 급진적인 개화를 추진하였다.
③ 신분제 폐지를 반대하며 봉기하였다.
④ 강화도 조약 체결을 지지하며 봉기하였다.
⑤ 다른 나라와의 적극적인 통상을 주장하였다.

답 ①

★기억해요!

동학 농민 운동은 반봉건, ⬚ 성격을 가졌으며 갑오개혁에 영향을 주었다.
답 반외세

13

예제 갑신정변에 대해 정리한 내용 중 (가)~(마)에 들어갈 내용으로 옳지 않은 것은?

> • 배경: 임오군란 이후 청의 내정 간섭 심화, 급진 개화파의 입지 축소
> • 전개 및 결과: (가) 개국 축하연에서 정변을 일으켜 (나) 수립 → (다) 발표 → (라) 의 개입으로 3일 만에 실패 → 조선과 일본 간 한성 조약 체결, 청과 (마) 간 톈진 조약 체결

① (가) 비변사　　② (나) 개화당 정부
③ (다) 개혁 정강　④ (라) 청군
⑤ (마) 일본

답 ①

★기억해요!

급진 개화파는 갑신정변을 일으켜 개화당 정부를 수립하고 ⬚ 을 발표하였다.
답 개혁 정강

16

예제 밑줄 친 '단체'에 대한 설명으로 옳은 것은?

 1907년, 안창호, 양기탁 등이 비밀 결사로 조직한 단체이지요.

 이 단체는 실력 양성과 함께 장기적인 무장 투쟁을 위해 독립운동 기지 건설을 준비하기도 하였어요.

① 독립문을 건설하였다.
② 한국광복군을 창설하였다.
③ 헤이그 특사를 파견하였다.
④ 국채 보상 운동을 주도하였다.
⑤ 인재 양성을 위해 오산 학교, 대성 학교를 설립했다.

답 ⑤

★기억해요!

⬚ 는 인재를 양성하기 위해 오산 학교, 대성 학교를 설립하였고 장기적인 무장 투쟁을 위해 독립운동 기지 건설을 준비하였다.
답 신민회

15

예제 다음은 일본의 국권 침탈 과정을 나타낸 것이다. (가)~(마)에 대한 설명으로 옳지 않은 것은?

> (가) 한·일 의정서 체결 → (나) 제1차 한·일 협약 체결 → (다) 을사늑약 체결 → (라) 한·일 신협약 체결 → (마) 한국 병합 조약 체결

① (가) 전쟁 수행 시 필요한 경우 대한 제국의 영토를 일본이 마음대로 사용할 수 있었다.
② (나) 외교와 재정 분야에 고문을 파견하였다.
③ (다) 조선 총독부를 설치하였다.
④ (라) 각 부처에 일본인 차관을 임명하였다.
⑤ (마) 대한 제국의 국권을 상실하게 되었다.

답 ③

★기억해요!

일본은 을사 5적을 앞세워 ⬚ 을 체결하여 대한 제국의 외교권을 빼앗고 통감부를 설치하였다.
답 을사늑약(제2차 한·일 협약)

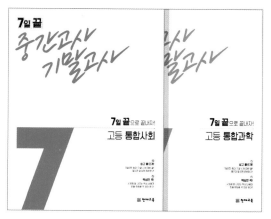

book.chunjae.co.kr

교재 내용 문의 ···················· 교재 홈페이지 ▶ 고등 ▶ 교재상담
교재 내용 외 문의 ···················· 교재 홈페이지 ▶ 고객센터 ▶ 1:1문의
발간 후 발견되는 오류 ············ 교재 홈페이지 ▶ 고등 ▶ 학습지원 ▶ 학습자료실

7일 끝

중간고사 기말고사

고등 한국사

BOOK 2

7

천재교육

언제나 만점이고 싶은 친구들 ——————————

Welcome!

숨 돌릴 틈 없이 찾아오는 시험과 평가,
성적과 입시 그리고 미래에 대한 걱정.
중·고등학교에서 보내는 6년이란 시간은
때때로 힘들고, 버겁게 느껴지곤 해요.

그런데 여러분, 그거 아세요?
지금 이 시기가 노력의 대가를
가장 잘 확인할 수 있는 시간이라는 걸요.

안 돼, 못하겠어, 해도 안 될 텐데—
어렵게 생각하지 말아요. 천재교육이 있잖아요.
첫 시작의 두려움을 첫 마무리의 뿌듯함으로 바꿔줄게요.

펜을 쥐고 이 책을 펼친 순간
여러분 앞에 무한한 가능성의 길이 열렸어요.

우리와 함께 꽃길을 향해 걸어가 볼까요?

#시험대비
#핵심정복

7일 끝
중간고사
기말고사

Chunjae
Makes
Chunjae

▼

개발총괄	김덕유
편집개발	중등 사회팀
제작	황성진, 조규영
발행일	2021년 3월 15일 초판 2021년 3월 15일 1쇄
발행인	(주)천재교육
주소	서울시 금천구 가산로9길 54
신고번호	제2001-000018호
고객센터	1577-0902
교재 내용문의	(02)3282-1780

※ 정답 분실 시에는 천재교육 홈페이지에서 내려받으세요.

7일 끝으로 끝내자!

7 고등 한국사

BOOK 2

이 책의 구성과 활용

시험 공부 시작

퀴즈로 생각 열기

공부할 내용을 만화로 가볍게 살펴보며 학습을 준비해 보세요.

❶ 생각 열기 | 만화 내용을 가볍게 보고 퀴즈를 풀면서 학습 목표를 떠올려 보세요.

❷ 배울 내용 | 공부할 내용을 살피며 핵심 학습 요소를 확인해 보세요.

본격 공부 중

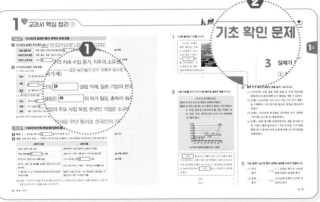

교과서 핵심 정리 + 기초 확인 문제

꼭 알아야 할 교과서 핵심 내용을 익히고 기초 확인 문제를 풀며 제대로 이해했는지 확인해 보세요.

❶ 빈칸 문제를 채우며 교과서 핵심 내용을 다시 한 번 체크해 보세요.

❷ 교과서 핵심과 관련된 기초 확인 문제를 풀며 공부한 내용을 확인해 보세요.

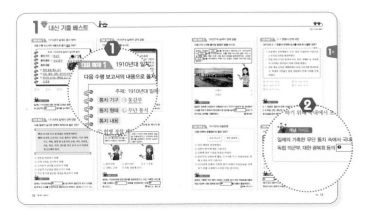

내신 기출 베스트

다양한 유형의 문제를 풀어 보며 공부한 내용을 점검해 보세요.

❶ 대표 예제 문제를 풀며 시험에 잘 나오는 문제를 확인해 보세요.

❷ 개념 가이드를 보며 시험에 잘 나오는 용어나 개념을 익히거나 문제 해결의 힌트를 얻어 보세요.

✏ 시험 공부 마무리

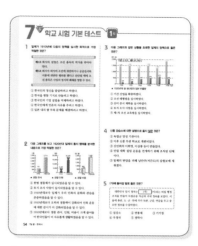

누구나 100점 테스트

앞에서 공부한 내용을 바탕으로 기초 이해력을 점검해 보세요.

서술형·사고력 테스트 / 창의·융합·코딩 테스트

서술형 문제를 집중적으로 풀고, 다양한 자료들을 활용한 문제를 풀며 사고력을 길러 보세요.

학교 시험 기본 테스트

시험 문제에 가까운 예상 문제를 풀며 실전에 대비해 보세요.

🔍 틈틈이·짬짬이 공부하기

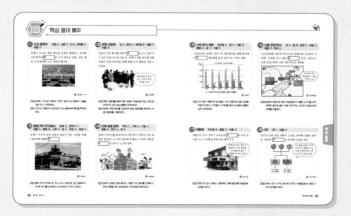

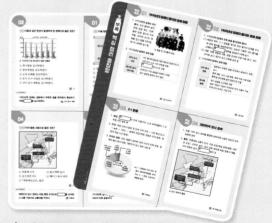

💎 핵심 용어 풀이

과목별 필수 어휘를 담은 핵심 용어 풀이를 보며 어휘력을 길러 보세요.

💎 핵심 정리 총집합 카드

카드를 휴대하며 이동할 때나 시험 직전에 활용해 보세요.

이 책의 차례

우리 학교 시험 범위 확인

교과서 단원		교재
Ⅰ. 전근대 한국사의 이해	1. 고대 국가의 지배 체제	☐ BOOK❶ 1일, 6일 1회, 7일
	2. 고대 사회의 종교와 사상	☐ BOOK❶ 1일, 6일 1회, 7일
	3. 고려의 통치 체제와 국제 질서의 변동	☐ BOOK❶ 2일, 6일 1회, 7일
	4. 고려의 사회와 사상	☐ BOOK❶ 2일, 6일 1회, 7일
	5. 조선 시대 세계관의 변화	☐ BOOK❶ 3일, 6일 1~2회, 7일
	6. 양반 신분제 사회와 상품 화폐 경제	☐ BOOK❶ 3일, 6일 2회, 7일
Ⅱ. 근대 국민 국가 수립 운동	1. 서구 열강의 접근과 조선의 대응	☐ BOOK❶ 4일, 6일 2회, 7일
	2. 동아시아의 변화와 근대적 개혁의 추진	☐ BOOK❶ 4일, 6일 2회, 7일
	3. 근대 국민 국가 수립을 위한 노력	☐ BOOK❶ 4일, 6일 2회, 7일
	4. 일본의 침략 확대와 국권 수호 운동	☐ BOOK❶ 5일, 6일 2회, 7일
	5. 개항 이후 경제적 변화	☐ BOOK❶ 5일, 6일 2회, 7일
	6. 개항 이후 사회·문화적 변화	☐ BOOK❶ 5일, 6일 2회, 7일
Ⅲ. 일제 식민지 지배와 민족 운동의 전개	1. 일제의 식민지 지배 정책	☐ BOOK❷ 1일, 6일 1회, 7일
	2. 3·1 운동과 대한민국 임시 정부	☐ BOOK❷ 1일, 6일 1회, 7일
	3. 다양한 민족 운동의 전개	☐ BOOK❷ 2일, 6일 1회, 7일
	4. 사회·문화의 변화와 사회 운동	☐ BOOK❷ 2일, 6일 1회, 7일
	5. 전시 동원 체제와 민중의 삶	☐ BOOK❷ 3일, 6일 2회, 7일
	6. 광복을 위한 노력	☐ BOOK❷ 3일, 6일 2회, 7일
Ⅳ. 대한민국의 발전	1. 8·15 광복과 통일 정부 수립을 위한 노력	☐ BOOK❷ 3일, 6일 2회, 7일
	2. 대한민국 정부 수립과 6·25 전쟁	☐ BOOK❷ 4일, 6일 2회, 7일
	3. 4·19 혁명과 민주화를 위한 노력	☐ BOOK❷ 4일, 6일 2회, 7일
	4. 경제 성장과 사회·문화의 변화	☐ BOOK❷ 5일, 6일 2회, 7일
	5. 6월 민주 항쟁과 민주주의의 발전	☐ BOOK❷ 5일, 6일 2회, 7일
	6. 외환위기와 사회·경제적 변화	☐ BOOK❷ 5일, 6일 2회, 7일
	7. 남북 화해와 동아시아 평화를 위한 노력	☐ BOOK❷ 5일, 6일 2회, 7일

Ⅲ-01. 일제의 식민지 지배 정책
~ Ⅲ-02. 3·1 운동과 대한민국 임시 정부

Quiz 1910년대 일제는 (토지 조사 사업, 회사령)을 실시해 한국인의 기업 설립을 억제하였다.   답 회사령

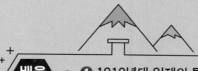

배울
내용

❶ 1910년대 일제의 통치 정책
❷ 1910년대 일제의 경제 침탈
❸ 1920년대 일제의 통치 정책

❹ 1920년대 일제의 경제 침탈
❺ 3·1 운동의 전개
❻ 대한민국 임시 정부의 활동

Quiz 일제는 3·1 운동을 계기로 1920년대에는 (무단, 문화) 통치를 표방하였다.

답 문화

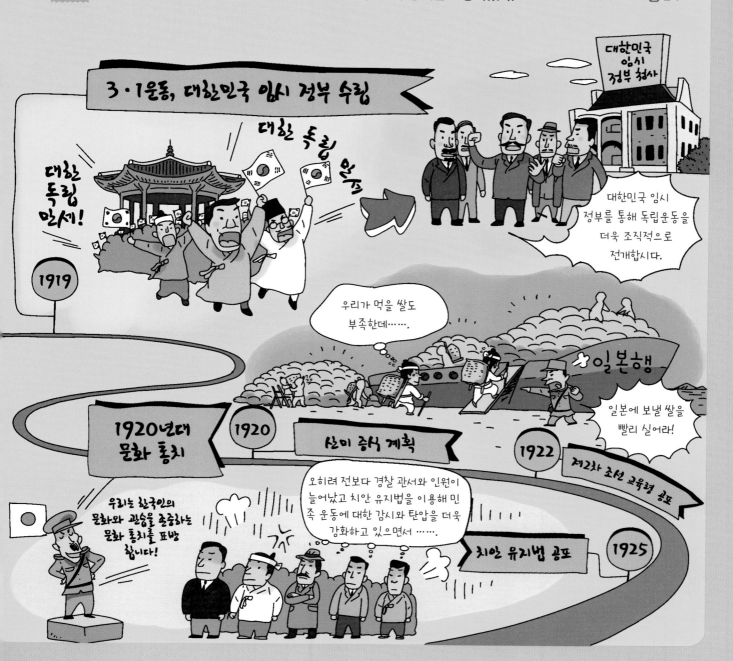

개념 1 1910년대 일제의 통치 정책과 경제 침탈

1 1910년대 일제의 무단 통치 실시 ┌─ 일제는 대한 제국을 강제로 병합하고 식민 통치의 최고 기구인 조선 총독부를 설치
하였고, 임명된 조선 총독은 입법·사법·행정·군사에 관한 모든 권한을 행사하였다.

헌병 경찰 제도	헌병 경찰이 즉결 처분권을 통해 ❶ [ ] 등의 형벌을 가함
자유와 권리 제한	언론·출판·집회·결사의 자유 박탈, 관리와 교사도 제복을 입고 칼을 차게 함
식민지 노예 교육	제1차 ❷ [ ] 공포 → 주로 보통 교육과 실업 교육 실시

❶ 태형

❷ 조선 교육령

2 1910년대 일제의 경제 침탈
(1) 토지 조사 사업

목적	식민 통치에 필요한 재정 확보, 일본인의 손쉬운 토지 소유 기반 마련
내용	신고주의 방식으로 진행 → 미신고 토지, 국공유지 등은 조선 총독부 차지 → 확보한 토지를 ❸ [ ] 주식회사와 일본인에게 헐값에 넘김
결과	조선 총독부의 지세 수입 증가, 지주의 소유권만 인정, 소작농의 관습적 경작권 부정

❸ 동양 척식

└─ 많은 농민들이 만주·연해주 등지로 이주하게 되었다.

(2) 회사령 실시(허가제)

목적	한국인의 ❹ [ ] 설립 억제, 일본 기업의 한국 진출 선별적 지원
내용	회사 설립은 ❺ [ ]의 허가 필요, 총독이 회사 폐쇄 가능
결과	일본 기업의 주요 사업 독점, 한국인 기업은 소규모 제조업·매매업에 한정

❹ 기업

❺ 총독

@ 일제는 헌병 경찰을 앞세운 무단 통치로 한국인의 기본권을 억압하였다.

개념 2 1920년대 민족 분열 통치(문화 통치)의 실시

1 배경 3·1 운동을 계기로 ❻ [   ] 통치의 한계 인식

2 내용 문화 통치 표방 → 가혹한 식민 통치를 은폐하고 친일 세력을 양성하려는 민족 분열 통치

❻ 무단

표면적 내용	실제 내용
문관도 총독 임명 가능	광복 때까지 문관 총독이 임명된 적 없음
헌병 경찰제를 ❼ [ ] 로 전환	경찰 관서·인원·비용 증가, 치안 유지법 제정
한국인의 신문과 잡지 발행 허용	기사 삭제 등 신문 ❽ [ ] 강화
한국인 교육 기회 확대를 표방한 제2차 조선 교육령 제정	유상 교육, 학교 수 부족 → 한국인의 취학률 저조
도 평의회, 부·군·면 협의회 설치하여 한국인에게 참정권 허용	일본인·친일 인사로 구성, 평의회와 협의회는 의결권 없이 자문 기구로만 역할

❼ 보통 경찰제

❽ 검열

@ 일제는 1920년대 이른바 문화 통치를 표방하였지만, 실제적으로는 탄압과 감시를 강화하였고, 친일 세력을 양성하여 우리 민족을 분열시키려 하였다.

정답과 해설 **64**쪽

1일

1 (가)에 들어갈 기구를 쓰시오.

1910년 일제는 대한 제국을 강제로 합병하고 최고 식민 통치 기관으로 [(가)]을/를 설치하였다. 조선 총독은 육·해군 대장 중에서만 임명되었다.

( )

2 다음 자료를 보고 (가), (나)에 들어갈 알맞은 말을 쓰시오.

◎ 토지 조사령(1912)

제1조 토지의 조사 및 측량은 본령에 의한다.
제4조 토지의 소유자는 조선 총독이 정하는 기간 내에 주소, 씨명, 명칭 및 소유지의 소재, 지목, 자번호, 사표, 등급, 지적, 결수를 임시 토지 조사 국장에게 신고해야 한다.

▲ 지세 수입액의 변화(1915~1922)

[(가)] 방식으로 진행된 토지 조사 사업의 결과 조선 총독부는 지세 수입이 증가하였다. 또한 토지 조사 사업 과정에서 일제가 지주의 토지 소유권만을 인정하면서 농민의 관습적인 [(나)]은/는 보호받지 못하게 되었다.

(가) ( )
(나) ( )

3 일제가 1910년에 실시한 회사령의 결과로 옳은 것은?

① 헌병 경찰제를 시행하였다.
② 일본 기업이 주요 사업을 독점하였다.
③ 한국은 일본의 간섭을 받지 않게 되었다.
④ 일본은 한국에 기업을 세울 수 없게 되었다.
⑤ 한국인은 더 많은 회사를 자유롭게 세울 수 있었다.

4 괄호 안의 내용 중 알맞은 말을 골라 ○표 하시오.

(1) 1910년대 (보통 경찰, 헌병 경찰)은 즉결 처분권을 통해 한국인에게 태형 등의 형벌을 가할 수 있었다.

(2) 일제는 1910년대 (토지 조사 사업, 산미 증식 계획)을 시행하여 식민 통치에 필요한 재정을 확보하려 하였다.

(3) 일제는 1910년에 회사령을 공포하여 회사 설립을 (허가제, 신고제)로 제정하였다.

(4) 일제는 문화 통치를 표방하였지만 경찰 관서와 인원, 비용이 훨씬 늘어났고 (치안 유지법, 국가 총동원법)을 이용하여 민족 운동에 대한 감시와 탄압을 강화하였다.

5 다음 일제가 실시한 통치 정책과 설명을 바르게 연결하시오.

(1) 무단 통치 · · ㉠ 3·1 운동을 계기로 1920년대에 일제가 표방한 통치

(2) 문화 통치 · · ㉡ 1910년대 일제가 실시한 강압적인 통치

개념 3 · 1920년대 일제의 경제 침탈

1 산미 증식 계획

배경	일본의 ❶ [ ] 부족 현상 → 부족한 쌀을 한국에서 확보하고자 함
내용	품종 개량, 화학 비료 사용, 수리 시설 확충 등을 통해 쌀 생산을 증가시켜 일본으로 반출
결과	식량 사정 악화, 몰락 농민 증가, 식민지 지주제 강화

└ 증산량이 계획한 목표에 미달하였으나 일제는 예정대로 쌀을 반출하였다.

2 회사령 철폐
회사 설립을 허가제에서 ❷ [   ] 로 전환 → 일본 자본과 기업의 자유로운 한국 진출 가능 → 한국인 기업 타격

예) 산미 증식 계획으로 식민지 지주제가 강화되었고 농민들의 삶은 날로 어려워졌다.

개념 4 · 1910년대 독립운동과 3·1 운동

1 국내 비밀 결사 운동

독립 의군부	임병찬 조직, 고종을 황제로 복위시켜야 한다는 복벽주의 주장
대한 광복회	박상진 조직, ❸ [ ] 정부 수립을 목표, 독립군 양성을 위해 노력

2 국외 독립운동 기지 건설
신민회의 이회영, 이상룡 등이 남만주 삼원보에 자치 기관인 경학사를 만들고 독립군 양성 기관인 신흥 강습소(이후 신흥 무관 학교)를 건설함

3 3·1 운동
(1) 배경: 세계 정세의 변화(윌슨의 민족 자결주의 제창, 레닌의 식민지 민족 해방 운동 지원 선언), 상하이의 신한 청년당이 파리 강화 회의에 김규식을 파견해 독립 의지를 알림, 일본 도쿄에서 유학생들이 ❹ [   ] 발표

(2) 전개: 1919년 3월 1일, 민족 대표 33인이 태화관에서 독립 선언서 발표, 학생과 시민들이 탑골 공원에서 만세 시위 전개 → 전국 도시로 시위 확산 → 농촌으로 확산(무력 투쟁 양상으로 변화) → 국외로 확산
└ 학생, 교사, 상인, 노동자 등이 가담하였다.

(3) 일제의 탄압: 헌병 경찰, 군대 동원을 통해 무자비하게 탄압, 제암리 학살 사건 발생

(4) 의의와 영향: 모든 계층이 참여한 최대 규모의 민족 운동, 일제 통치 방식 변화(무단 통치 → ❺ [   ]), 대한민국 임시 정부 수립, 아시아 민족 운동에 영향

예) 3·1 운동을 계기로 대한민국 임시 정부가 수립되었다.

개념 5 · 대한민국 임시 정부

수립	• 대한 국민 의회 + 상하이 대한민국 임시 정부 + 한성 정부 → 대한민국 임시 정부 수립 • 최초의 민주 공화제 정부, ❻ [ ] (임시 의정원, 국무원, 법원)
활동	연통제와 교통국 조직(독립운동 ❼ [ ] 확보와 국내외 항일 세력과의 연락망 구축), 자금 모금(독립 공채 발행, 의연금 모금), 무장 활동(군무부 설치, 직할 부대 편성), 외교 활동(파리 강화 회의에 독립 청원서 제출, 구미 위원부 설치), 문화 활동(『독립신문』 발간, 『한·일 관계 사료집』 간행)

└ 연통제는 비밀 행정 조직이며, 교통국은 통신 기관이다.

❶ 쌀

❷ 신고제

❸ 공화제

❹ 2·8 독립 선언

❺ 문화 통치

❻ 삼권 분립

❼ 자금

1일

6 괄호 안의 내용 중 알맞은 말을 골라 각각 ○표 하시오.

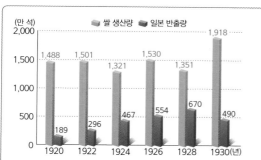

▲ 1920년대 쌀 생산량과 일본 반출량

일본은 1920년부터 한국에서 (1)(산미 증식 계획, 회사령)을 실시하여 일본에서 부족한 쌀을 한국에서 확보하고자 하였다. 일제는 일본 벼 품종 보급, 수리 시설 확충, 화학 비료 사용 등의 방법을 동원해 한국에서의 쌀 생산량을 늘리려고 하였다. 계획한 대로 쌀 생산량이 늘지 않았으나 일본으로의 쌀 반출은 예정대로 진행되어 농민들의 생활은 더욱 (2)(편해졌다, 어려워졌다).

7 다음에 해당하는 용어를 〈보기〉에서 고르시오.

> ● 보기 ●
> ㄱ. 독립 의군부   ㄴ. 대한 광복회
> ㄷ. 신흥 강습소

(1) 박상진을 총사령관으로 하여 조직한 단체로, 공화제 정부 수립을 목표로 활동하였다.   (   )
(2) 남만주 삼원보에 신민회가 세운 독립군 양성 기관이다.   (   )
(3) 임병찬이 고종의 밀명을 받아 조직한 단체로, 고종을 황제로 복위시켜야 한다는 복벽주의를 주장하였다.   (   )

8 (가)에 들어갈 내용으로 적절한 것은?

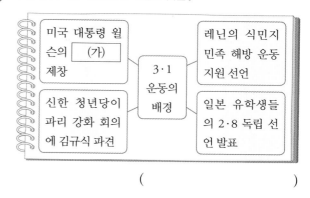

(   )

9 빈칸에 들어갈 알맞은 말을 쓰시오.

(1) 1919년 3월 1일에 민족 대표 33인은 태화관에 모여 (   )을/를 발표하고 학생과 시민들은 탑골 공원에서 만세 시위를 전개하였다.
(2) 3·1 운동을 계기로 민족의 역량을 하나로 모으기 위한 구심점으로 최초의 민주 공화제 정부인 (   )이/가 수립되었다.

10 대한민국 임시 정부의 활동과 그 내용을 바르게 연결하시오.

(1) 자금 모금 •   • ㉠ 독립 공채 발행

(2) 외교 활동 •   • ㉡ 『한일 관계 사료집』 간행

(3) 무장 활동 •   • ㉢ 군무부 설치, 직할 부대 편성

(4) 문화 활동 •   • ㉣ 김규식을 통해 독립 청원서 제출

대표 예제 1   1910년대 일제의 통치 정책

다음 수행 보고서의 내용으로 옳지 않은 것은?

> 주제: 1910년대 일제가 실시한 통치
>
> 통치 기구 ㉠ 통감부
>
> 통치 형태 ㉡ 무단 통치
>
> 통치 내용
>
> ㉢ 헌병 경찰 제도 실시
> ㉣ 언론·출판·집회·결사의 자유를 박탈함
> ㉤ 관리와 교사도 제복을 입고 칼을 찬 채로 업무를 보게 함

① ㉠   ② ㉡   ③ ㉢   ④ ㉣   ⑤ ㉤

 개념 가이드

일제는 1910년에 대한 제국을 강제로 병합하고 조선 총독부를 설치해 강압적인 **❶**   통치를 실시했다.   답 ❶ 무단

대표 예제 2   1910년대 일제의 경제 침탈

다음 일제가 실시한 정책의 목적으로 옳은 것은?

> 제1조 토지의 조사 및 측량은 본령에 의한다.
> 제4조 토지의 소유자는 조선 총독이 정하는 기간 내에 주소, 씨명, 명칭 및 소유지의 소재, 지목, 자번호, 사표, 등급, 지적, 결수를 임시 토지 조사 국장에게 신고해야 한다.

① 언론을 탄압하기 위해
② 근대 교육을 실시하기 위해
③ 소작농의 권리를 보호하기 위해
④ 상업과 수공업을 발달시키기 위해
⑤ 식민 통치에 필요한 재정을 확보하기 위해

개념 가이드

일제는 1910년대에 **❷**   을 실시하여 일본인의 토지 소유를 쉽게 하고 지세를 안정적으로 확보하고자 하였다.   답 ❷ 토지 조사 사업

대표 예제 3   1910년대 일제의 경제 침탈

(가)에 들어갈 정책을 쓰시오.

(가) 에 대해 검색해 봤어.

[검색 결과]
1910년에 한국 기업의 설립을 억제하기 위해 실시되었다. 회사 설립은 총독의 허가를 받아야 하며 허가 조건을 어기면 총독이 회사를 폐쇄할 수 있었다.

(   )

개념 가이드

일제는 **❸**   기업의 한국 진출을 선별적으로 지원하고 한국인의 기업 활동을 제한하기 위해 회사령을 공포하였다.   답 ❸ 일본

대표 예제 4   일제의 통치 방식의 변화

일제가 다음과 같은 통치 방식의 변화를 보이게 된 계기가 된 (가) 사건으로 옳은 것은?

일제는 (가) 을/를 계기로 무단 통치로는 한국을 지배하기 어렵다고 판단했어.

그래서 우리의 민족 문화와 관습을 존중하겠다고 선전하며 문화 통치를 표방했지. 하지만 실상은 그렇지 않았어.

① 을미사변   ② 임오군란   ③ 3·1 운동
④ 강화도 조약   ⑤ 보통 경찰제 실시

개념 가이드

일제는 1920년대에 문화 통치를 표방하였으나, 이는 가혹한 식민 통치를 은폐하고 **❹**   세력을 양성하려는 민족 **❺**   통치였다.   답 ❹ 친일 ❺ 분열

대표 예제 5 1920년대 일제의 경제 침탈

다음 (가), (나)에 들어갈 알맞은 말을 쓰시오.

일제는 부족한 [(가)]을/를 한국에서 확보하고자 1920년부터 [(나)]을/를 추진하였어요. 이를 위해 저수지와 같은 수리 시설 확충, 품종 개량, 비료 사용 등의 방법을 동원하였지요. 사진은 [(나)]을/를 추진하면서 부평 수리 조합이 건설한 저수지의 모습입니다.

(가) (   )

(나) (   )

개념 가이드

일본은 급속한 산업화가 진행되어 도시 인구가 늘면서 쌀 생산량이 수요를 따르지 못하자 한국에서 쌀 생산을 늘려 ❻[   ]으로 가져가려는 정책을 시행하였다.　　답 ❻ 일본

대표 예제 6 1910년대 독립운동

다음 단체의 공통점으로 옳은 것은?

[독립 의군부]　[대한 광복회]

① 친일 세력을 양성하였다.
② 일본이 한국에 세운 기업이다.
③ 공화제 정부 수립을 목표로 하였다.
④ 남만주의 삼원보에 활동 근거지를 두고 독립운동을 위해 조직된 자치 기관이다.
⑤ 1910년대 일제의 가혹한 통치 속에서 독립운동을 전개하기 위해 국내에서 조직된 비밀 결사이다.

개념 가이드

일제의 가혹한 무단 통치 속에서 국내에 남아 있던 독립운동가들은 독립 의군부, 대한 광복회 등의 ❼[   ]를 만들어 활동하였다.　　답 ❼ 비밀 결사

대표 예제 7 3·1 운동의 전개 과정

〈보기〉의 3·1 운동이 전개된 순서를 바르게 나열한 것은?

● 보기 ●
ㄱ. 도쿄에서 유학생들이 조선 청년 독립단의 이름으로 2·8 독립 선언을 발표하였다.
ㄴ. 독립 선언 소식이 알려져 미국, 만주, 연해주 등 국외에서 거주하는 한인들이 만세 시위를 펼쳤다.
ㄷ. 민족 대표 33인은 태화관에서 독립 선언서를 발표하였고, 학생과 시민들은 탑골 공원에서 만세 시위를 전개하였다.

① ㄱ → ㄷ → ㄴ　　② ㄱ → ㄴ → ㄷ
③ ㄴ → ㄷ → ㄱ　　④ ㄷ → ㄴ → ㄱ
⑤ ㄷ → ㄱ → ㄴ

개념 가이드

3·1 운동은 윌슨의 민족 자결주의, 일본 ❽[   ] 유학생들의 2·8 독립 선언, 레닌의 식민지 민족 해방 운동 지원 약속, 고종 사망 및 독살설 등이 배경이 되었다.　　답 ❽ 도쿄

대표 예제 8 3·1 운동의 영향

(가) 단체가 한 일로 옳지 않은 것은?

◀ ▶ C 　　[(가)의 수립]　Q ☰

[검색 결과]
3·1 운동을 계기로 독립운동가들은 더 조직적인 독립운동 전개의 필요성을 느껴 각지에서 임시 정부를 만들었다. 이들을 통합하여 [(가)]이/가 수립되었다.

① 교통국 조직　　② 연통제 조직
③ 군무부 설치　　④ 구미 위원회 설치
⑤ 『대한매일신보』 발간

개념 가이드

❾[   ]을 계기로 조직적인 ❿[   ]의 전개를 위해 각지에서 임시 정부가 만들어졌고, 그들 사이의 협의를 통해 상하이에 대한민국 임시 정부가 수립되었다.　　답 ❾ 3·1 운동 ❿ 독립운동

Quiz 봉오동 전투와 청산리 대첩에서 (일본군, 독립군)은 승리를 거두었다.

답 독립군

배울
내용

❶ 무장 투쟁과 의열 투쟁의 전개
❷ 실력 양성 운동의 전개
❸ 학생 항일 운동의 전개
❹ 신간회의 활동

Quiz (신간회, 신민회)는 비타협적 민족주의 세력과 사회주의 세력이 연합하여 1927년에 결성되었다. 답 신간회

개념 1 무장 투쟁과 의열 투쟁

1 무장 투쟁

봉오동 전투	독립군의 국내 진공 → 일본군의 독립군 공격 → 홍범도의 ❶ [　　　　]을 비롯한 여러 독립군 부대가 봉오동에서 일본군 격파	❶ 대한 독립군
청산리 대첩	일제가 훈춘 사건을 구실로 만주에 대규모 군대 파견 → 김좌진의 ❷ [　　　　]를 비롯한 여러 독립군 부대가 청산리 일대에서 대승을 거둠	❷ 북로 군정서
간도 참변	일본군이 독립군의 ❸ [　　　　]를 없앤다는 구실로 간도 지역의 한인 촌락 습격 및 학살	❸ 근거지
자유시 참변	여러 독립군 부대가 대한 독립 군단 결성 → 러시아령 자유시(스보보드니)로 이동 → 독립군의 지휘권 분쟁 → 러시아 적군의 개입, 수백 명의 사상자 발생	
3부의 성립과 통합	만주의 독립운동 세력이 조직 정비 → 참의부, 정의부, ❹ [　　　　] 성립 → 미쓰야 협정으로 만주 독립군 활동 위축 → 3부 통합 운동(3부를 국민부와 혁신 의회로 재편)	❹ 신민부

2 의열 투쟁 ----신채호의 「조선 혁명 선언」에 폭력 투쟁을 통한 민중의 직접 혁명을 추구하는 의열단의 기본 정신이 잘 나타나 있다.

의열단	김원봉의 주도로 결성, 조선 총독부에 폭탄 투척(김익상), 종로 경찰서에 폭탄 투척(김상옥), 동양 척식 주식회사에 폭탄 투척(나석주) 등의 활동을 함
한인 애국단	• 임시 정부의 침체를 극복하고자 ❺ [　　　　]가 결성 • 이봉창(도쿄에서 일왕에게 폭탄 투척), 윤봉길(상하이 훙커우 공원 의거)

중국 국민당 정부는 윤봉길 의거를 높이 평가해 한국 독립운동을 적극 지원하였다.

❺ 김구

<예> 3·1 운동 이후 국외에서 무장 투쟁이 활발히 전개되었고, 의열 투쟁을 전개하는 단체가 조직되었다.

개념 2 실력 양성 운동

----늘어난 수요를 뒷받침할 만한 생산력 증대가 이루어지지 않아 물건값이 오르는 문제가 발생하였고, 일부 사회주의자들의 비난을 받았다.

물산 장려 운동	• 조만식이 평양에서 조선 물산 장려회를 조직해 전국적으로 확산 • ❻ [　　　　] 애용, 근검저축, 금주, 단연 등을 주장	❻ 토산품
민립 대학 설립 운동	고등 교육 기관 설립을 위해 전개 → 이상재, 이승훈 등 조선 민립 대학 기성회 조직 및 모금 운동 전개 → 가뭄, 홍수, 일제의 탄압으로 실패	
농촌 계몽 운동	언론사의 주도로 문자 보급 운동, 문맹 퇴치와 미신 타파를 목표로 한 브나로드 운동 전개	

<예> 실력 양성 운동은 민족 자본의 육성과 근대 교육의 보급 등을 통해 근대적 발전과 민족 독립을 꾀하였다.

개념 3 학생 항일 운동

6·10 만세 운동	• 순종의 장례식을 계기로 사회주의 단체 + 천도교 청년회 + 학생 대표들이 만세 시위 계획 → 사전에 발각되어 학생 단체를 중심으로 만세 시위 전개 • 민족 운동의 주체로 학생의 역할 증대, 민족 협동 전선 결성의 공감대를 형성	
광주 학생 항일 운동	• 한·일 학생 간의 충돌 → 일본의 편파적 대처에 반발 → ❼ [　　　　] 지역 학생들이 식민지 교육 철폐, 민족 차별 중지 등을 내세우며 시위 전개 → 전국으로 확산 • 3·1 운동 이후 최대 규모의 민족 운동	❼ 광주

1 다음에서 설명하는 사건을 〈보기〉에서 찾아 기호를 쓰시오.

> ● 보기 ●
> ㄱ. 간도 참변 ㄴ. 청산리 대첩
> ㄷ. 봉오동 전투 ㄹ. 자유시 참변

(1) 일본군이 두만강을 건너 독립군을 공격하자, 홍범도가 이끄는 대한 독립군을 비롯한 여러 독립군 부대는 일본군을 유인해 대승을 거두었다. (　　)

(2) 일제가 훈춘 사건을 구실로 만주에 대규모 군대를 파견해 독립군 부대를 추격하자, 김좌진의 북로 군정서를 비롯한 여러 독립군 부대는 일본군과 전투를 벌여 큰 승리를 거두었다. (　　)

2 의열단에 대한 설명으로 옳은 것은?

① 김원봉은 의열단 창단에 반대하였다.
② 김구의 주도로 대구에서 결성되었다.
③ 교육을 통한 실력 양성 운동을 주도하였다.
④ 폭력 투쟁을 통한 민중의 직접 혁명을 추구하였다.
⑤ 민족 개조론을 내세워 일제와 타협하려고 하였다.

3 다음 밑줄 친 '이 단체'는 무엇인지 쓰시오.

　　김구가 조직한 <u>이</u> 단체에 속한 윤봉길은 일왕의 생일과 상하이 사변의 승리를 축하하는 기념식이 열리는 홍커우 공원에서 폭탄을 던졌다. 윤봉길의 의거로 일본 고위 관료와 군사 지휘관 등 다수의 사상자가 발생하였다.

(　　　　　　)

4 (가)에 들어갈 알맞은 말을 쓰시오.

▲ 경성 방직 주식회사의 토산품 애용 선전 광고

　　1920년 조만식 등은 평양에서 우리가 만든 물건을 쓰자는 　(가)　을/를 전개하였다. 1923년 서울에서 조선 물산 장려회가 조직되면서 전국적으로 퍼져 나갔다. 전국 각지에서 여러 단체가 생겨나 토산품 애용, 근검저축, 금주, 단연 등을 주장하였다.

(　　　　　　)

5 괄호 안의 내용 중 알맞은 말을 골라 ○표 하시오.

(1) 이상재, 이승훈 등은 고등 교육을 통한 민족의 실력 양성을 도모하기 위해 (민립 대학 설립 운동, 6·10 만세 운동)을 전개하였다.

(2) 1920년대 후반에는 언론사의 주도로 문맹 퇴치와 미신 타파 등을 목표로 하는 (농촌 계몽 운동, 국채 보상 운동)이 전개되었다.

6 광주 학생 항일 운동에 관한 설명으로 옳은 것을 〈보기〉에서 모두 찾아 기호를 쓰시오.

> ● 보기 ●
> ㄱ. 의열단이 주도하였다.
> ㄴ. 3·1 운동 이후 최대 규모의 민족 운동이다.
> ㄷ. 광주 학생들이 조선 총독부, 종로 경찰서 등에 동시 다발로 폭탄을 투척하였다.
> ㄹ. 광주 지역의 학생들이 식민지 교육 철폐, 민족 차별 중지 등을 주장하며 시위를 전개하였다.

(　　　　　　)

개념 4 신간회 ─ 1920년대 중반부터 민족 협동 전선을 추구하는 민족 유일당 운동이 전개되었고 그 결과, 신간회가 결성되었다.

결성	• 비타협적 **❶** [　　　] 세력과 사회주의 세력이 연합하여 결성 • 전국 각지에 지회 설치 → 대중적 정치·사회단체로 성장
활동	전국 순회강연을 통해 일제의 통치 정책 비판, 원산 총파업 지원, 농민·노동 운동 지원, **❷** [　　　]이 발생하자 현지에 진상 조사단 파견 등 ─ 원산의 한 석유 회사에서 일본인 감독관이 한국인 노동자를 구타한 사건을 계기로 노동자들이 벌인 파업이다.
해소	일제의 탄압, 새 집행부의 타협적인 합법 운동 강조, 코민테른의 노선 변화 → 사회주의 계열의 주장으로 해소

❶ 민족주의

❷ 광주 학생 항일 운동

예 신간회는 독립운동의 이념과 방법의 차이를 넘어 민족 협동 전선을 구축하였다.

개념 5 일제 식민지 시기에 전개된 민족 문화 수호 운동

1 한글 연구와 보급

조선어 연구회		조선어 학회
❸ [　　　]의 시초가 된 '가갸날' 제정, 잡지 『한글』 창간	개편 →	한글 **❹** [　　　] 통일안과 표준어 및 외래어 표기법 통일안 등 제정, 우리말 『큰사전』 편찬 시도 → 조선어 학회 사건으로 탄압 및 해산

❸ 한글날 ❹ 맞춤법

2 한국사 연구 ─ 한국인의 독립 의지를 꺾고 일본의 한국 지배와 식민 통치를 합리화하기 위한 일제의 식민 사관에 맞서 우리 역사를 지키기 위한 다양한 한국사 연구가 이루어졌다.

민족주의 사학	• 한국사의 주체적 발전과 민족의 **❺** [　　　] 강조 • 박은식(『한국통사』, 『한국독립운동지혈사』 저술), 신채호(『조선 상고사』 저술)
사회 경제 사학	유물 사관에 바탕을 둠(백남운, 『조선 사회 경제사』 저술)
실증 사학	문헌 고증을 통한 객관적 서술 강조(이병도, 손진태 – 진단 학회 조직)

❺ 자주성

개념 6 일제 식민지 시기에 전개된 다양한 대중 운동

1 농민 운동과 노동 운동

농민 운동	농민 운동 단체 결성, **❻** [　　　]쟁의 전개(암태도 소작 쟁의 등)
노동 운동	노동 운동 단체 결성, 노동 쟁의 전개(원산 총파업 등)

→ **❼** [　　　] 사상의 영향 → 항일 투쟁으로 발전

❻ 소작 ❼ 사회주의

2 각계각층의 사회 운동

청년 운동	조선 청년 총동맹 결성	여성 운동	여성 운동 통합 단체인 근우회 결성
소년 운동	방정환 중심의 천도교 소년회 조직, '어린이' 용어 사용	형평 운동	백정에 대한 편견과 차별에 대응해 조선 형평사 조직

예 성별, 나이, 신분 등 사회적 차별을 철폐하고 평등한 사회를 이루기 위한 움직임이 활발하게 일어났다.

7 다음에서 설명하는 단체를 쓰시오.

▲ 이상재

▲ 홍명희

1927년에 비타협적 민족주의 세력과 사회주의 세력이 연합하여 결성한 단체이다. 회장에는 이상재, 부회장에는 홍명희를 선출하였으며, 서울에 본부를 설치하고 전국 각지에 지회를 설치하였다.

( )

8 위 **7**번 답의 활동으로 옳은 것을 〈보기〉에서 찾아 기호를 쓰시오.

보기
ㄱ. 대성 학교를 세웠다.
ㄴ. 독립문을 건립하였다.
ㄷ. 만민 공동회를 개최하였다.
ㄹ. 농민·노동 운동을 지원하였다.

( )

9 (가)에 들어갈 알맞은 단체를 쓰시오.

▲ 우리말 사전 원고

(가) 은/는 이극로, 최현배의 조선어 연구회가 확대 개편된 단체이다. 한글 맞춤법 통일안과 표준어 및 외래어 표기법 통일안 등을 제정하였고 우리말 사전 편찬을 시도하였다.

( )

10 괄호 안의 내용 중 알맞은 말을 골라 ○표 하시오.

(1) 일제는 (식민 사관, 민족주의 사학)을 바탕으로 한국인의 독립 의지를 꺾고 일본의 한국 지배와 식민 통치를 합리화하려고 하였다.

(2) 백남운은 마르크스의 유물 사관에 바탕을 둔 (식민 사관, 사회 경제 사학)을 내세웠다.

(3) 이병도, 손진태 등은 문헌 고증을 통해 우리 역사를 객관적으로 서술하려는 (실증 사학, 민족주의 사학)을 정립하였다.

11 다음에서 설명하는 인물을 쓰시오.

『한국통사』를 저술하여 일본의 침략 과정을 폭로하였으며, 『한국 독립운동지혈사』를 저술하여 한국 독립운동의 역사를 정리하였다.

( )

12 일제 식민지 시기에 전개된 대중 운동을 관련된 것끼리 바르게 연결하시오.

(1) 여성 운동 •   • ㉠ 근우회 결성

(2) 농민 운동 •   • ㉡ 원산 총파업

(3) 노동 운동 •   • ㉢ 암태도 소작 쟁의

내신 기출 베스트

대표 예제 1 봉오동 전투

다음 인물 카드의 주인공으로 옳은 것은?

> **[한국사 인물 카드]**
> – 독립운동가
> – 대한 독립군을 이끌고 여러 독립군 부대와 연합하여 1920년 일본군을 봉오동 골짜기로 유인하여 무찔렀다.

① 김구　　　② 김유신　　　③ 홍범도
④ 박은식　　　⑤ 안창호

개념 가이드

3·1 운동 이후 만주 일대에 수많은 독립군 부대가 조직되었고, 이들은 ❶ [　　　] 전투, ❷ [　　　] 대첩을 통해 일본군과 전투를 벌여 승리를 거두었다.　　답 ❶ 봉오동 ❷ 청산리

대표 예제 2 의열 투쟁 활동

다음 조사 내용의 주제로 적절한 것은?

- 김익상: 조선 총독부에 폭탄 투척(1921)
- 김상옥: 종로 경찰서에 폭탄 투척(1923)
- 김지섭: 일본 왕궁에 폭탄 투척(1924)
- 나석주: 동양 척식 주식회사와 조선 식산 은행에 폭탄 투척(1926)

① 의열단의 활동　　　② 신간회의 창립
③ 신민회의 활동　　　④ 대한 협회의 변화
⑤ 대한민국 임시 정부 수립의 계기

개념 가이드

1919년 만주 지린에서 김원봉 등이 주도하여 조직한 ❸ [　　　]은 일제의 ❹ [　　　]을 파괴하고 침략 원흉을 응징하는 의열 투쟁을 전개하였다.　　답 ❸ 의열단 ❹ 식민 통치 기관

대표 예제 3 한인 애국단의 활동

다음 윤호의 질문에 옳지 <u>않은</u> 대답을 한 사람을 쓰시오.

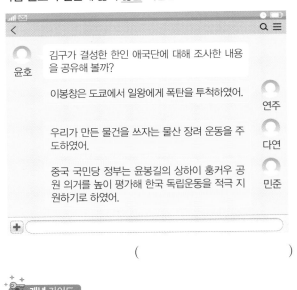

> 윤호: 김구가 결성한 한인 애국단에 대해 조사한 내용을 공유해 볼까?
>
> 연주: 이봉창은 도쿄에서 일왕에게 폭탄을 투척하였어.
>
> 다연: 우리가 만든 물건을 쓰자는 물산 장려 운동을 주도하였어.
>
> 민준: 중국 국민당 정부는 윤봉길의 상하이 훙커우 공원 의거를 높이 평가해 한국 독립운동을 적극 지원하기로 하였어.

(　　　　　　)

개념 가이드

❺ [　　　]는 적극적인 의열 투쟁을 전개하고자 1931년에 한인 애국단을 조직하였다.　　답 ❺ 김구

대표 예제 4 실력 양성 운동

다음 포스터와 가장 관련 있는 민족 운동은?

① 국채 보상 운동　　　② 신분 폐지 운동
③ 농촌 계몽 운동　　　④ 물산 장려 운동
⑤ 민립 대학 설립 운동

개념 가이드

언론사의 주도로 ❻ [　　　] 퇴치와 생활 개선 등의 농촌 계몽 운동이 전개되었다.　　답 ❻ 문맹

대표 예제 5 학생 항일 운동의 전개

(가)에 들어갈 알맞은 말을 쓰시오.

제가 조사한 [(가)] 은/는 순종의 장례일에 벌어진 만세 시위입니다. 학생들은 일제의 삼엄한 경비를 뚫고 곳곳에서 시민들과 만세 시위를 벌였습니다.

(   )

개념 가이드

1926년 6월 10일, ❼ [   ]의 장례일에 조선 학생 과학 연구회를 비롯한 학생 조직의 주도로 학생과 시민들은 만세 시위를 벌여 민족 운동에 활기를 불어넣었다.

🔒 ❼ 순종

대표 예제 6 신간회의 활동

다음 선생님이 설명하는 단체의 활동으로 옳은 것은?

1927년에 비타협적 민족주의 세력과 사회주의 세력이 연합하여 결성한 단체입니다.

① 대성 학교를 세웠다.
② 원산 총파업을 지원하였다.
③ 잡지 『한글』을 발간하였다.
④ 조만식이 평양에서 조직하였다.
⑤ 북로 군정서를 비롯한 여러 독립군 부대와 힘을 합쳐 청산리 대첩을 승리로 이끌었다.

개념 가이드

비타협적 민족주의 세력과 사회주의 세력은 ❽ [   ]를 창립해 독립운동의 이념과 방법의 차이를 넘어 민족 협동 전선을 결성하였다.

🔒 ❽ 신간회

대표 예제 7 일제의 식민 사관에 맞선 노력

다음에서 설명하는 사람들의 활동 사례로 가장 적절한 것은?

민족주의 사학자들은 민족주의 사학을 근대 역사학으로 정립했다. 이들은 독립운동의 일환으로 역사를 연구하였으며 한국사의 발전 주체가 우리 민족임을 강조하였다.

① 의열단을 조직하였다.
② 『조선책략』을 유포하였다.
③ 브나로드 운동을 전개하였다.
④ 우리말 『큰사전』 편찬을 시도하였다.
⑤ 신채호는 『조선 상고사』를, 박은식은 『한국통사』 등을 저술하였다.

개념 가이드

❾ [   ]은 『한국통사』, 『한국독립운동지혈사』 등을 저술하였고, ❿ [   ]는 『조선사 연구초』, 『조선 상고사』 등을 저술해 우리 역사를 지키기 위해 노력하였다.

🔒 ❾ 박은식 ❿ 신채호

대표 예제 8 형평 운동

다음 밑줄 친 곳에 들어갈 내용으로 가장 적절한 것은?

왼쪽은 형평사 정기 대회 포스터입니다. 조선 형평사는 _____에 대응해 조직되었습니다.

① 토지 조사 사업   ② 서얼에 대한 차별
③ 여성에 대한 차별   ④ 백정에 대한 차별
⑤ 도시와 농촌의 발전 격차

개념 가이드

갑오개혁으로 신분 제도가 폐지된 후에도 도축이나 고기 파는 일에 종사하는 ⓫ [   ]에 대한 차별은 사라지지 않았고, 이에 항의해 ⓬ [   ] 운동이 전개되었다.

🔒 ⓫ 백정 ⓬ 형평

Quiz (한국광복군, 별기군)은 인도·미얀마 전선에 대원을 파견하였다.

답 한국광복군

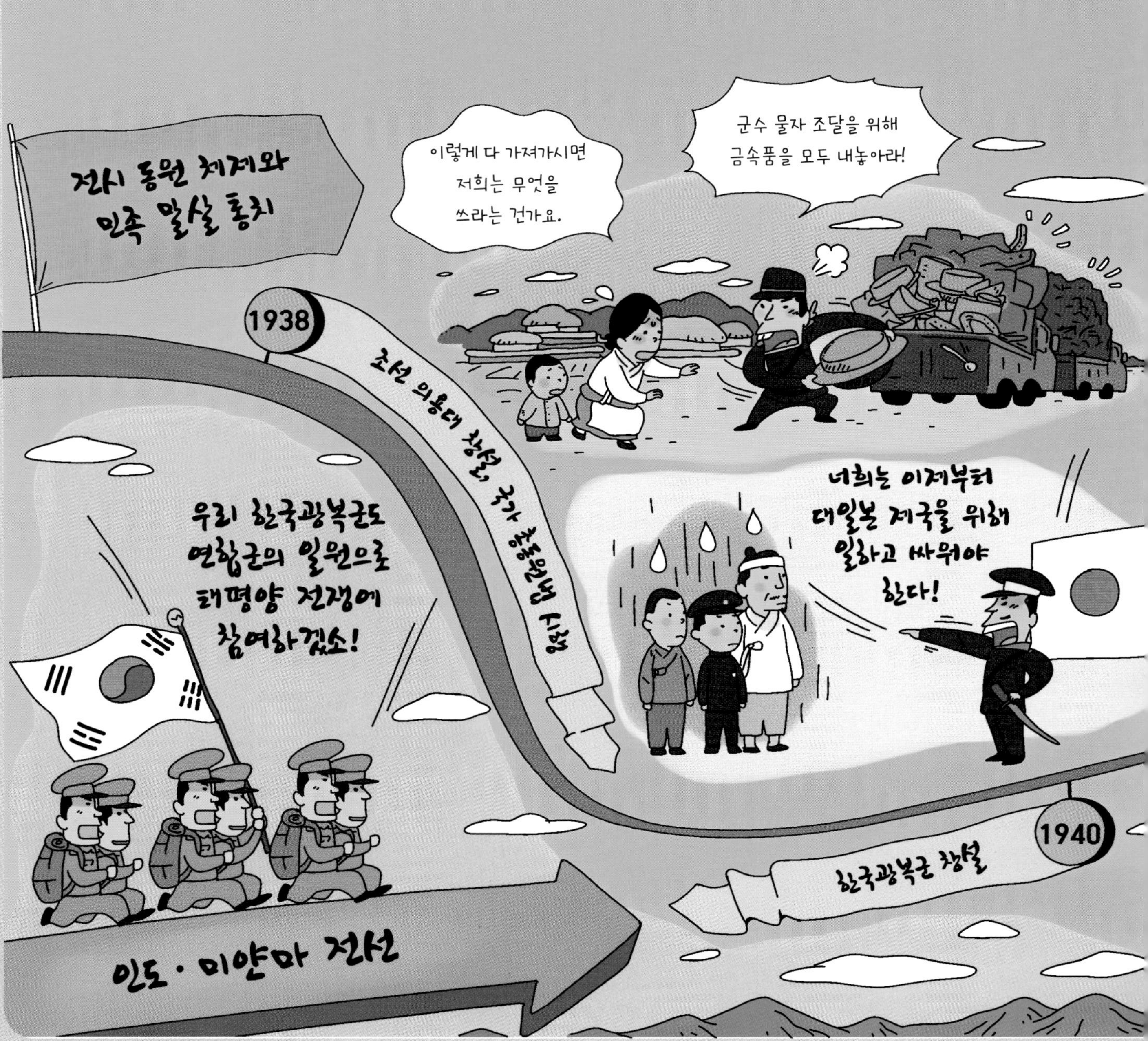

전시 동원 체제와
민족 말살 통치

1938

이렇게 다 가져가시면
저희는 무엇을
쓰라는 건가요.

군수 물자 조달을 위해
금속품을 모두 내놓아라!

조선 의용대 창설, 중국 충칭에서 창설

너희는 이제부터
대일본 제국을 위해
일하고 싸워야
한다!

우리 한국광복군도
연합군의 일원으로
태평양 전쟁에
참여하겠소!

1940

한국광복군 창설

인도·미얀마 전선

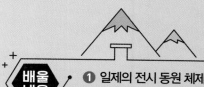

배울
내용

❶ 일제의 전시 동원 체제와 민족 말살 통치 ❸ 8·15 광복과 국토 분단
❷ 1930년대~40년대 광복을 위한 노력 ❹ 통일 정부 수립을 위한 노력

3일 교과서 핵심 정리 ①

전시 동원 체제와 민족 말살 통치

1 전시 동원 체제

병참 기지화 정책	한반도 북부를 공업 지대로 만드는 식민지 **❶** 정책(산업 간·지역 간 불균형 발생), 남면북양 정책(한국 농촌 경제 피폐) ┈ 한반도 남부에서는 면화, 북부에서는 양 사육을 강요해 일본 방직업자에게 싼값에 원료를 공급하였다.	**❶** 공업화
물적·인적 자원 수탈	• 국가 총동원법 제정 → 전쟁에 필요한 자원을 수탈하기 위함 • 물적 자원 수탈: **❷** ·미곡 공출, 식량 배급제 실시 • 인적 자원 수탈: 노동자(국민 징용령), 군인(지원병제, 징병제), 여성(여자 근로 정신대, 일본군 '위안부') 등	**❷** 금속

2 민족 말살 통치

황국 신민화 정책	• 한국인의 민족의식을 말살하여 전쟁에 효율적으로 동원하기 위함 • '황국 신민 서사' 강제 암송, 창씨개명 강요, **❸** 참배 의무화, 궁성 요배 강요, 초등 교육 기관 명칭을 국민학교로 개칭 등	**❸** 신사
교육·사상 통제	한국어·한국사 과목 폐지, 『동아일보』·『조선일보』 폐간 등	

예 일제는 민족 말살 통치를 통해 한국인의 민족의식을 말살하여 효율적으로 전쟁에 동원하고자 하였다.

1930년대 국외 민족 운동 ┈ 일제가 만주를 침략하자 독립군 세력은 중국 항일 무장 세력과 함께 만주 지역에서 한·중 연합 작전을 전개하였다.

중국 관내 민족 운동	• 조선 민족 혁명당: **❹** 의 의열단을 중심으로 조직한 중국 관내 최대 규모의 통일 전선 정당 → 조선 민족 전선 연맹 창설 • 조선 의용대: 김원봉의 주도로 결성 → **❺** 국민당과 연합 활동	**❹** 김원봉 **❺** 중국
대한민국 임시 정부의 재정비	한국 독립당을 결성하여 항일 운동을 주도, 충칭 정착 이후 한국광복군을 창설하고, **❻** 를 주석으로 하는 단일 지도 체제 마련	**❻** 김구

1940년대 무장 투쟁과 건국 준비 활동

1 **무장 투쟁** 한국광복군 활동(인도·미얀마 전선에 대원 파견, 국내 진공 작전 계획), 조선 의용군 활동(중국 공산당의 팔로군과 연합해 항일 투쟁) 등

2 국내외 민족 운동 세력의 건국 강령

대한민국 임시 정부	조소앙의 삼균주의에 바탕을 둠
조선 독립 동맹	조선 민주 공화국 건설을 표방함
조선 건국 동맹	민주주의 원칙에 바탕을 둔 국가를 건설해 노농 대중을 해방함

3 **국제 사회의 한국 독립 약속** 카이로 회담(한국 **❼** 을 최초로 보장), 얄타 회담(소련의 대일전 참전 문제 결정), 포츠담 회담(한국의 독립 약속 재확인)

❼ 독립

예 중·일 전쟁이 태평양 전쟁으로 이어지면서 국내외 민족 운동 세력은 일본이 연합국에 패할 것을 예상하고 건국 강령을 제시하였다.

기초 확인 문제

1 괄호 안의 내용 중 알맞은 말을 골라 ○표 하시오.

> 일제는 일본 방직업자에게 싼값에 원료를 공급하기 위해 농촌을 중심으로 한반도 남부에서는 (1)(면화 재배, 양 사육), 북부에서는 (2)(면화 재배, 양 사육)을/를 강요하였다. 그 결과 전국 각지에 일본 자본가들이 세운 직물 공장이 늘어났고, 농촌 경제는 더욱 피폐해졌다.

2 (가), (나)에 들어갈 알맞은 말을 쓰시오.

> 일제는 황국 신민을 양성한다는 목표 아래 한국인에게 [(가)]을/를 강제로 외우게 하였고, 전국 각지에 [(나)]을/를 세우고 매월 1일을 애국일로 정해 [(나)] 참배를 의무화하였다.

(가) (   )

(나) (   )

3 괄호 안의 내용 중 알맞은 말을 골라 ○표 하시오.

(1) (조선 민족 혁명당, 한인 애국단)은 의열단이 중심이 되어 난징에서 조직된 단체로, 중국 관내 최대 규모의 통일 전선 정당이었다.

(2) (조선 의용대, 신간회)는 김원봉이 결성하였으며 중국 국민당과 연합 활동을 전개하였다.

4 (가)에 들어갈 알맞은 말을 쓰시오.

> 1940년 충칭에 자리 잡은 대한민국 임시 정부는 중국 국민당 정부와 교섭하여 지청천을 총사령관으로 하는 [(가)]을/를 창설하였다. 1943년에는 영국군의 요청에 따라 인도·미얀마 전선에 [(가)] 대원을 파견하였다. 이들은 일본군 포로의 심문, 선전 활동, 정보 수집 등의 일을 담당하였다.

(   )

5 다음 단체와 단체가 제시한 건국 강령 내용을 바르게 연결하시오.

(1) 조선 건국 동맹 ·

(2) 조선 독립 동맹 ·

(3) 대한민국 임시 정부 ·

· ㉠ 삼균주의에 바탕을 둔 건국 강령 발표

· ㉡ 조선 민주 공화국 건설을 표방

· ㉢ 민주주의 원칙에 바탕을 둔 국가를 건설해 노농 대중을 해방

8·15 광복과 국토 분단

1 8·15 광복 ❶ [   ]의 승리로 일본 항복, 끊임없는 한국 민족 독립운동의 결과 ❶ 연합국

2 조선 건국 준비 위원회 결성 조선 건국 동맹을 바탕으로 여운형, 안재홍 등이 좌·우익 세력을 모아 조직하였고, 전국 각지에 지부를 조직해 치안 유지와 행정 업무를 담당하게 함
⎿ 일부 민족주의 세력이 사회주의 세력의 일방 주도에 반발하여 이탈해 해체되었다.

3 국토의 분단과 군정 실시

(1) 38도선 분할: ❷ [   ]을 경계로 미국과 소련이 각각 남북을 분할 점령 ❷ 북위 38도선

(2) 미·소 양군의 주둔

| 남 | 직접 통치: 군정청 실시(조선 총독부 관료, 경찰 조직 유지) |
| 북 | 간접 통치: 소련은 인민 위원회에 행정권 이양 → 사회주의 세력 지원 |

예 일본군의 항복 접수와 무장 해제를 명분으로 미국은 미군정을 통해 한반도 남부를 직접 통치하였고, 소련은 한반도 북부를 간접 통치하였다.

통일 정부 수립을 위한 노력

1 새로운 국가 건설을 둘러싼 갈등과 노력

⎾ 미국, 소련, 영국의 외무 장관 회의이다.

모스크바 3국 외상 회의	• 한반도의 독립을 위한 조선 임시 정부의 수립, ❸ [ ]의 개최, 미·소·영·중 4개국에 의한 최대 5년간의 신탁 통치 결정 • 신탁 통치를 둘러싸고 국내 좌우 대립 극렬 ⎿ 좌익 세력은 모스크바 3국 외상 회의의 결과를 지지하였고, 우익 세력은 신탁통치를 반대하였다.	❸ 미·소 공동 위원회
제1차 미·소 공동 위원회	조선 임시 정부 구성을 위한 협의에 참여할 정당과 사회단체 구성에 대한 미·소 대립으로 결렬	
정읍 발언	❹ [ ]이 남한만의 단독 정부 수립 주장	❹ 이승만
좌우 합작 운동	여운형, 김규식을 중심으로 전개 → 좌우 합작 위원회 조직 → ❺ [ ] 7원칙 발표 → 좌우 대립 심화, 여운형 암살 등으로 중단	❺ 좌우 합작
제2차 미·소 공동 위원회	미·소의 대립으로 결렬 → 미국이 한반도 문제를 ❻ [ ]에 이관	❻ 유엔
유엔의 결정	유엔 총회에서 유엔 감시하의 남북한 총선거 결정 → 소련의 유엔 한국 임시 위원단 입북 거부 → 유엔 소총회, 남한 단독 총선거 결정	

2 단독 정부 수립 반대 움직임

남북 협상	김구, 김규식 등이 추진 → 평양에서 회의 개최 → 공동 설명서 발표 → 김구 암살로 중단	
제주 4·3 사건	제주도 남로당 세력 및 일부 주민이 남한 단독 선거에 반대하며 무장봉기 → 미군정의 강경 진압 → 수만 명의 제주도민 희생	
여수·순천 10·19 사건	❼ [ ] 진압을 위해 여수 주둔 국군 부대에 출동 명령을 내렸으나 이를 거부하고 봉기함 → 진압 과정에서 여수, 순천, 지리산 일대로 충돌 확산 → 수많은 민간인 희생	❼ 제주 4·3 사건

예 자본주의 진영(미국 중심)과 사회주의 진영(소련 중심)의 대립으로 냉전 체제가 형성되었고, 냉전은 한반도에 큰 영향을 미쳤다.

6 다음에서 설명하는 인물을 쓰시오.

광복 직후, 조선 건국 동맹을 바탕으로 안재홍 등과 함께 독립 국가 건설을 위한 준비 기관인 조선 건국 준비 위원회를 결성하였다.

( )

7 괄호 안의 내용 중 알맞은 말을 골라 ○표 하시오.

북위 38도선을 경계로 미국과 소련이 각각 남북을 분할 점령하였다. 미국은 미군정을 통해 (1)(간접, 직접) 통치를 실시하였고 소련은 행정권을 인민 위원회에 이양하여 (2)(간접, 직접) 통치를 실시하였다.

8 모스크바 3국 외상 회의에 대한 설명으로 옳은 것을 〈보기〉에서 모두 찾아 기호를 쓰시오.

● 보기 ●
ㄱ. 4개국에 의한 최대 5년간의 신탁 통치를 결정하였다.
ㄴ. 미국과 소련이 미·소 공동 위원회를 설치하기로 결정하였다.
ㄷ. 좌익 세력과 우익 세력 모두 회의의 결과에 적극 찬성하였다.
ㄹ. 미국, 소련, 중국의 외무 장관들이 모여 한국의 독립 문제를 논의하였다.

( )

9 (가)에 들어갈 알맞은 말을 쓰시오.

▲ (가) 의 어려움을 풍자한 만평

여운형, 김규식은 민족적 단결을 도모하고 미·소 공동 위원회를 재개하고자 (가) 에 나섰다. 이들은 위원회를 조직하고 좌우 양측의 이견을 조율하여 7원칙을 발표하였다.

( )

10 (가)에 들어갈 알맞은 말을 〈보기〉에서 찾아 기호를 쓰시오.

제2차 미·소 공동 위원회가 미·소의 대립으로 결렬되자, 미국은 한국 문제를 (가) 에서 다루자고 제안하였다.

● 보기 ●
ㄱ. 유럽 연합
ㄴ. 유엔(국제 연합)
ㄷ. 바르샤바 조약 기구
ㄹ. 모스크바 3국 외상 회의

( )

11 괄호 안의 내용 중 알맞은 말을 골라 ○표 하시오.

(1) 남한 단독 선거가 결정되자 통일 정부 수립을 위해 김규식, (김구, 이승만)은/는 남북 협상을 추진하였다.

(2) 1948년 4월 3일 남한 단독 선거에 (반대, 찬성)하는 제주도 남로당 세력이 무장봉기를 일으키자 미군정은 강경 진압에 나섰고, 이 과정에서 수만 명의 제주도민이 희생되었다.

3일 내신 기출 베스트

대표 예제 1 일제의 전시 동원 체제

다음과 관련해 일제가 한 일로 옳지 <u>않은</u> 것은?

> **국가 총동원법(1938)**
> 제1조 국가 총동원이란 전시에 국방 목적을 달성하기 위해 국가의 전력을 가장 유효하게 발휘하도록 인적·물적 자원을 통제·운용하는 것을 말한다.
> 제4조 정부는 전시에 국가 총동원상 필요할 때에는 칙령이 정하는 바에 따라 제국 신민을 징용하여 총동원 업무에 종사하게 할 수 있다.

① 금속 공출   ② 국민 징용령 실시
③ 미곡 공출   ④ 일본군 '위안부' 동원
⑤ 토지 조사 사업 실시

개념 가이드

일제는 전쟁에 필요한 자원을 효율적으로 조달하고자 1938년에 ❶ [   ]을 선포하여 한국에 적용하였다. **답** ❶ 국가 총동원법

대표 예제 2 일제의 황국 신민화 정책

다음의 검색 결과로 옳지 <u>않은</u> 것은?

| 통합검색 | 황국 신민화 정책 ▽ | 검색 |

① 창씨개명을 강요하였다.
② 신사 참배를 의무화하였다.
③ 황국 신민 서사를 강제로 암송하게 하였다.
④ 초등 교육 기관 명칭을 국민학교에서 소학교로 개칭하였다.
⑤ 매일 아침 일왕이 있는 도쿄 궁성을 향해 허리 숙여 절을 하는 궁성 요배를 하게 하였다.

개념 가이드

일제는 침략 전쟁을 확대하면서 한국인의 정신을 지배하여 전쟁에 이용하려 ❷ [   ]을 실시하고 한국인을 일왕에게 충성하는 백성으로 만들고자 하였다. **답** ❷ 황국 신민화 정책

대표 예제 3 1940년대 항일 투쟁 조직

(가)에 들어갈 말로 옳은 것은?

김원봉이 주도하여 만들어졌어요.
(가) 에 대해 말해 볼까요?
중국 국민당과 연합 활동을 하였어요.

① 한국광복군   ② 조선 의용대
③ 동학 농민군   ④ 한인 애국단
⑤ 대한민국 임시 정부

개념 가이드

❸ [   ]이 이끄는 조선 민족 혁명당은 중도 좌파 단체들과 함께 조선 민족 전선 연맹을 결성하였다. 이듬해에는 산하 무장 조직으로 조선 의용대를 창설하였다. **답** ❸ 김원봉

대표 예제 4 국내외의 건국 준비

다음 지도에서 조소앙의 삼균주의에 바탕을 둔 건국 강령을 발표한 단체를 찾아 쓰시오.

조선 독립 동맹
옌안
조선 건국 동맹
서울
울릉도
독도
충칭
대한민국 임시 정부

▲ 1940년대 주요 민족 운동 단체

(   )

개념 가이드

국내외 민족 운동 세력은 일본이 태평양 전쟁에서 연합국에 패할 것을 예상하고 ❹ [   ]을 제시하였다. **답** ❹ 건국 강령

대표 예제 5 국토의 분단

밑줄 친 기관의 한반도 통치 방식에 대한 설명으로 옳은 것을 〈보기〉에서 고른 것은?

> 소련과 협의를 통해 광복 이후 38도선 이남 지역은 미군이 관리하기로 하였고, 미군은 미군정을 통해 직접 통치를 하였다.

보기

ㄱ. 사회주의 세력을 적극 지원하였다.
ㄴ. 인민 위원회에 행정권을 이양하였다.
ㄷ. 조선 총독부에서 일하였던 관료와 경찰을 기용하였다.

① ㄱ ② ㄴ ③ ㄷ
④ ㄱ, ㄷ ⑤ ㄴ, ㄷ

개념 가이드

북위 38도선을 경계로 38도선 이북은 ❺ [　　　] 이, 38도선 이남은 ❻ [　　　] 이 진주하였다.

답 ❺ 소련(군) ❻ 미국(미군)

대표 예제 6 신탁 통치를 둘러싼 갈등

다음의 일이 일어난 시기를 연표에서 찾아 기호를 쓰시오.

> 최장 5년간 미·소·영·중 4개국에 의한 한국 신탁 통치가 결정되었다. 이 결정은 독립 국가 수립을 바라던 한국인들의 반발을 불러일으켰다. 우익 세력은 반대 운동에 나섰다. 좌익 세력도 처음에는 반대하였으나 지지하는 입장으로 돌아서 좌우 대립이 극렬해졌다.

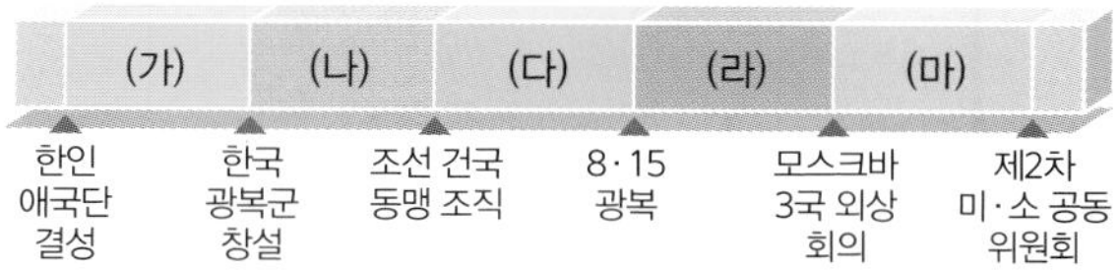
(가)
(나)
(다)
(라)
(마)
한인 애국단 결성
한국 광복군 창설
조선 건국 동맹 조직
8·15 광복
모스크바 3국 외상 회의
제2차 미·소 공동 위원회

( )

개념 가이드

❼ [　　　] 에서 미·소 공동 위원회 설치, 미·소·영·중에 의한 최장 5년간의 신탁 통치가 결정되었다.

답 ❼ 모스크바 3국 외상 회의

대표 예제 7 정읍 발언

정읍에서 다음과 같은 발언을 한 사람을 쓰시오.

> … 통일 정부를 고대하나 여의케 되지 않으니, 우리는 남방(남쪽)만이라도 임시 정부, 혹은 위원회 같은 것을 조직하여 38도선 이북에서 소련이 철퇴하도록 세계 공론에 호소하여야 할 것이니 여러분도 결심하여야 할 것입니다.

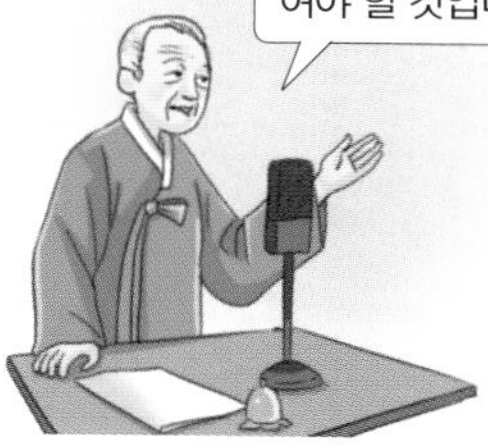

( )

개념 가이드

미·소 공동 위원회가 미국과 소련의 입장 차이를 좁히지 못하고 결렬되자, 이승만은 ❽ [　　　] 만이라도 먼저 정부를 수립하자고 주장하였다.

답 ❽ 남한(남쪽)

대표 예제 8 제주 4·3 사건

다음 밑줄 친 일의 원인으로 적절한 것은?

> ○○호 역 사 신 문
>
> **제주 4·3 사건 발생**
>
> 1948년 4월 3일, 제주도 남로당 세력이 무장봉기를 일으키자, 미군정은 군경을 동원하여 강경 진압에 나섰다. 이 과정에서 많은 제주도민이 희생되었다.

① 갑오개혁 ② 6·25 전쟁
③ 8·15 광복 ④ 좌우 합작 운동
⑤ 남한만의 단독 총선거 실시

개념 가이드

남한만의 ❾ [　　　] 가 1948년 5월 10일로 결정되자 이를 둘러싼 갈등이 격화되었고, 이 와중에 제주 4·3 사건이 발생했다.

답 ❾ 총선거

 4일 IV-02. 대한민국 정부 수립과 6·25 전쟁 ~ IV-03. 4·19 혁명과 민주화를 위한 노력

Quiz 5·10 총선거는 (간접, 직접)·평등·비밀·보통의 선거 원칙에 따랐다.

답 직접

1948 5·10 총선거 실시 대한민국 정부 수립

1949 농지 개혁법 제정

투표소

5·10 총선거는 직접·평등·비밀·보통 원칙에 따른 우리나라 최초의 민주 선거지.

대한민국 정부 수립을 선포한다.

북한의 남침

정전 협정에 서명합시다.

history

1950~1953 6·25 전쟁 발발

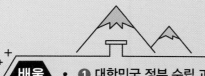

Quiz 5·18 민주화 운동에서 광주 시민들은 비상계엄을 (해제, 실시)할 것을 주장하였다.

답 해제

4일 교과서 핵심 정리 ①

개념 1 대한민국 정부 수립과 새 정부의 과제

1 대한민국 정부 수립 과정

유엔 한국 임시 위원단의 감시 아래 남한에서 실시되었고, 21세 이상의 모든 국민에게 투표권이 부여되었다.

5·10 총선거	직접·평등·비밀· ❶ ⬚ 선거 원칙에 따라 실시된 우리나라 최초의 민주 선거
제헌 헌법 제정	• 5·10 총선거 → ❷ ⬚ 구성 → 제헌 헌법 공포 • 주요 내용: 국호 '대한민국', 민주 공화제 정부, 대통령 중심제, 대통령 간선제 선거
대한민국 정부 수립	제헌 헌법에 따라 대통령 이승만, 부통령 이시영 선출 → 이승만, 초대 내각 구성 후 대한민국 정부 수립 선포 → ❸ ⬚ 승인

❶ 보통

❷ 제헌 국회

❸ 유엔

2 새 정부의 과제

남한 농민 절반이 소작농인 문제를 해결하기 위해 실시하였다.

농지 개혁	1가구당 토지 소유 제한 + 유상 매수, 유상 분배 실시(초과하는 토지를 정부가 사들이고 소작농에게 돈을 받고 분배하는 방식) → 지주제가 해체되고 자작농 체제 성립
식민지 잔재 청산	반민족 행위 처벌법(반민법) 제정 → 반민족 행위 특별 조사 위원회(반민 특위)를 조직해 ❹ ⬚ 조사 및 기소 ─ 정부의 소극적인 태도와 친일 세력의 방해로 큰 성과를 거두지 못하였다.

❹ 친일파

3 북한 정권 수립 과정
북조선 임시 인민 위원회 조직 → 토지 개혁(무상 몰수, 무상 분배), 주요 산업 국유화 추진 → 북조선 인민 위원회 구성 → 총선거 실시 → 최고 인민 회의 구성(헌법 제정, 김일성 수상 선출) → 조선 민주주의 인민 공화국 정부 수립 선포

🔑 5·10 총선거를 통해 구성된 제헌 국회는 제헌 헌법을 공포하고 이승만을 대통령으로 선출해 내각을 구성하여 대한민국 정부 수립을 선포하였다.

개념 2 6·25 전쟁과 전쟁 이후 남북한의 변화

1 6·25 전쟁

미국은 태평양 방어선(애치슨 라인)에서 한반도를 제외하였다.

배경	소련과 중국의 대북 군사 지원 약속, 미국의 애치슨 선언 발표
경과	북한군의 기습 남침 → 서울 함락 → ❺ ⬚ 참전 → 인천 상륙 작전 → 서울 수복 → 38도선 돌파 → 압록강 유역까지 진격 → 중국군의 개입 → 1·4 후퇴 → 38도선 부근에서 전선 교착 → 정전 협상 → 정전 협정 체결
피해와 영향	• 수백만 명의 사상자와 수십만 명의 전쟁고아와 이산가족 발생, 국가 기반 시설 파괴 • 남북 분단 고착화, 이념 대립 심화, 한반도에 대한 미국과 중국의 영향력 증가

❺ 유엔군

2 전후 남북한의 변화

남한	❻ ⬚ 의 독재와 반공주의의 강화(발췌 개헌 – 대통령 직선제로 전환, 사사오입 개헌 – 이승만의 중임 제한을 철폐하는 개헌 통과, 진보당 사건 등)
북한	❼ ⬚ 의 독재 체제, 사회주의 경제 체제 강화(천리마 운동 추진 등)

❻ 이승만

❼ 김일성

🔑 6·25 전쟁은 엄청난 인적·물적 피해를 낳았으며, 미국은 미군을 한국에 주둔시켰고 중국은 북한에 영향력을 강화하였다.

기초 확인 문제

정답과 해설 **68**쪽

4일

1 다음 〈보기〉를 일어난 순서대로 나열하여 기호를 쓰시오.

> ● 보기 ●
> ㄱ. 제헌 헌법 공포
> ㄴ. 제헌 국회 구성
> ㄷ. 5 · 10 총선거 실시
> ㄹ. 대한민국 정부 수립 선포

(   )

2 빈칸에 알맞은 말을 쓰시오.

(1) 5 · 10 총선거는 직접 · 평등 · 비밀 · 보통의 선거 원칙
에 따라 실시된 우리나라 최초의 (   )
선거이다.

(2) 제헌 헌법에 따라 대통령에는 (   ), 부
통령에는 이시영이 선출되었다.

(3) (   )는 대한민국 임시 정부를 계승한다
는 의미에서 국호를 '대한민국'으로 결정하였다.

3 반민족 행위 처벌법을 제정한 까닭으로 적절한 것을 〈보기〉
에서 찾아 기호를 쓰시오.

> ● 보기 ●
> ㄱ. 전쟁을 준비하기 위해
> ㄴ. 반공주의를 강화하기 위해
> ㄷ. 식민지 잔재를 청산하기 위해
> ㄹ. 1인당 토지 소유를 제한하기 위해

(   )

4 괄호 안의 내용 중 알맞은 말을 골라 ○표 하시오.

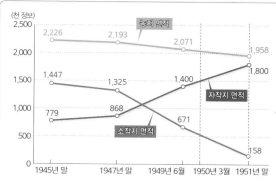

▲ 농지 개혁 실시 전후 자작지와 소작지 면적의 변화

농지 개혁은 정부 수립 이후 적극적으로 추진되었다.
농지 개혁은 지주의 소작지와 농가 1가구당 3정보를 초
과하는 농지를 정부가 (1) (무상, 유상)으로 매입하여
소작농들에게 (2) (무상, 유상)으로 매각하는 식으로 진
행되었다. 그 결과 소작지가 대폭 (3) (늘었다, 줄었다).

5 (가)에 들어갈 알맞은 말을 쓰시오.

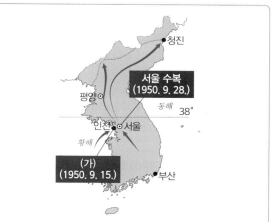

1950년 6월 25일, 북한은 남침을 강행하여 3일 만에
서울을 점령하고 낙동강까지 진출하였다. 그러나 국군과
유엔군은 [(가)   ] 의 성공으로 전세를 역전하고 9월
28일 서울을 수복하였고, 38도선을 돌파해 압록강까지
진출하였다.

(   )

개념 3 4·19 혁명

원인	이승만 정부의 독재와 부정부패, **❶**[　　] 부정 선거	❶ 3·15
과정과 결과	마산 등에서 부정 선거 규탄 시위 → 마산 앞바다에서 **❷**[　　]의 시신 발견 → 마산 시민과 학생들의 시위 → 서울 등 대도시에서 대규모 시위 → 비상계엄령 선포 → 대학 교수단의 시국 선언 → 이승만 대통령 퇴진 → 헌법 개정(내각 책임제와 양원제 국회)	❷ 김주열

└ 새 헌법에 따라 실시된 총선거에서 대통령에는 윤보선, 국무총리에는 장면이 선출되어 장면 내각이 수립되었다.

㉠ 4·19 혁명은 부패한 독재 정권을 학생들이 주도하고 시민들이 참여해 무너뜨린 민주주의 혁명이다.

개념 4 5·16 군사 정변과 박정희 정부

1 **5·16 군사 정변 및 박정희 정부 수립** 박정희를 비롯한 일부 군부 세력이 정변을 일으킴 → 계엄 선포 → 국가 재건 최고 회의를 통해 **❸**[　　] 실시 → 민주 공화당 창당 → 대통령 **❹**[　　]로 헌법 개정 → 대통령 선거 실시 → 박정희, 대통령 당선   ❸ 군정 ❹ 직선제

2 **박정희 정부의 주요 활동**

한·일 협정	한·일 국교 정상화 추진 → 6·3 시위가 발생하자 진압 → 한·일 기본 조약 체결
베트남 파병	미국이 베트남 전쟁에 대한 파병의 대가로 군사적·경제적 원조 약속
3선 개헌	국가 안보 강화, 경제 개발 명목으로 개헌 → 박정희의 독재 기반 마련

3 **유신 체제의 성립과 붕괴**   ┌ 안보 위기와 평화 통일 대비를 명분으로 선포하였다.

성립	비상계엄 선포 → 국회 해산, 일부 헌법 조항 효력 정지 → **❺**[　　] 제정	❺ 유신 헌법
내용	장기 독재(대통령 임기 6년, 중임 제한 철폐, 통일 주체 국민 회의에서 간접 선거로 대통령 선출), 대통령 권한 강화(대통령이 국회 의원의 1/3 추천, 법원 인사 개입, 긴급 조치 발동권)	
저항 및 붕괴	개헌 청원 100만인 서명 운동, 3·1 민주 구국 선언 발표, 부·마 민주화 운동 등을 통해 유신 체제에 저항 → 박정희 피살(10·26 사태)	

└ YH 무역 사건과 관련해 김영삼이 국회에서 제명당하자, 그의 정치적 근거지였던 부산과 마산 지역에서 시위가 전개되었다.

㉠ 대통령에게 권력을 집중한 유신 체제에 맞서 학생과 민주 인사들은 민주화를 요구하며 유신 반대 운동을 벌였다.

개념 5 신군부의 등장과 5·18 민주화 운동

1 **12·12 군사 반란 및 서울의 봄** 10·26 사태 직후 **❻**[　　] 선포 → 전두환, 노태우 등의 신군부가 쿠데타로 정권 장악(12·12 군사 반란) → 서울의 봄(학생과 시민들이 계엄 해제, 신군부 퇴진, 민주화 이행을 요구하며 시위하였고 서울역 앞 시위에서는 10만여 명이 모임)   ❻ 비상계엄

2 **5·18 민주화 운동**

과정	광주 학생들의 비상계엄 확대와 휴교령 반대 시위 → 신군부의 공수 부대 투입 → 시민 합류로 시위 확산 → **❼**[　　]의 무차별 발포 → 시민군 조직과 저항 → 시민군의 평화 협상 요구 → 계엄군의 무력 진압	❼ 계엄군
의의	1980년대 민주화 운동의 밑거름이 되었고, 아시아 국가 민주화에 영향을 줌	

└ 민주 수호 범시민 궐기 대회를 열어 비상계엄 철폐와 민주 헌정 체제를 요구하였다.

6 다음 사건이 원인이 되어 일어난 사건을 쓰시오.

▲ 3·15 부정 선거 당시 5인조 투표 행렬

이승만 정부는 1960년 3월 15일에 열린 정·부통령 선거에서 3~9인조 투표, 4할 사전 투표 등 각종 부정을 자행하였다.

(   )

7 (가)에 들어갈 말로 옳은 것은?

4·19 혁명으로 이승만 대통령은 퇴진하였고, 국회는
[(가)] 을/를 주요 내용으로 하는 개헌안을 통과시켰다.

① 군정 실시   ② 유신 체제
③ 내각 책임제   ④ 대통령 직선제
⑤ 대통령 권한 강화

8 다음 밑줄 친 사건은 무엇인지 쓰시오.

1961년, 박정희를 비롯한 일부 군인 세력이 쿠데타를 일으켜 권력을 장악하였다. 이들은 '혁명 공약'을 발표하고 계엄을 선포하였다.

(   )

9 다음과 관련 있는 박정희 정부의 활동 내용을 〈보기〉에서 찾아 기호를 쓰시오.

보기
ㄱ. 3선 개헌   ㄴ. 한·일 협정
ㄷ. 베트남 파병   ㄹ. 7·4 남북 공동 성명 발표

(1) 미국은 한국군의 파병을 대가로 군사적·경제적 원조를 약속하였다.   (   )
(2) 전국 각지에서 한국과 일본의 국교 정상화를 규탄하는 반대 투쟁을 하였다.   (   )
(3) 국가 안보 강화와 경제 개발 명목으로 헌법을 개정하여 박정희 장기 집권의 토대가 마련되었다.
(   )

10 유신 헌법의 내용으로 옳은 것을 〈보기〉에서 모두 찾아 기호를 쓰시오.

보기
ㄱ. 대통령 중임이 금지되었다.
ㄴ. 대통령 임기가 5년으로 줄어들었다.
ㄷ. 대통령이 국회를 해산할 수 있게 되었다.
ㄹ. 대통령에게 긴급 조치 발동권이 부여되었다.

(   )

11 괄호 안의 내용 중 알맞은 말을 골라 ○표 하시오.

(1) 10·26 사태 이후 (박정희, 전두환) 등의 신군부가 쿠데타로 정권을 장악했다.
(2) 12·12 군사 반란 이후 학생들과 시민들은 비상계엄 (실시, 철폐), 신군부 퇴진, 민주화 이행 등을 요구하며 시위를 벌였다.
(3) 5·18 민주화 운동이 발생하자 신군부는 (계엄군, 시민군)을 광주에 보내 무력 진압을 하였고, 이 과정에서 수많은 사상자가 발생하였다.

대표 예제 **1**   5·10 총선거

5·10 총선거를 조사한 내용 중 옳지 <u>않은</u> 것은?

- 실시: (가) <u>유엔 한국 임시 위원단의 감시 아래</u> 실시되어 (나) <u>대통령 선출</u>
- 의의: (다) <u>직접·평등</u>·(라) <u>비밀·보통</u>의 선거 원칙에 따른 (마) <u>우리나라 최초의 민주 선거</u>

① (가)   ② (나)   ③ (다)   ④ (라)   ⑤ (마)

개념 가이드

우리나라 최초의 민주 선거인 5·10 총선거를 통해 구성된 제헌 국회는 ❶ [ ] 을 제정하여 공포하였다.   **답 ❶ 제헌 헌법**

대표 예제 **2**   새로 출범한 대한민국 정부의 과제

새로 출범한 대한민국 정부가 (가), (나) 문제를 해결하기 위한 노력으로 옳은 것은?

새로 출범한 대한민국 정부가 해결해야 할 과제는 무엇이라고 생각하십니까?

(가) 토지 문제 해결을 위한 정부의 노력이 시급합니다. 또한 정부는 (나) 식민지 잔재를 청산하기 위해서도 노력해야 해요.

① (가) – 대동법 실시   ② (가) – 균역법 실시
③ (가) – 회사령 제정   ④ (나) – 천리마 운동 실시
⑤ (나) – 반민족 행위 처벌법 제정

개념 가이드

새로 출범한 대한민국 정부는 토지 개혁 실시, ❷ [ ] 행위 처벌법 제정 등을 통해 당면한 문제를 해결하려고 노력하였다.   **답 ❷ 반민족**

대표 예제 **3**   6·25 전쟁의 전개 과정

(가)에 들어갈 내용으로 가장 적절한 것은?

> **한국사 수행 평가**
> - 주제: 6·25 전쟁의 전개 과정
> - 모둠별 발표 내용
>   - 1모둠: 북한군의 기습 남침
>   - 2모둠: 인천 상륙 작전 개시
>   - 3모둠: (가)
>   - 4모둠: 정전 협정과 체결

① 일본군 참전   ② 갑신정변 발생
③ 자유시 참변 발생   ④ 12·12 군사 반란
⑤ 중국군의 참전과 1·4 후퇴

개념 가이드

국군과 유엔군은 인천 상륙 작전의 성공으로 전세를 역전시켰으나 ❸ [ ] 의 참전으로 서울을 빼앗기고 평택 인근까지 후퇴하였다.   **답 ❸ 중국군**

대표 예제 **4**   사사오입 개헌

밑줄 친 부분에 들어갈 내용으로 적절한 것은?

> ○○신문   ○○○○년 ○○월 ○○일
> ### 사사오입 개헌
> 국회 재적 의원 203명의 2/3는 135.33······ 명이므로 개헌안이 통과되려면 136명 이상의 찬성표가 필요하였다. 그러나 자유당은 _____을/를 위해 135.33······ 명을 사사오입(반올림)한 135명이 찬성했으므로 개헌안이 통과되었다는 억지 논리를 폈다.

① 진보당 결성   ② 친일파 청산
③ 자유당 창당   ④ 이승만의 퇴진
⑤ 이승만의 독재

개념 가이드

 ❹ [ ] 정부는 발췌 개헌, 사사오입 개헌을 통해 집권 연장을 하였다.   **답 ❹ 이승만**

정답과 해설 68쪽

대표 예제 5 4·19 혁명의 전개

다음은 4·19 혁명 당시 시위대의 모습입니다. 시위대의 구호로 적절하지 <u>않은</u> 것은?

① 독재 정권 물러가라!
② 비상계엄령을 철회하라!
③ 대통령 직선제를 실시하라!
④ 정·부통령 선거를 다시하라!
⑤ 부정 선거 관련자를 처벌하라!

개념 가이드

이승만 정부의 독재와 부정부패, ❺ [   ] 부정 선거가 원인이 되어 4·19 혁명이 일어나자 이승만은 비상계엄을 선포하였다.

답 ❺ 3·15

대표 예제 6 5·16 군사 정변

다음의 군사 정변 세력에 대한 설명으로 옳은 것은?

> 1961년 5월 16일 박정희를 비롯한 일부 군인 세력이 쿠데타를 일으켜 권력을 장악하였고, 이들은 반공을 국시로 내건 '혁명 공약'을 발표하고 계엄을 선포하였다.

① 을미개혁을 실시하였다.
② 한·일 회담을 반대하였다.
③ 5·10 총선거를 실시하였다.
④ 위정척사 운동을 주도하였다.
⑤ 국가 재건 최고 회의를 통해 군정을 실시하였다.

개념 가이드

❻ [   ]으로 권력을 장악한 박정희를 비롯한 군사 정변 세력은 ❼ [   ]를 통해 군정을 실시하였다.

답 ❻ 5·16 군사 정변 ❼ 국가 재건 최고 회의

대표 예제 7 유신 헌법 공포의 목적

다음의 헌법을 제정한 목적으로 옳은 것은?

유신 헌법(1972)
제40조 제2항 제1항의 국회 의원 후보자는 대통령이 일괄 추천하며, 후보자 전체에 대한 찬반 투표에 부쳐…… 당선을 결정한다.

① 신군부의 퇴진을 위해
② 민주주의의 발전을 위해
③ 언론의 자유를 보장하기 위해
④ 국회의 권한을 강화하기 위해
⑤ 대통령의 권한을 강화하기 위해

개념 가이드

1972년에 제정된 유신 헌법은 ❽ [   ] 임기 6년, 중임 제한 철폐, 대통령이 ❾ [   ]의 1/3 추천 등을 내용으로 하였다.

답 ❽ 대통령 ❾ 국회 의원

대표 예제 8 5·18 민주화 운동

다음 (가)에 들어갈 말로 적절한 것은?

5·18 민주화 운동
[(가)] 등에 반대하며 광주에서 벌어진 대규모 시위

① 4·19 혁명   ② 대통령 직선제
③ 비상계엄 확대   ④ 6월 민주 항쟁
⑤ 지방 자치 제도

개념 가이드

1980년 5월 18일 ❿ [   ]에서는 대규모 민주화 시위가 일어났고, 신군부는 계엄군을 통해 시위를 무력으로 진압하였다. 답 ❿ 광주

5 일

IV - 04. 경제 성장과 사회·문화의 변화
~ IV - 07. 남북 화해와 동아시아 평화를 위한 노력

Quiz 제1차 경제 개발 5개년 계획을 통해 (노동 집약적 경공업, 첨단 산업)을 육성하였다. 답 노동 집약적 경공업

제2차

서울 ↔ 부산 간 고속도로

사회 간접 자본 확충, 경공업 성장

제3·4차

중화학 공업 성장

제1차

가발 → 노동 집약적 경공업 성장

← 섬유

경제 개발 5개년 계획 실시

1962

농촌의 환경을 개선해 봅시다!

새마을

남북한은 자주 · 평화 · 민족적 대단결의 원칙 아래 통일을 이루기로 합의하였습니다.

1970 새마을 운동 시작

1972 7·4 남북 공동 성명 발표

배울 내용

1. 대한민국의 경제 성장
2. 6월 민주 항쟁과 민주주의의 진전
3. 외환위기
4. 남북 화해를 위한 노력

Quiz 6·29 민주화 선언은 대통령 (직선제, 간선제) 실시 등의 내용을 담았다.

답 직선제

교과서 핵심 정리 ①

개념 1　**대한민국의 경제 성장**

1 경제 개발 5개년 계획

제1차	수출 중심의 경제 정책, 노동 집약적인 ❶ [　　　] 육성, 해외에서 자금 확보
제2차	• 경공업 위주의 성장 계획 유지 + 철강·화학 산업 육성 • 도로·항만 등 사회 간접 자본 확충(경부 고속 국도, 포항 제철 공장 건설 등)
제3·4차	❷ [　　　] 공업 육성(기계 산업 투자 증가, 동남 해안 지역에 대규모 공업 단지 조성), 수출 100억 달러 달성

┗ 1973년과 1978년에 석유 생산이 감소하고 석유 가격이 폭등한 석유 파동으로 한국 경제는 위기를 맞기도 하였다.

❶ 경공업

❷ 중화학

2 **1980년대 중반 이후 경제** 전두환 정부의 경제 안정화 대책(정경 유착 심화), 3저(저금리, 저유가, 저달러) 호황으로 기술 집약 산업이 성장하고 무역 수지 흑자 기록

개념 2　**산업화에 따른 변화와 문제점**

1 **산업화와 도시화**　산업화로 농촌 인구가 ❸ [　　　]로 이동(도시화) → 도시 문제 발생(주거 문제, 빈민촌 등) → 광주 대단지 사건, 땅값 상승 등의 문제 발생

❸ 도시

2 **새마을 운동**　농가 소득 증대와 ❹ [　　　] 환경 개선 추진(도로 정비, 주택 개량, 의식 개혁 운동, 근면·자조·협동 정신 강조) → 이농 인구 증가, 농촌의 경제 소득 미미

❹ 농촌

3 **노동 운동의 성장**　산업화로 도시 노동자 수 급증 → 저임금, 열악한 작업 환경 → 근로 기준법의 준수를 요구한 전태일의 분신 → 노동 문제에 대한 관심과 투쟁 증가

㉤ 급격한 산업화로 도시로 인구가 집중되고 도시와 농촌 간의 소득 격차도 심화되었다.

개념 3　**6월 민주 항쟁과 민주주의의 진전**

1 6월 민주 항쟁

과정	개헌 청원 1천만 명 서명 운동 전개(직선제 요구) → 전두환, 4·13 호헌 조치 발표 → ❺ [　　　] 고문치사 사건 축소·은폐 시도 발각 → 민주 헌법 쟁취 국민운동 본부 결성 → 민주화 시위 확산 → 이한열, 최루탄 피격 → 범국민적 민주화 운동(6·10 국민 대회 개최)
결과	노태우, 6·29 민주화 선언 발표 → 5년 단임의 대통령 직선제로 개헌

❺ 박종철

┗ 대통령 직선제 개헌, 국민 기본권 보장, 언론의 자유 보장, 지방 자치 실시 등의 내용을 담았다.

2 평화적인 정권 교체와 민주주의의 진전

(1) 노태우 정부: 3당 합당, 북방 외교 추진, 88 ❻ [　　　] 올림픽 개최 등

❻ 서울

(2) 김영삼 정부: 금융 실명제, 지방 자치제 전면 실시, 경제 협력 개발 기구(OECD) 가입 등

(3) 김대중 정부: 외환위기 극복, 제1차 남북 정상 회담 개최 등 ┈ 최초로 선거를 통한 평화적인 여야 정권 교체가 이루어졌다.

(4) 노무현 정부: 과거사 정리 사업, ❼ [　　　] 공단 가동, 제2차 남북 정상 회담 개최 등

❼ 개성

(5) 이명박 정부: 두 번째 여야 정권 교체, 기업 규제 완화 및 감세, 4대강 사업 등

(6) 박근혜 정부: 최초의 여성 대통령, 국정 농단 의혹 → 헌법 재판소, 대통령 파면 결정

(7) 문재인 정부: 세 번째 여야 정권 교체, 한반도 평화 정착 등을 국정 과제로 제시

기초 확인 문제

정답과 해설 **69**쪽

1 괄호 안의 내용 중 알맞은 말을 골라 ○표 하시오.

(1) 제1차 경제 개발 5개년 계획으로 노동 집약적 경공업이 (성장, 쇠퇴)하게 되었다.

(2) 제2차 경제 개발 5개년 계획 시기 정부는 (고속 철도, 경부 고속 국도)를 건설하였다.

(3) 제3·4차 경제 개발 5개년 계획 때에는 많은 자본이 필요한 (경공업, 중화학 공업)을 적극 육성하였다.

(4) 1980년대 중반부터 본격화된 저금리, 저유가, 저달러의 세계적인 3저 호황으로 수출이 크게 (늘어났다, 줄어들었다).

2 다음 자료와 같은 현상으로 일어난 일을 〈보기〉에서 찾아 기호를 쓰시오.

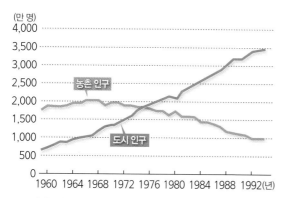

▲ 도시와 농촌의 인구 변화

┌─────────────── 보기 ●
ㄱ. 도시의 노동자가 크게 감소하게 되었다.
ㄴ. 도시에 비해 농촌의 땅값이 크게 상승하였다.
ㄷ. 농촌에 인구가 집중하게 되어 일자리를 잃은 농민들이 증가하였다.
ㄹ. 도시로 많은 사람들이 몰려들어 대도시의 변두리와 높은 지대에는 빈민촌이 형성되었다.
└─────────────────────

(   )

3 (가)에 들어갈 알맞은 말을 쓰시오.

박정희 정부는 1970년부터 농가의 소득 증대와 농촌의 환경 개선을 목적으로 [(가)]을/를 추진하였다.
근면, 자조, 협동 정신을 강조한 [(가)]은/는 도로 정비, 주택 개량 등의 농촌의 생활 환경에 기여하였다.

(   )

4 6월 민주 항쟁의 결과로 옳은 것은?

① 언론 통폐합
② 이승만 대통령 하야
③ 포항 제철 공장 건설
④ 5·18 민주화 운동 발생
⑤ 5년 단임의 대통령 직선제로 개헌

5 다음 정부와 한 일을 바르게 연결하시오.

(1) 노태우 정부 •   • ㉠ 금융 실명제 단행

(2) 김영삼 정부 •   • ㉡ 88 서울 올림픽 개최

(3) 김대중 정부 •   • ㉢ 개성 공단 가동

(4) 노무현 정부 •   • ㉣ 제1차 남북 정상 회담 개최

5일 교과서 핵심 정리 ②

개념 4 **다양한 사회 운동과 시민 사회의 성장** ┌─ 언론 수가 증가하고 보도의 자유가 확대되면서 정부 비판 기능이 강화되었다.

1 노동 운동 활성화 6월 민주 항쟁으로 노동자의 사회의식 성장 → 노동자 대투쟁 → 전국적인 노동조합 건설 → 외환위기로 노동 환경 악화 → [❶   ] 설치

2 지방 자치제(풀뿌리 민주주의)의 발전 1952년, 최초의 지방 자치제 선거 실시 → 5·16 군사 정변 이후 지방 의회 해산 → 6월 민주 항쟁 이후 [❷   ]에 지방 자치제가 다시 명시 → 지방 의회 선거 실시 → 지방 자치 단체장 선거 실시 → 주민 직선의 교육감 선거 실시

3 인권·복지 증진 국가 인권 위원회 출범, 호주제 [❸   ], 학생 인권 조례 발표, 국민연금 제도 실시, 의료 보험 확대, 사회 보장 제도 확대 등

❶ 노사정 위원회

❷ 헌법

❸ 폐지

개념 5 **외환위기**

배경	급속한 시장 개방으로 정부의 시장 감독 기능 미비, 기업의 무분별한 사업 확장
과정	대기업의 부도 → 중소기업·금융 기관 파산 및 도산 → 한국, 국가 신용도 하락 → 환율 급등, 외환 보유고 고갈→ [❹](IMF)에 구제 금융 신청
극복 노력	정부(파견 근로제 도입, 사외 이사 제도 도입), 기업(사업 구조 재편, 금융권 금리 인상), 민간([❺] 모으기 운동 전개)
영향	대량 해고 사태로 인한 실업자 급증, 비정규직 노동자 증가 등

❹ 국제 통화 기금

❺ 금

⑩ 외환위기가 발생하자 정부, 기업, 민간은 힘을 합쳐 극복하였지만 그 과정에서 많은 문제가 발생하였다.

개념 6 **남북 화해와 동아시아 평화를 위한 노력**

1 남북 화해를 위한 노력

7·4 남북 공동 성명	분단 이후 첫 통일 원칙 확인(자주·평화·민족적 대단결)
남북 기본 합의서	남북 사이의 화해와 불가침 및 교류·협력에 관한 합의
6·15 남북 공동 선언	제1차 남북 정상 회담 결과 발표, 이산가족 문제의 해결·통일 문제의 자주적 해결에 합의
10·4 남북 정상 선언	제2차 남북 정상 회담 결과 발표, 김대중 정부의 대북 정책 계승
4·27 [❻] 선언	남북 대화 재개 노력, 제3차 남북 정상 회담 결과 발표 ┐ 같은 해 9월, 평양 공동 선언을 발표하였다.

❻ 판문점

2 동아시아 평화를 위한 노력 ┌── 연합국 최고 사령관 지령 제677호, 평화선 선언 등을 통해 독도가 우리 영토임을 분명히 하였다.

일본과의 갈등	일본의 독도 영유권 주장(다케시마의 날 제정, 자국 검인정 교과서에 독도를 일본 영토로 명시), 역사 왜곡, 일본군 '위안부' 동원에 대한 책임 회피 등	**해결 노력** 동아시아 공동 역사 교재 출간, 시민 단체의 연대 활동 등의 노력이 필요함
중국과의 갈등	동북공정(고조선, 부여, 고구려, [❼] 역사를 중국의 역사로 편입 시도)	→

❼ 발해

⑩ 일본은 독도 영유권을 주장하지만 독도는 역사적·지리적·국제법적으로 명백한 우리나라의 영토이다.

6 (가)에 들어갈 알맞은 말을 쓰시오.

> 6월 민주 항쟁 이후 (가) 이/가 헌법에 다시 명시되어 1991년에 지방 의회 선거가 실시되었다. 1995년에는 지방 자치 단체장 선거도 실시되었다. 2007년 이후 학교 교육에 영향력이 큰 교육감 선거도 주민 직선으로 시행되고 있다.

( )

7 민주화 이후 인권·복지 증진의 사례로 적절한 것을 〈보기〉에서 모두 찾아 기호를 쓰시오.

> ───── 보기 ─────
> ㄱ. 호주제 실시
> ㄴ. 삼청 교육대 실시
> ㄷ. 학생 인권 조례 발표
> ㄹ. 사회 보장 제도 축소
> ㅁ. 국가 인권 위원회 출범

( )

8 괄호 안의 내용 중 알맞은 말을 골라 ○표 하시오.

(1) 원화의 환율이 급등하고 외환 보유고가 고갈되자 정부는 1997년, (국제 통화 기금, 세계 무역 기구)에 구제 금융 지원을 요청하였다.

(2) 외환위기를 극복하기 위해 국민들은 (실력 양성 운동, 금 모으기 운동)에 자발적으로 참여해 외채를 줄이기 위해 노력하였다.

(3) 외환위기를 극복하는 과정에서 기업의 파산이나 구조 조정으로 실업자 수가 크게 (줄어들었다, 늘어났다).

9 다음 (가), (나)에 대한 설명으로 옳은 것을 〈보기〉에서 모두 찾아 기호를 쓰시오.

(가)

▲ 7·4 남북 공동 성명

(나)

▲ 6·15 남북 공동 선언

> ───── 보기 ─────
> ㄱ. (가)를 통해 남북한은 분단 이후 첫 통일 원칙에 확인하였다.
> ㄴ. (나)가 발표된 같은 해에 평양 공동 선언을 하였다.
> ㄷ. (나)는 판문점에서 개최된 제3차 남북 정상 회담의 결과로 발표되었다.
> ㄹ. (가), (나)는 남북의 평화 정착을 위한 노력으로 이루어졌다.

( )

10 우리나라와 갈등을 겪고 있는 나라와 갈등 내용을 바르게 연결하시오.

(1) 중국 •

(2) 일본 •

• ㉠ 다케시마의 날 제정 및 야스쿠니 신사 참배 문제

• ㉡ 고구려, 발해 등의 역사를 자국의 역사로 편입 시도

내신 기출 베스트

5 일

대표 예제 1 경제 개발 5개년 계획의 특징

다음의 결과가 이루어진 경제 개발 5개년 계획 시기의 특징으로 옳은 것은?

① 농업을 중심으로 육성하였다.
② 남면북양 정책을 실시하였다.
③ 경공업을 중심으로 육성하였다.
④ 중화학 공업 위주로 육성하였다.
⑤ 3저 호황으로 무역 수지 흑자를 달성하였다.

개념 가이드

제3·4차 경제 개발 5개년 계획을 통해 중화학 공업이 성장하여 1977년에는 ❶ ____ 달러 수출을 달성하였다. 답 ❶ 100억

대표 예제 2 노동 운동의 성장

다음 책에서 소개하는 인물을 쓰시오.

정부와 기업은 노동자들의 권리를 제한하고 저임금 정책을 고수하여 노동자들은 열악한 환경 속에서 장시간 노동을 해야 했다. 이에 그는 1970년에 근로 기준법의 준수를 요구하며 분신을 하였다.

(   )

개념 가이드

산업화가 진행되면서 도시 노동자의 수가 증가하였지만 노동자들의 작업 환경은 열악했다. 이에 전태일은 ❷ ____ 의 준수를 요구하며 자기 몸을 불살랐다. 답 ❷ 근로 기준법

대표 예제 3 6월 민주 항쟁 과정

(가)에 들어갈 사건으로 적절한 것은?

6월 민주 항쟁 과정

대통령 직선제를 요구하는 개헌 청원 1천만 명 서명 운동 전개 → | (가) | → 박종철 고문치사 사건 축소·은폐 시도 발각 → 민주 헌법 쟁취 국민운동 본부 결성 → 이한열, 최루탄 피격 → 6·10 국민 대회 개최 → 6·29 민주화 선언 발표

① 4·19 혁명   ② 10·26 사태
③ 3·15 부정 선거   ④ 유신 헌법 공포
⑤ 4·13 호헌 조치 발표

개념 가이드

❸ ____ 정부는 현행 헌법에 따라 ❹ ____ 로 차기 대통령을 선출하겠다는 4·13 호헌 조치를 발표하였다. 답 ❸ 전두환 ❹ 간선제

대표 예제 4 민주주의의 진전

다음 일이 있었던 시기를 연표에서 옳게 고른 것은?

사회 정의 실현과 경제 활성화를 내세우며 금융 실명제와 부동산 실명제를 단행하였고, 지방 자치 단체장 선거를 실시하여 전면적인 지방 자치 시대를 열었다.

(가)	(나)	(다)	(라)	(마)
김영삼 대통령 당선	김대중 대통령 당선	노무현 대통령 당선	이명박 대통령 당선	박근혜 대통령 당선 → 문재인 대통령 당선

① (가)   ② (나)   ③ (다)   ④ (라)   ⑤ (마)

개념 가이드

❺ ____ 정부 때에는 금융 실명제·부동산 실명제 단행, 지방 자치제 전면 실시 등을 하였고, 경제 협력 개발 기구(OECD) 가입 등을 하였다. 답 ❺ 김영삼

5일

대표 예제 5 　풀뿌리 민주주의의 성장 과정

다음 탐구 주제에 따른 조사 내용으로 적절하지 <u>않은</u> 것은?

> 탐구 주제: 풀뿌리 민주주의의 성장 과정
>
> (가) 1952년 최초의 지방 자치제 선거 실시
> (나) 1965년 한 · 일 기본 조약 체결
> (다) 1991년 지방 의회 선거 실시
> (라) 1995년 지방 자치 단체장 선거 실시
> (마) 2007년 주민 직선의 교육감 선거 실시

① (가)　　② (나)　　③ (다)　　④ (라)　　⑤ (마)

개념 가이드

6월 민주 항쟁 이후 ❻ [　　　]는 헌법에 다시 명시되어 1991년 지방 의회 선거가 실시되고 1995년 지방 자치 단체장 선거도 실시되어 지방 자치 시대가 열렸다.　　답 ❻ 지방 자치제

대표 예제 7 　남북 화해와 협력을 위한 노력

남북 화해와 협력을 나타낸 연표에서 옳지 <u>않은</u> 설명을 찾아 기호를 쓰시오.

연도	주요 사건	
1972	7 · 4 남북 공동 성명	(가) 같은 해에 평양 공동 선언 발표
1991	남북 기본 합의서	(나) 남북 사이의 화해와 불가침 및 교류 · 협력에 관한 합의
2000	6 · 15 남북 공동 선언	(다) 제1차 남북 정상 회담 결과 발표

(　　　　　　　)

개념 가이드

1972년에 남북한은 ❽ [　　　]을 채택하여 분단 이후 처음으로 통일 원칙에 합의하였다.　　답 ❽ 7 · 4 남북 공동 성명

대표 예제 6 　한국 경제의 위기

다음 (가)에 들어갈 사건은 무엇인지 쓰시오.

 우리나라는 국가 신용도의 하락으로 환율이 급등하고 외환 보유고가 고갈되어 국제 통화 기금(IMF)에 구제 금융을 신청할 수밖에 없었어.

 이러한 (가) 을/를 극복하는 과정에서 실업자가 급증하고 비정규직 노동자가 증가하였어. 또한 소득의 양극화로 빈부 격차가 심화되는 문제가 발생하였지.

(　　　　　　　)

개념 가이드

국제 통화 기금(IMF)은 한국에 ❼ [　　　]을 지원해 주는 대신, 부실기업을 정리하고 정부 재정 지출을 줄일 것을 요구하여 강도 높은 구조 조정이 추진되었다.　　답 ❼ 외환

대표 예제 8 　일본의 영토와 역사 왜곡으로 인한 갈등

다음의 사례로 적절하지 <u>않은</u> 것은?

> 일본은 영토 왜곡을 자행하고 역사를 왜곡하고 있으며, 과거 침략 전쟁을 확대하는 과정에서 벌인 잘못에 대한 책임을 인정하지 않아 한국과 갈등을 겪고 있다.

① 다케시마의 날을 제정하였다.
② 식민지 지배를 미화시키고 있다.
③ 일본군 '위안부' 동원에 대한 책임을 회피하고 있다.
④ 자국의 검인정 교과서에 독도가 일본의 영토임을 명시하도록 하였다.
⑤ 고조선, 부여, 발해, 고구려의 역사를 자국의 역사로 편입 시도를 하였다.

개념 가이드

❾ [　　　]은 영토 왜곡, 역사 왜곡, 강제 징용 피해자에 대한 배상 문제 거부 등을 하여 한국과 갈등을 겪고 있다.　　답 ❾ 일본

1 (가)에 들어갈 내용으로 옳은 것은?

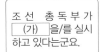

조 선 총 독 부 가 (가) 을/를 실시하고 있다는군요.

토지 소유권자가 정해진 기간 내에 직접 신고하여 소유지로 인정받는 방식으로 진행되고 있어요.

① 미곡 공출제   ② 토지 조사 사업
③ 남면북양 정책   ④ 산미 증식 계획
⑤ 화폐 정리 사업

2 1920년대 배경의 영화에 들어갈 장면으로 적절한 것을 〈보기〉에서 모두 고른 것은?

┌─────────────────── 보기 ───────┐
ㄱ. 통감부가 설치되는 장면
ㄴ. 정미의병이 전개되는 장면
ㄷ. 보통 경찰제가 실시되는 장면
ㄹ. 일제가 신문 기사를 검열하고 삭제하는 모습
└────────────────────────────────┘

① ㄱ, ㄴ   ② ㄱ, ㄷ   ③ ㄴ, ㄷ
④ ㄴ, ㄹ   ⑤ ㄷ, ㄹ

3 밑줄 친 부분에 들어갈 내용으로 가장 적절하지 않은 것은?

┌──────────────────────────────────┐
일본은 산미 증식 계획을 추진하기 위해 _____ 등의 방법을 동원하였다.
└──────────────────────────────────┘

① 전차 개설   ② 수리 시설 확충
③ 화학 비료 사용   ④ 일본 벼 품종 보급
⑤ 밭을 논으로 만들기

4 누리집 검색 결과 중 옳지 않은 것은?

◁◁ ▽ 3·1 운동이 일어난 배경에 대해 알려 주세요. ○○⊗

[검색 결과]
㉠ 도쿄에서 2·8 독립 선언이 발표되었어요.
㉡ 미국 대통령 윌슨이 민족 자결주의 원칙을 제시하였어요.
㉢ 화성 제암리에서 일본군에 의한 학살 사건이 일어났어요.
㉣ 상하이의 신한 청년당은 파리 강화 회의에 김규식을 대표로 파견하였어요.
㉤ 러시아의 레닌이 식민지의 민족 해방 운동을 지원하겠다고 선언하였어요.

① ㉠   ② ㉡   ③ ㉢   ④ ㉣   ⑤ ㉤

5 다음 지도의 (가), (나) 전투에 대한 설명으로 옳은 것은?

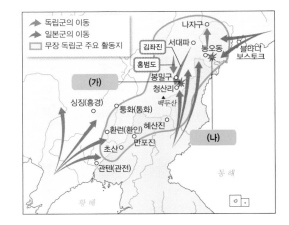

① (가), (나)는 모두 일본군에게 패배한 전투이다.
② (가)는 자유시 참변이 원인이 되어 일어났다.
③ (나)는 태백산 일대에서 일어났다.
④ (가)는 김원봉이 이끄는 의열단이 주도하였다.
⑤ (나)에서 홍범도가 이끄는 대한 독립군을 비롯한 여러 독립군 부대가 활약하였다.

6 다음 인물 카드의 주인공에 대한 설명으로 옳은 것은?

[인물 카드]

- 독립운동가, 정치가
- 출생: 1876년 황해도 해주
- 호: 백범(白凡)
- 주요 활동

(가)

– 대한민국 임시 정부를 이끌었다.
– 남북 협상을 추진하였다.

① 간도 참변을 주도하였다.
② 한인 애국단을 조직하였다.
③ 기미 독립 선언서를 작성하였다.
④ 양기탁과 함께 『대한매일신보』를 간행하였다.
⑤ 중국 하얼빈에서 이토 히로부미를 사살하였다.

7 다음 광고와 관련된 민족 운동에 대한 설명으로 옳지 <u>않은</u> 것은?

① '내 살림 내 것으로' 등의 구호를 내걸었다.
② 민족 산업을 보호하고 성장시키려고 하였다.
③ 토산품 애용, 근검저축, 금주 등을 주장하였다.
④ 암살, 파괴 등의 의열 투쟁을 통한 민족 운동이다.
⑤ 조만식이 평양에서 조선 물산 장려회를 조직하여 전 개하였고 전국적으로 확산되었다.

8 다음 대화의 주제로 적절한 것은?

이 단체는 노동·농민·청년·여성 운동 등 사회 운동을 적극적으로 지원했어.

그래서 노동 쟁의인 원산 총파업을 지원하였지.

또한 광주 학생 항일 운동이 일어나자 진상 조사단을 파견했어.

① 신민회의 창립
② 신간회의 활동
③ 조선어 학회 사건
④ 조선 총독부의 활동
⑤ 대한민국 임시 정부의 활동

9 다음 설명에 해당하는 인물로 옳은 것은?

민족주의 사학자들은 독립운동의 일환으로 역사를 연 구하였으며, 한국사의 발전 주체가 우리 민족임을 강조하 였다.

① 일연　　　② 김부식　　　③ 신채호
④ 이승휴　　　⑤ 주시경

10 다음의 검색 결과로 옳은 것은?

| 통합검색 | 근우회 | ▽ | 검색 |

① 여성 운동 통합 단체이다.
② 방정환을 중심으로 조직되었다.
③ 우리말 『큰사전』 편찬을 시도하였다.
④ 친일 세력을 육성하기 위한 단체이다.
⑤ 백정에 대한 편견과 차별 철폐 운동을 전개한 단체 이다.

1 다음에서 설명하는 일제의 정책으로 옳은 것은?

> 일제는 대공황에 따른 위기를 타개하고자 한반도 북부를 공업 지대로 만드는 식민지 공업화를 추진하였다. 이를 바탕으로 일제는 전쟁에 필요한 군수 물자와 인력을 효율적으로 수탈하고자 하였다.

① 무단 통치
② 민족 말살 정책
③ 민족 분열 정책
④ 헌병 경찰 통치
⑤ 병참 기지화 정책

2 다음 자료의 모습을 볼 수 있었던 시기의 일을 〈보기〉에서 모두 고른 것은?

▲ 황국 신민 서사를 강제로 암송하는 학생들

▲ 신사에 강제로 참배하는 학생들

> ● 보기 ●
> ㄱ. 일제는 을사늑약 체결을 강요하였다.
> ㄴ. 일제는 토지 조사 사업을 실시하였다.
> ㄷ. 일제는 한국인에게 궁성 요배를 강요하였다.
> ㄹ. 일제는 한국인의 성과 이름을 일본식으로 바꾸도록 강요하였다.

① ㄱ, ㄴ
② ㄱ, ㄷ
③ ㄴ, ㄷ
④ ㄴ, ㄹ
⑤ ㄷ, ㄹ

3 조선 민족 혁명당에 대한 설명으로 옳은 것은?

① 제주도에서 결성되었다.
② 대성 학교를 건설하였다.
③ 만민 공동회를 개최하였다.
④ 물산 장려 운동을 주도하였다.
⑤ 중국 관내 최대 규모의 통일 전선 정당이었다.

4 다음은 여운형이 결성한 조직의 선언 내용이다. 밑줄 친 '우리'에 해당하는 조직으로 옳은 것은?

> 우리의 당면 임무는 완전한 독립과 진정한 민주주의의 확립을 위하여 노력하는 데 있다. …… 새로운 정권은 전국적 인민 대표 회의에서 선출된 인민 위원으로 구성될 것이며, 해외에서 조선 해방 운동에 헌신하여 온 혁명 전사와 그 집결체에 대하여서는 적당한 방법에 의하여 온 마음을 다해 맞이하여야 할 것은 물론이다.

① 보안회
② 의열단
③ 한인 애국단
④ 대한민국 임시 정부
⑤ 조선 건국 준비 위원회

5 국내에서 다음과 같은 상황이 전개된 배경으로 옳은 것은?

▲ 우익의 신탁 통치 반대 운동

▲ 좌익의 3상 회의 결정 지지 운동

① 6·25 전쟁이 발발하였다.
② 조선 인민 공화국이 수립되었다.
③ 대한민국 임시 정부가 건국 강령을 발표하였다.
④ 모스크바 3국 외상 회의의 결과가 국내에 알려졌다.
⑤ 대한민국 임시 정부가 국내 진공 작전을 계획하였으나 실행되지 못하였다.

6 다음 선생님의 질문에 대한 대답으로 적절한 것은?

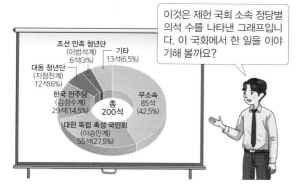

이것은 제헌 국회 소속 정당별 의석 수를 나타낸 그래프입니다. 이 국회에서 한 일을 이야기해 볼까요?

① 5·10 총선거를 실시하였어요.
② 천리마 운동을 추진하였어요.
③ 미·소 공동 위원회를 개최하였어요.
④ 북조선 인민 위원회를 구성하였어요.
⑤ 제헌 헌법에 따라 대통령 이승만, 부통령 이시영을 선출하였어요.

7 다음 검색어와 관련된 사건에 대한 설명으로 옳지 않은 것은?

실시간 이슈 검색어
1. 1·4 후퇴
2. 낙동강 방어선
3. 인천 상륙 작전
4. 서울 탈환

① 전개 과정에서 중국군이 개입하였다.
② 수많은 이산가족이 발생하는 결과를 낳았다.
③ 38도선 부근의 일부 지역에서만 전개되었다.
④ 북한이 소련의 지원과 승인을 얻어 남침을 감행하였다.
⑤ 유엔 안전 보장 이사회 결의에 따라 유엔군이 파병되었다.

8 (가) 인물이 대통령으로 있을 때 일어난 일로 옳지 않은 것은?

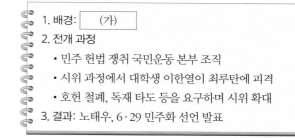

1961년 5월 16일 (가) 을/를 비롯한 일부 군인 세력이 쿠데타를 일으켜 권력을 장악하였다.

① 유신 헌법을 공포하였다.
② 3선 개헌안을 통과시켰다.
③ 4·13 호헌 조치를 발표하였다.
④ 베트남 전쟁에 국군을 파병하였다.
⑤ 일본과 한·일 기본 조약을 체결하였다.

9 (가)에 들어갈 내용으로 옳은 것은?

1. 배경: (가)
2. 전개 과정
   • 민주 헌법 쟁취 국민운동 본부 조직
   • 시위 과정에서 대학생 이한열이 최루탄에 피격
   • 호헌 철폐, 독재 타도 등을 요구하며 시위 확대
3. 결과: 노태우, 6·29 민주화 선언 발표

① 유신 헌법 공포
② 정부통령 선거에서 부정 선거 실시
③ 마산 앞바다에서 김주열의 시신 발견
④ 박정희 정부의 군사 독재에 대한 불만
⑤ 시민들의 대통령 직선제 시행 등이 포함된 헌법 개정 요구 확대

10 (가)에 들어갈 말로 옳은 것은?

박정희 정부는 제1차 경제 개발 5개년 계획을 추진하였다. 경제 개발의 결과 (가) 이/가 성장하고 수출도 크게 늘었다.

① 서비스업
② 첨단 산업
③ 중화학 공업
④ 정보 통신 산업
⑤ 노동 집약적 경공업

서술형·사고력 테스트

1 다음을 보고 물음에 답하시오.

위의 동양 척식 주식회사는 [(가)](으)로 조선 총독부가 차지한 토지를 넘겨받아 조선 최대의 지주가 되었다.

(1) (가)는 1910~1918년에 일제가 실시한 정책이다. (가)에 들어갈 말을 쓰시오.

_____

(2) 일제가 (가)를 실시한 실제적인 까닭을 서술하시오.

_____

2 다음 대화 속 (가)의 활동 내용을 두 가지 서술하시오.

[(가)]에 대해 설명해 볼까요?

우리 역사상 최초의 민주 공화제 정부예요.

3·1 운동을 계기로 수립되었어요.

삼권 분립 제도를 채택하였어요.

_____

_____

3 다음을 읽고 물음에 답하시오.

국민 대표 회의가 별다른 성과 없이 끝난 이후 대한민국 임시 정부는 침체되었고 일본의 감시와 탄압이 거세졌으며 자금과 인력은 부족하였다. 대한민국 임시 정부의 국무령이었던 [(가)]은/는 이러한 어려운 상황을 적극적인 <u>의열 투쟁을 통해 극복</u>하고자 하여 1931년에 한인 애국단을 조직하였다.

(1) (가)에 들어갈 인물은 누구인지 쓰시오.

_____

(2) 한인 애국단이 위 밑줄 친 일을 한 사례를 두 가지 서술하시오.

_____

_____

4 다음 밑줄 친 곳에 들어갈 내용을 두 가지 서술하시오.

• 주요 인물

▲이상재   ▲홍명희

• 결성: 비타협적 민족주의 세력과 사회주의 세력이 연합하여 1927년에 결성
• 주요 활동: _____
• 의의: 독립운동의 이념과 방법의 차이를 넘어 민족 협동 전선 추구

_____

_____

5 다음을 보고 물음에 답하시오.

> (가)
>
> 1. 우리들은 대일본 제국의 신민입니다.
> 2. 우리들은 마음을 합하여 천황 폐하에게 충의를 다합니다.
> 3. 우리들은 인고 단련하여 훌륭하고 강한 국민이 되겠습니다.

일제는 (가) 을/를 강제로 외우게 하고, 신사 참배를 강요하는 등 황국신민화 정책을 실시하였어요.

(1) (가)에 들어갈 알맞은 말을 쓰시오.

_____

(2) 일제가 위와 같은 정책을 실시한 목적을 서술하시오.

_____

_____

6 다음 대화의 밑줄 친 '대립'이 발생하게 된 회의의 결정은 무엇인지 서술하시오.

1945년 12월 모스크바에서 미국, 소련, 영국의 외무 장관들이 모여서 한국의 독립 문제를 의논하였지.

이 회의의 결정을 둘러싸고 우익 세력과 좌익 세력은 대립하였어.

_____

_____

7 다음을 보고 물음에 답하시오.

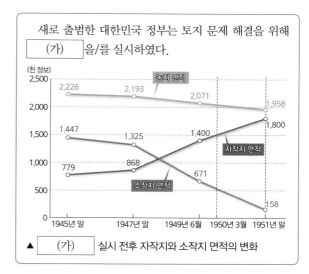

새로 출범한 대한민국 정부는 토지 문제 해결을 위해 (가) 을/를 실시하였다.

(천 정보)

농지 면적			
2,226	2,193	2,071	1,958
1,447	1,325	1,400	1,800 자작지 면적
779	868	671	158 소작지 면적

1945년 말 · 1947년 말 · 1949년 6월 · 1950년 3월 · 1951년 말

▲ (가) 실시 전후 자작지와 소작지 면적의 변화

(1) (가)에 들어갈 알맞은 말을 쓰시오.

_____

(2) (가)가 진행된 방식을 서술하시오.

_____

_____

8 1972년 남북이 발표한 다음의 공동 성명이 가지는 역사적 의의를 서술하시오.

> 첫째, 통일은 외세에 의존하거나 외세의 간섭을 받지 않고 자주적으로 해결하여야 한다.
> 둘째, 통일은 서로 상대방을 반대하는 무력행사에 의거하지 않고 평화적 방법으로 실현하여야 한다.
> 셋째, 사상과 이념·제도의 차이를 초월하여 하나의 민족으로서 민족적 대단결을 도모하여야 한다.

_____

_____

창의·융합·코딩 테스트

9 ⊙~②에 들어갈 알맞은 말을 쓰시오.

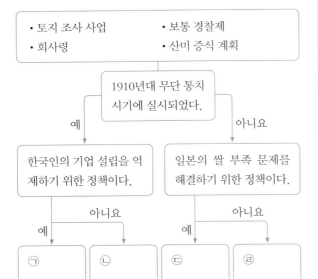

- 토지 조사 사업
- 회사령
- 보통 경찰제
- 산미 증식 계획

↓

1910년대 무단 통치 시기에 실시되었다.

예 ↓ / 아니요 ↓

한국인의 기업 설립을 억제하기 위한 정책이다. / 일본의 쌀 부족 문제를 해결하기 위한 정책이다.

예 / 아니요 / 예 / 아니요

⊙ / ⓒ / ⓒ / ②

11 다음 시의 밑줄 친 '그날'이 나타내는 것은 무엇인지 쓰시오.

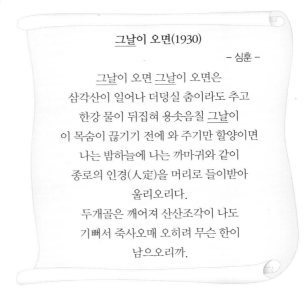

그날이 오면(1930)
– 심훈 –

그날이 오면 그날이 오면은
삼각산이 일어나 더덩실 춤이라도 추고
한강 물이 뒤집혀 용솟음칠 그날이
이 목숨이 끊기기 전에 와 주기만 할양이면
나는 밤하늘에 나는 까마귀와 같이
종로의 인경(人定)을 머리로 들이받아
울리오리다.
두개골은 깨어져 산산조각이 나도
기뻐서 죽사오매 오히려 무슨 한이
남으오리까.

_____

10 1919년에 일어난 다음 사건의 영향을 두 가지 서술하시오.

이곳 태화관에서 독립 선언식을 갖겠소.

대한 독립 만세!

_____

_____

12 (가)로 인해 발생한 피해를 두 가지 서술하시오.

다음의 그림은 「한국에서의 학살」이라는 제목으로, 피카소가 그린 작품입니다. 1950년에 발발한 (가) 기간에 민간인들이 희생되었던 비극을 보여 줍니다.

_____

_____

13 다음 자료를 보고 물음에 답하시오.

(가) 의 과정

4·13 호헌 조치

박종철 고문치사 사건 축소·은폐 시도 발각

이한열, 민주화 시위 도중 최루탄 피격

6·10 국민 대회 개최

(나) 6·29 민주화 선언 발표

(1) (가)에 들어갈 역사적 사건을 쓰시오.

_____

(2) (나)에 담겨 있는 내용을 두 가지 서술하시오.

_____

[14~15] 가로 열쇠와 세로 열쇠 설명을 읽고 퍼즐을 완성해 보시오.

				❶		
❷			❸			❹
❺						
		❼		❽		
❻						

14 가로 퍼즐을 완성하시오.

가로 열쇠

❶ 1972년 박정희 정부의 장기 독재와 대통령 권한을 극대화하기 위해 공포된 헌법 → ○○ 헌법

❷ 1920년에 홍범도가 이끄는 대한 독립군을 비롯한 여러 독립군 부대가 일본군을 유인하여 무찌른 전투

❻ 3·1 운동을 계기로 만들어진 우리 역사상 최초의 민주 공화제 정부

15 세로 퍼즐을 완성하시오.

세로 열쇠

❸ 1970년에 근로 기준법의 준수를 요구하며 분신하였음

❹ 1912년 임병찬이 고종의 비밀 지령을 받아 조직한 비밀 결사

❺ 김원봉의 주도로 조직된 조선 민족 전선 연맹의 무장 조직으로 중국 국민당의 지원을 받아 활동을 전개하였음 → 조선 ○○○

❼ 안창호, 양기탁 등이 조직한 비밀 결사로, 이회영, 이상룡을 통해 남만주의 삼원보에 독립군 양성 기지를 건설하여 무장 투쟁을 준비하였음

❽ 국어학자로, 국문 연구소에서 한글 문법을 정리하였고, 1921년에는 그의 제자들이 중심이 되어 조선어 연구회를 조직하였음

6_일

1 일제가 1910년에 다음의 정책을 실시한 목적으로 가장 적절한 것은?

> **제1조** 회사의 설립은 조선 총독의 허가를 받아야 한다.
> **제5조** 회사가 허가의 조건에 위반하거나 공공질서와 미풍에 위반한 행위를 했다고 판단될 때에 조선 총독은 사업의 정지와 폐쇄를 명할 수 있다.

① 한국인의 정신을 말살하려고 하였다.
② 한국을 병참 기지로 만들려고 하였다.
③ 한국인의 기업 설립을 억제하려고 하였다.
④ 한국인에게 언론의 자유를 주려고 하였다.
⑤ 일본 내의 쌀 부족 문제를 해결하려고 하였다.

2 다음 그래프를 보고 1920년대 일제의 통치 행태를 분석한 내용으로 가장 적절한 것은?

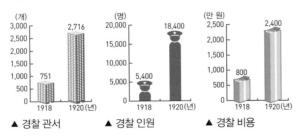

▲ 경찰 관서   ▲ 경찰 인원   ▲ 경찰 비용

① 헌병 경찰제가 실시되었음을 알 수 있다.
② 토지 조사 사업이 실시되었음을 알 수 있다.
③ 1910년대보다 일제가 우리 민족의 문화와 관습을 존중하였음을 알 수 있다.
④ 1910년대보다 오히려 경찰력이 강화되어 민족 운동에 대한 감시가 더 강화되었음을 알 수 있다.
⑤ 1910년대보다 경찰 관서, 인원, 비용이 크게 줄어들어 한국인들이 더 자유롭게 생활하였음을 알 수 있다.

3 다음 그래프와 같은 상황을 초래한 일제의 정책으로 옳은 것은?

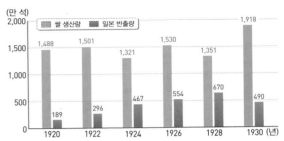

▲ 1920년대 쌀 생산량과 일본 반출량

① 기간 산업을 확충하였다.
② 조선 태형령을 실시하였다.
③ 산미 증식 계획을 실시하였다.
④ 토지 조사 사업을 실시하였다.
⑤ 제1차 조선 교육령을 실시하였다.

4 신흥 강습소에 대한 설명으로 옳지 <u>않은</u> 것은?

① 독립군 양성 기관이다.
② 이후 신흥 무관 학교로 개편되었다.
③ 신민회의 이회영, 이상룡 등이 만들었다.
④ 민립 대학 설립 운동을 전개하기 위해 조직된 단체이다.
⑤ 일제의 탄압을 피해 남만주(서간도)의 삼원보에 세워졌다.

5 (가)에 들어갈 말로 옳은 것은?

> 대한민국 임시 정부는   (가) (이)라는 비밀 행정 조직을 만들어 독립운동 자금과 국내 정보를 모았다. 서울에 총관, 도·군·면에 각각 독판, 군감, 면감을 두고 중요한 정보를 수집하였다.

① 집강소   ② 연통제   ③ 기기창
④ 우정국   ⑤ 경학사

정답과 해설 **76**쪽

6 (가), (나) 인물의 활동으로 옳은 것은?

▲ 김원봉

▲ 김구

① (가) – 독립 의군부를 결성하였다.
② (가) – 물산 장려 운동을 주도하였다.
③ (나) – 진단 학회를 조직하였다.
④ (나) – 대한민국 임시 정부의 주석으로 활동하였다.
⑤ (가), (나) – 봉오동 전투와 청산리 대첩을 이끌었다.

7 선생님이 설명하는 운동에 대해 옳은 설명만 'V' 표시를 한 학생은?

> 3·1 운동 이후 일부 민족주의자들은 먼저 실력을 키워 독립을 준비하자는 운동을 전개하였어요.

구분	갑	을	병	정	무
교육과 산업 분야에서 전개되었다.	V	V	V		V
물산 장려 운동과 민립 대학 설립 운동을 추진하였다.		V		V	V
민족 자본 육성과 근대 교육의 발전을 통해 한국 사회의 근대적 발전을 꾀하였다.	V	V	V		
계급 투쟁을 목표로 활동하였다.			V	V	V

① 갑　② 을　③ 병　④ 정　⑤ 무

8 밑줄 친 '만세 시위'에 대한 설명으로 옳은 것은?

> 1926년 6월 10일 순종의 장례일에 학생들은 삼엄한 경비를 뚫고 장례 행렬이 지나는 곳곳에서 격문을 뿌리며 시민들과 함께 만세 시위를 벌였다.

① 사회주의 계열 학생들만 참여하였다.
② 민족주의 계열 학생들만 참여하였다.
③ 이 사건을 계기로 일제는 문화 통치를 표방하였다.
④ 동양 척식 주식회사의 적극적인 활동을 요구하였다.
⑤ 학생들이 항일 민족 운동의 주체로서 더욱 적극적인 역할을 하는 계기가 되었다.

9 다음 마인드맵의 (가)에 들어갈 내용으로 적절한 것은?

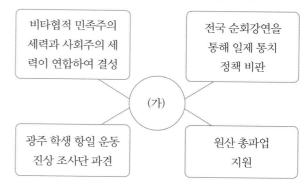

① 신간회　② 3·1 운동　③ 의열 투쟁
④ 브나로드 운동　⑤ 대한민국 임시 정부

10 다음 인물들의 공통점으로 적절한 것은?

박은식　신채호　백남운

① 청산리 대첩에서 활약하였다.
② 한글 연구를 위해 노력하였다.
③ 항일 의지를 담은 시와 소설을 발표하였다.
④ 일제의 식민 통치를 합리화하기 위해 노력하였다.
⑤ 일제의 식민 사관에 맞서 우리 역사를 지키려고 노력하였다.

11 다음과 관련해 일제가 한반도에서 실시한 정책을 〈보기〉에서 모두 고른 것은?

> 일제는 만주를 농업과 원료의 공급 지대로 삼고 한반도 북부를 공업 지대로 만들려고 하였다. 또한 일본 방직업자들에게 싼값에 원료 공급을 하고자 하였다.

> ● 보기 ●
> ㄱ. 회사령을 폐지하였다.
> ㄴ. 남면북양 정책을 실시하였다.
> ㄷ. 토지 조사 사업을 실시하였다.
> ㄹ. 북부 지방에 중화학 공업을 집중 육성하였다.

① ㄱ, ㄴ ② ㄱ, ㄷ ③ ㄴ, ㄷ
④ ㄴ, ㄹ ⑤ ㄷ, ㄹ

12 다음 시기에 일제가 추진한 정책으로 옳지 <u>않은</u> 것은?

> 1930년대 일제는 침략 전쟁을 확대하면서 한국인의 정신을 말살하고 일왕에 대한 숭배 사상을 주입하는 민족 말살 통치를 실시하였다.

① 창씨개명을 강요하였다.
② 궁성 요배를 강요하였다.
③ 한글 신문 창간을 허용하였다.
④ 황국 신민 서사 암송을 강요하였다.
⑤ 소학교의 명칭을 국민학교로 바꾸었다.

13 (가), (나)에 들어갈 내용으로 옳은 것은?

> • 여운형은 안재홍과 함께 독립 국가 건설을 위한 준비 기관인 ___(가)___ 을/를 결성하였다.
> • 여운형은 김규식과 ___(나)___ 을/를 조직해 민족적 단결을 도모하고 미·소 공동 위원회를 재개하고자 하였다.

① (가) – 근우회 ② (가) – 좌우 합작 위원회
③ (나) – 근우회 ④ (가) – 조선 건국 준비 위원회
⑤ (나) – 조선 건국 준비 위원회

14 〈보기〉를 일어난 순서에 따라 나열한 것으로 옳은 것은?

> ● 보기 ●
> ㄱ. 좌우 합작 위원회 조직
> ㄴ. 모스크바 3국 외상 회의 개최
> ㄷ. 제1차 미·소 공동 위원회 개최
> ㄹ. 유엔 총회에서 남북한 총선거 결정

① ㄴ → ㄱ → ㄷ → ㄹ
② ㄴ → ㄷ → ㄱ → ㄹ
③ ㄴ → ㄹ → ㄷ → ㄱ
④ ㄷ → ㄴ → ㄱ → ㄹ
⑤ ㄷ → ㄴ → ㄹ → ㄱ

15 (가)에 대한 설명으로 옳은 것은?

> 우리나라 최초의 민주 선거인 ___(가)___ 이/가 오늘 전국적으로 실시되었습니다.
>
> ___(가)___ 실시

① 여성은 참여할 수 없었다.
② 4·19 혁명의 원인이 되었다.
③ 남북한이 동시에 실시하였다.
④ (가)를 통해 제헌 국회가 구성되었다.
⑤ 15세 이상의 모든 국민에게 투표권이 부여되었다.

16 (가)에 들어갈 내용으로 옳은 것은?

> 6·25 전쟁 당시 국군과 유엔군은 압록강까지 진출하였으나 ___(가)___ (으)로 또다시 서울을 빼앗기고 평택 인근까지 후퇴하였다.

① 발췌 개헌   ② 중국군의 개입
③ 일본군의 개입   ④ 정전 협정 조인
⑤ 애치슨 선언 발표

17 1972년에 공포된 다음 헌법에 대한 설명으로 옳지 <u>않은</u> 것은?

> 제40조 **제1항** 통일 주체 국민 회의는 국회 의원 정수의 3분의 1에 해당하는 수의 국회 의원을 선거한다.
> **제2항** 제1항의 국회 의원 후보자는 대통령이 일괄 추천하며, 후보자 전체에 대한 찬반 투표에 부쳐…… 당선을 결정한다.
> 제53조 **제2항** 대통령은 제1항의 경우에 필요하다고 인정할 때에는 이 헌법에 규정되어 있는 국민의 자유와 권리를 잠정적으로 정지하는 긴급 조치를 할 수 있고, 정부나 법원의 권한에 관하여 긴급 조치를 할 수 있다.

① 박정희 정부 때 공포되었다.
② 헌법의 공포로 대통령의 권한이 약화되었다.
③ 통일 주체 국민 회의에서 간접 선거로 대통령을 선출하게 되었다.
④ 긴급 조치 발동권을 통해 국민의 자유를 마음대로 제약할 수 있었다.
⑤ 헌법이 공포되자 학생과 민주 인사들은 이를 반대하는 운동을 벌였다.

18 오른쪽 사진 속 시민들이 제기한 주장으로 옳은 것은?

▲ 5·18 민주화 운동 당시 민주 수호 범시민 궐기 대회

① 신군부는 물러나라!
② 비상계엄을 실시하라!
③ 굴욕적인 한일 회담 추진을 중단하라!
④ 3·15 정부통령 선거는 부정 선거이다!
⑤ 이승만 대통령과 자유당 정권은 물러나라!

19 1970년에 시작된 운동에 대해 정리한 것이다. 밑줄 친 곳에 들어갈 내용으로 적절한 것은?

> • 배경: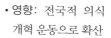
> • 구호: 근면, 자조, 협동
> • 성과: 도로 정비, 주택 개량 등 농촌 생활 환경 개선
> • 영향: 전국적 의식 개혁 운동으로 확산
> • 한계: 농촌의 경제 소득 미미, 유신 체제 유지에 이용되었다는 비판 제기

① 외환위기 발발
② 금융 실명제 실시
③ 근로 기준법의 강화
④ 4·13 호헌 조치 발표
⑤ 도시와 농촌의 격차 심화

20 (가)의 선언이 발표된 배경으로 옳은 것은?

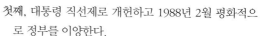

> **(가)**
> 첫째, 대통령 직선제로 개헌하고 1988년 2월 평화적으로 정부를 이양한다.
> 둘째, 대통령 선거법을 개정하여 자유로운 출마와 경쟁을 공개적으로 보장한다.
> 넷째, 인간의 기본권을 존중하기 위해 개헌안에 기본권 강화 조항을 보완한다.
> 다섯째, 언론 관련 제도와 관행을 개선하고 언론의 자율성을 최대한 보장한다.
> 여섯째, 지방 자치, 대학의 자율화와 교육 자치를 조속히 실현한다.

① 6·25 전쟁이 발발하였다.
② 6월 민주 항쟁이 발생하였다.
③ 10·4 남북 정상 선언이 발표되었다.
④ 교육감 선거가 주민 직선으로 시행되었다.
⑤ 제1차 경제 개발 5개년 계획이 실시되었다.

1 다음 설명에 해당하는 내용으로 옳지 <u>않은</u> 것은?

> 일제는 1910년 대한 제국을 강제로 병합하여 조선 총독부를 설치하였고, 강압적인 무단 통치를 실시하였다.

① 교사들에게 제복을 입고 칼을 차게 하였다.
② 언론·출판·집회·결사의 자유를 빼앗았다.
③ 조선 태형령을 제정해 한국인에게만 태형을 적용하였다.
④ 헌병 경찰 제도를 실시해 모든 한국인의 일상생활에 관여하였다.
⑤ 토지 조사 사업을 실시해 일본인이 강탈한 토지를 한국인에게 돌려주었다.

2 1920년대 일제가 표방한 문화 통치에 대한 옳은 설명을 〈보기〉에서 모두 고른 것은?

> ● 보기 ●
> ㄱ. 갑오개혁을 계기로 실시하게 되었다.
> ㄴ. 일제가 우리 민족의 문화와 관습을 존중하겠다고 선전하며 표방한 통치이다.
> ㄷ. 문관도 총독에 임명될 수 있도록 규정이 바뀌어 많은 문관 총독들이 임명되었다.
> ㄹ. 표면적으로 한국인의 신문과 잡지 발행을 허용하였지만 실제적으로 신문 검열을 강화하였다.

① ㄱ, ㄴ   ② ㄱ, ㄷ   ③ ㄴ, ㄷ
④ ㄴ, ㄹ   ⑤ ㄷ, ㄹ

3 1920년에 일제가 회사 설립을 허가제에서 신고제로 바꾼 까닭으로 옳은 것은?

① 친일 세력을 견제하기 위해서이다.
② 일본의 쌀을 한국으로 반출시키기 위해서이다.
③ 동양 척식 주식회사의 성장을 막기 위해서이다.
④ 일본 기업의 한국 진출을 쉽게 하기 위해서이다.
⑤ 한국으로 유입하려는 일본 자본을 막기 위해서이다.

4 (가), (나)에서 설명하는 단체로 옳은 것은?

> 1910년대 국내에 남아 있던 독립운동가들은 비밀 결사를 만들어 활동하였다. (가) 복벽주의를 내세워 임병찬이 고종의 비밀 지령을 받아 조직된 단체, (나) 박상진을 총사령으로 하여 공화제 정부 수립을 목표로 활동한 단체 등이 있었다.

① (가) – 신간회   ② (가) – 독립 의군부
③ (가) – 대한 광복회   ④ (나) – 한국광복군
⑤ (나) – 한인 애국단

5 다음 퀴즈의 답으로 옳은 것은?

1단계	윌슨의 민족 자결주의
2단계	민족 대표 33인의 독립 선언서 발표
3단계	모든 계층이 참여한 최대 규모의 민족 운동

① 3·1 운동   ② 브나로드 운동
③ 6·10 만세 운동   ④ 물산 장려 운동
⑤ 광주 학생 항일 운동

6 밑줄 친 '노력'에 해당하는 내용으로 적절한 것은?

> 간도 참변과 자유시 참변으로 큰 타격을 입은 만주의 민족 운동 세력은 진용을 정비하기 위해 <u>노력</u>하였다.

① 청산리 대첩을 일으켰다.
② 봉오동 전투를 일으켰다.
③ 농촌 계몽 운동을 전개하였다.
④ 대한민국 임시 정부를 수립하였다.
⑤ 3부(참의부, 정의부, 신민부)를 성립하였다.

정답과 해설 **78**쪽

7 다음 대화와 관련 있는 민족 운동에 대한 설명으로 옳은 것은?

> 일제가 우리 국권을 침탈한 후 우리 민족에게는 기초적인 교육의 기회만 제공하고 있어 큰일이오.

> 그렇소. 우리 민족의 실력을 키워야 독립을 이룰 수 있소. 우리 힘으로 고등 교육 기관을 설립하는 운동을 추진하는 것이 어떻겠소?

① 통감부가 주도하였다.
② 이상재, 이승훈 등이 전개하였다.
③ 한국인의 기업 설립을 억제하기 위해 추진되었다.
④ 운동 결과 각지에 한국인이 만든 대학들이 설립되었다.
⑤ 문화 통치의 배경 아래 일제의 지원을 받아 전국으로 확산되었다.

8 다음 가상 일기의 상황으로 인해 전개된 민족 운동의 역사적 의의로 옳은 것은?

> 1929년 ○○월 ○○일
> 오늘 나주역으로 향하는 통학 기차에서 일본인 학생이 한국 여학생을 희롱하는 것을 보고 항의하다가 다툼이 있었다. 그런데 이 사건을 조사하러 온 경찰과 학교 측이 일본 학생을 두둔하였다. 이러한 민족 차별에 더 이상 굴복할 수 없다. 우리는 학생들의 힘으로 일제에 저항하고 식민지 교육 철폐를 위한 시위를 벌이기로 하였다.

① 신간회의 창립에 영향을 주었다.
② 농민이 중심이 되어 운동을 이끌어 갔다.
③ 우리 민족이 독립을 달성하는 계기가 되었다.
④ 대한민국 임시 정부가 수립되는 계기가 되었다.
⑤ 3·1 운동 이후 학생들의 주도로 이루어진 최대 규모의 항일 민족 운동이었다.

9 다음 대화의 소재가 된 단체에 대한 설명으로 옳은 것은?

> 조선어 연구회가 확대 개편된 단체야.

> 한글 맞춤법 통일안을 제정하였어.

> 1942년에 일제에 의해 강제로 해산되었어.

① 『독립신문』을 발간하였다.
② 조선 형평사를 조직하였다.
③ 천도교 소년회를 조직하였다.
④ 우리말 『큰사전』을 편찬하고자 하였다.
⑤ 광주 학생 항일 운동이 발생하자 현지에 진상 조사단을 파견하였다.

10 다음 신문 기사를 통해 알 수 있는 내용으로 옳은 것은?

> ○○호 역 사 신 문
>
> **원산 노동 연합회, 총파업으로 맞서다**
> 원산의 한 석유 회사 노동자들이 일본인 감독의 한국인 노동자 구타에 항의하여 파업에 들어가자, 원산 노동 연합회는 그 회사의 화물 운송을 거부하는 등 파업을 지원하였다. 이에 일본인 자본가들의 집단인 원산 상업 회의소는 강경하게 대응하였고, 원산 노동 연합회는 총파업으로 맞섰다.

① 노동 운동 단체가 만들어지지 못하였다.
② 노동자들은 일제에 맞서 노동 쟁의를 일으켰다.
③ 일본 기업가들은 한국 노동자의 권리를 보장하였다.
④ 한국인 노동자는 일본인 노동자와 같은 대우를 받았다.
⑤ 농민들은 농민 운동 단체를 결성해 소작 쟁의를 전개하였다.

11 다음 그래프를 통해 알 수 있는 1940년대에 일제가 추진한 경제 정책으로 옳은 것은?

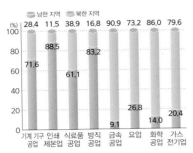

▲ 남북한 지역의 공업 생산액 비율(1940)

① 산미 증식 계획을 추진하였다.
② 토지 조사 사업을 실시하였다.
③ 한반도를 농업·원료 지대로 설정하였다.
④ 북부 지방에 중화학 공업을 적극적으로 육성하였다.
⑤ 회사령을 폐지하여 회사 설립을 신고제로 바꾸었다.

12 일제가 다음과 같은 일을 한 까닭으로 가장 적절한 것은?

일제는 1938년 국가 총동원법을 선포하고 한국에 이를 적용하였다. 일제는 공출을 실시하여 철광, 석탄 등의 지하자원뿐 아니라 각 가정의 농기구, 놋그릇, 가마솥 등을 빼앗아 갔다. 또한 미곡 공출제를 단행해 식량을 수탈하였다.

▲ 놋그릇 강제 공출

① 친일파를 육성하기 위해서이다.
② 문화 통치를 실시하기 위해서이다.
③ 한국의 공업을 발전시키기 위해서이다.
④ 전쟁에 필요한 자원을 수탈하기 위해서이다.
⑤ 민족주의자와 사회주의자를 아우르기 위해서이다.

13 오른쪽은 모스크바 3국 외상 회의에서 결정된 한국 문제의 처리 방안이다. (가)에 들어갈 내용으로 적절한 것은?

① 유엔 총회 실시
② 남북 협상 추진
③ 남북한 총선거 실시
④ 좌우 합작 위원회 조직
⑤ 4개국에 의한 최장 5년간의 신탁 통치 실시

14 다음 자료와 관련된 단체로 옳은 것은?

위 그림은 여운형과 김규식이 전개한 [(가)]이/가 극좌와 극우의 방해를 겪는 모습을 풍자한 것이다.

① 농촌 계몽 운동 　　② 좌우 합작 운동
③ 국채 보상 운동 　　④ 물산 장려 운동
⑤ 조선 건국 준비 위원회

15 다음의 일이 일어난 시기를 연표에서 옳게 고른 것은?

제헌 국회가 7월 17일에 민주 공화제를 핵심으로 하는 제헌 헌법을 공포하였다.

	(가)	(나)	(다)	(라)	(마)	
8·15 광복		모스크바 3국 외상 회의	남북 협상	5·10 총선거 실시	대한민국 정부 수립 선포	6·25 전쟁

① (가) 　② (나) 　③ (다) 　④ (라) 　⑤ (마)

16 다음은 6·25 전쟁의 전선 이동을 나타낸 지도이다. ㉠에서 ㉡으로 이동하는 시기에 있었던 사실로 옳은 것은?

① 정전 협정 체결
② 인천 상륙 작전
③ 애치슨 선언 발표
④ 중국군의 전쟁 개입
⑤ 5·10 총선거 실시

17 밑줄 친 곳에 들어갈 내용으로 적절한 것은?

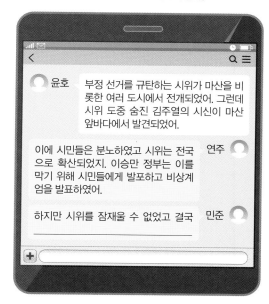

> 윤호: 부정 선거를 규탄하는 시위가 마산을 비롯한 여러 도시에서 전개되었어. 그런데 시위 도중 숨진 김주열의 시신이 마산 앞바다에서 발견되었어.
>
> 연주: 이에 시민들은 분노하였고 시위는 전국으로 확산되었지. 이승만 정부는 이를 막기 위해 시민들에게 발포하고 비상계엄을 발표하였어.
>
> 민준: 하지만 시위를 잠재울 수 없었고 결국 _____

① 6·29 민주화 선언이 발표되었어.
② 이승만은 대통령에서 퇴진하였어.
③ 이승만 대신 전두환이 정권을 잡았어.
④ 이승만 정부는 유신 체제를 선언하였어.
⑤ 이승만 정부는 제헌 헌법을 공포하였어.

18 (가)에 들어갈 알맞은 내용을 〈보기〉에서 고른 것은?

1980년 5월 서울역 앞에서 대학생과 국민이 신군부에 맞서 [(가)] 등을 요구하는 민주화 운동을 벌였어요.

─● 보기 ●─
ㄱ. 호헌 철폐   ㄴ. 신군부 퇴진
ㄷ. 비상계엄 해제   ㄹ. 유신 헌법 실시

① ㄱ, ㄴ   ② ㄱ, ㄷ   ③ ㄴ, ㄷ
④ ㄴ, ㄹ   ⑤ ㄷ, ㄹ

19 다음의 일이 일어난 시기로 옳은 것은?

- 외환위기 극복
- 제1차 남북 정상 회담 개최

① 이승만 정부 시기   ② 전두환 정부 시기
③ 김대중 정부 시기   ④ 김영삼 정부 시기
⑤ 노태우 정부 시기

20 밑줄 친 '문제'에 해당하는 내용으로 적절한 것은?

> 여러 경제 주체가 노력한 결과 한국은 외환위기를 극복할 수 있었다. 그러나 극복하는 과정에서 많은 문제가 발생하였다.

① 호주제가 폐지되었다.
② 국민 연금 제도가 실시되었다.
③ 비정규직 노동자가 감소하였다.
④ 도시에서 농촌으로 노동력이 유입되었다.
⑤ 대량 해고 사태로 실업자의 수가 급증하였다.

Memo

7일 끝!

정답과 해설

 정답과 해설 활용 안내

- ◆ 정답 박스로 빠르게 정답 확인하기!
- ◆ 정답과 오답의 이유, 한 번 더 짚고 넘어가기!
- ◆ 서술형 답안의 평가 요소는 직접 체크해 보며,
  주관식 문제 꼼꼼히 대비하기!

1일 기초 확인 문제 9, 11쪽

1 조선 총독부 **2** (가) 신고주의 (나) 경작권 **3** ② **4** (1) 헌병 경찰 (2) 토지 조사 사업 (3) 허가제 (4) 치안 유지법 **5** (1) ⓒ (2) ㉠ **6** (1) 산미 증식 계획 (2) 어려워졌다 **7** (1) ㄴ (2) ㄷ (3) ㄱ **8** 민족 자결주의 **9** (1) 독립 선언서 (2) 대한민국 임시 정부 **10** (1) ㉠ (2) ㉣ (3) ⓒ (4) ⓒ

1일 내신 기출 베스트 12~13쪽

1 ① **2** ⑤ **3** 회사령 **4** ③ **5** (가) 쌀 (나) 산미 증식 계획 **6** ⑤ **7** ① **8** ⑤

1 1910년대 일제의 통치 정책

일제는 대한 제국을 병합하고, 식민 통치의 최고 기구로 조선 총독부를 설치하였다. 조선 총독은 육군과 해군 대장 출신 중에서 임명되었으며 입법·사법·행정·군사에 관한 모든 권한을 행사하였다.

자료 분석 +

시흥 공립 보통학교 졸업식 때로 제복을 입고 칼을 휴대한 교사들의 모습을 볼 수 있다. 일제는 무단 통치를 실시하여 총독부 관리와 교사들에게는 제복을 입고 칼을 찬 채 업무를 보게 하였다.

오답 피하기

① 통감부는 1905년 을사늑약 체결 당시 설치되었다. 1910년 한국을 병합하고 설치한 통치 기구는 조선 총독부이다.

2 토지 조사 사업

일제는 토지 조사 사업이 근대적인 토지 소유권을 확립하기 위한 것으로 명분을 내세웠지만, 실제로는 일본인의 토지 소유를 쉽게 하고 지세를 안정적으로 확보해 식민 통치에 필요한 재정을 확충하려 하였다. 토지 조사 사업은 신고주의 원칙에 따라 진행되었다. 토지 소유자들이 땅의 소재지, 면적 등을 기재한 신고서를 일정한 기간 내에 직접 제출하면 토지 조사국에서 토지 가격, 지형 등을 조사, 측량하여 토지와 그 소유권자를 확정하는

방식이었다. 이 사업으로 미신고 토지와 소유권이 불분명한 공유지 등이 국유지로 편입되었다.

3 회사령

회사령 실시를 통해 일본 기업은 전기·철도·금융 등의 주요 사업을 독점하게 되었고, 한국인 기업은 소규모 제조업·매매업에 한정되었다.

4 일제의 통치 방식의 변화

3·1 운동을 계기로 무단 통치로 한국을 지배하기 어렵다고 판단한 일제는 문화 통치를 표방하였다. 그러나 실상은 가혹한 식민 통치를 은폐하고 감시와 탄압을 강화함과 동시에 친일 세력을 적극 양성하려는 기만적인 정책이었다.

더 알아보기 + 문화 통치의 내용

표면적 내용	실제 내용
총독에 문관도 임명 가능	광복 때까지 문관 총독이 임명된 적 없음
헌병 경찰제를 보통 경찰제로 전환	탄압과 감시 강화 → 경찰 관서·인원·비용 증가, 치안 유지법 제정
한국인의 교육 기회 확대를 표방하며 제2차 조선 교육령 제정	유상 교육, 학교 수 부족 → 한국인의 취학률 저조
도 평의회, 부·군·면 협의회를 설치하여 한국인에게 참정권 허용	일본인·친일 인사로 구성, 평의회와 협의회는 의결권이 없고 자문 기구로만 역할

5 1920년대 일제의 경제 침탈

산미 증식 계획이 실시되었으나 일제가 계획한 대로 쌀 생산이 늘지는 않았다. 그럼에도 일본으로의 쌀 반출은 예정대로 진행되었다. 또한 산미 증식 계획으로 농민들은 수리 조합비와 비료 대금을 떠맡게 되었다. 게다가 지주들이 일본에 더 많은 쌀을 팔기 위해 소작료를 올리는 바람에 농민들의 생활은 날로 어려워졌다. 1930년대에 이르러 일본에서 식량 생산이 늘어나 쌀값이 하락하자, 한국의 쌀을 들여오는 데에 반대하는 목소리가 커졌다. 일제는 이를 감안하여 산미 증식 계획을 중단하였다.

6 1910년대 독립운동

1910년대 일제의 가혹한 무단 통치 속에서도 독립운동은 지속적으로 전개되었다. 일제의 탄압으로 국내 활동이 어려워진 의병 조직은 만주나 연해주로 활동 근거지를 옮겼고, 국내에 남아 있던 독립운동가들은 독립 의군부, 대한 광복회 등의 비밀 결사를 만들어 활동하였다. 독립 의군부는 임병찬이 고종의 지령을 받아 조직한 비밀 결사로, 고종을 황제로 복위시키자는 복벽주의를 내세웠다. 대한 광복회는 박상진을 총사령관으로 하여 조직되었으며 공화제 정부 수립을 목표로 하였다.

① 친일 세력을 양성하였다. (×)

→ 독립운동을 전개하였다.

② 일본이 한국에 세운 기업이다. (×)

→ 독립 의군부는 임병찬이, 대한 광복회는 박상진을 총사령관으로 하여 조직된 비밀 결사이다.

③ 공화제 정부 수립을 목표로 하였다. (×)

→ 대한 광복회에만 해당하는 설명이다. 독립 의군부는 복벽주의를 내세워 고종을 황제로 복위시키고자 하였다.

④ 남만주의 삼원보에 활동 근거지를 두고 독립운동을 위해 조직된 자치 기관이다. (×)

→ 경학사에 대한 설명이다.

⑤ 1910년대 일제의 가혹한 통치 속에서 독립운동을 전개하기 위해 국내에서 조직된 비밀 결사이다. (○)

⑤ 『대한매일신보』는 양기탁이 중심이 되어 영국인 베델을 발행인으로 내세워 창간된 신문으로, 통감부의 통제에도 불구하고 일제의 국권 침탈을 비판하거나 의병 운동을 호의적으로 보도하는 등 민족의식을 고취하는 기사를 많이 실었다.

2일 기초 확인 문제 17, 19쪽

1 (1) ㄷ (2) ㄴ   **2** ④   **3** 한인 애국단   **4** 물산 장려 운동
5 (1) 민립 대학 설립 운동 (2) 농촌 계몽 운동   **6** ㄴ, ㄹ   **7** 신간회   **8** ㄹ   **9** 조선어 학회   **10** (1) 식민 사관 (2) 사회 경제 사학
(3) 실증 사학   **11** 박은식   **12** (1) ㉠ (2) ㉢ (3) ㉡

2일 내신 기출 베스트 20~21쪽

1 ③   **2** ①   **3** 다연   **4** ③   **5** 6·10 만세 운동   **6** ②
7 ⑤   **8** ④

7 3·1 운동의 전개 과정

1919년 3월 1일, 33인의 민족 대표들은 태화관에서 독립 선언식을 갖고 한용운의 선창으로 독립 만세를 외친 후 일제 경찰에 연행되었다. 같은 시각 탑골 공원에서는 수많은 학생과 시민들이 만세 시위를 전개하였다. 평양, 원산, 의주 등 전국 주요 도시에서도 만세 시위가 전개되었다. 만세 시위는 농촌으로 확산되었다. 유관순을 비롯한 학생들은 고향으로 내려가 시위를 주도하기도 하였다. 농촌 지역에서는 주로 사람들이 많이 모여드는 장날에 시위가 일어났다. 3·1 운동은 국외로도 확산되어 서간도, 북간도, 미국 등에서 만세 시위가 전개되었다.

더 알아보기 ➕ 3·1 운동의 배경

세계 정세의 변화	윌슨의 민족 자결주의 제창, 레닌의 식민지 민족 해방 운동 지원 선언
국외 지역의 움직임	• 중국: 상하이의 신한 청년당이 파리 강화 회의에 김규식을 파견해 한국의 독립 의지를 알림 • 미주 지역: 대한인 국민회가 미국 정부에 외교 활동을 벌임 • 일본: 도쿄에서 유학생들이 2·8 독립 선언 발표
국내 상황	고종 사망 → 독살설 확산 → 한국인의 분노 고조 → 종교계 인사들과 학생들이 대규모 만세 시위 계획(독립 선언서 배포)

8 3·1 운동의 영향

3·1 운동을 계기로 독립운동가들 사이에서는 독립운동을 더욱 조직적으로 전개해야 한다는 공감대가 형성되었다. 이에 따라 각지에서 한성 정부, 대한 국민 의회 등의 임시 정부가 만들어졌고, 그들 사이의 협의를 통해 대한민국 임시 정부가 수립되었다. 대한민국 임시 정부는 기관지로 『독립신문』을 발간하여 국내외 소식과 독립 투쟁 상황을 널리 알렸다.

1 봉오동 전투

독립군 부대는 압록강과 두만강을 건너 일본 군대와 경찰, 식민 통치 기관을 습격하는 국내 진공 작전을 펼쳤다. 이에 일본군은 두만강을 건너 독립군을 공격하였다. 홍범도가 이끄는 대한 독립군을 비롯한 여러 독립군 부대는 일본군을 훈춘 부근 봉오동 골짜기로 유인하여 무찔렀다.

2 의열 투쟁 활동

3·1 운동 이후 암살, 파괴 등의 의열 투쟁을 통해 민족 운동을 전개하는 단체들이 조직되었는데, 그 대표적인 단체가 김원봉 등이 주도하여 조직된 의열단이다. 의열단의 김익상, 김상옥, 나석주 등은 국내에 침투하여 각각 조선 총독부, 종로 경찰서, 동양 척식 주식회사에 폭탄을 투척함으로써 의열단의 이름을 떨쳤다.

3 한인 애국단의 활동

일본의 감시와 탄압이 거세졌고, 자금과 인력은 부족해지는 등 당시 어려운 상황을 극복하기 위해 대한민국 임시 정부의 국무령이었던 김구는 한인 애국단을 조직하였다. 한인 애국단의 이봉창은 1932년 일본 도쿄에서 일왕에게 폭탄을 던졌다. 거사는 실패하였으나 일본은 물론 중국도 한국인의 독립 의지에 놀랐다. 같은 해 윤봉길은 일왕의 생일과 상하이 사변의 승리를 축하하는 기념식이 열리던 훙커우 공원에서 폭탄을 던져 일본 고위 관료와 군사 지휘관 다수를 살상하였다.

다연이 말한 물산 장려 운동은 조만식 등이 평양에서 조선 물산 장려회를 조직해 전개한 실력 양성 운동이다.

4 실력 양성 운동

1920년대 후반에는 언론사의 주도로 문맹 퇴치와 생활 개선 등의 농촌 계몽 운동이 전개되었다.

브나로드는 '민중 속으로'라는 뜻의 러시아어로, 19세기 후반 러시아의 청년 지식인들이 민중 계몽을 위해 농촌으로 들어가면서 내세웠던 구호이다. 『동아일보』가 전개한 브나로드 운동은 학생과 청년이 농촌을 찾아 글을 가르치고 미신을 타파하는 등 생활을 개선하려는 운동이었다.

5 학생 항일 운동의 전개

1926년 순종의 사망을 계기로 사회주의 단체(조선 공산당)와 천도교 청년회 등은 학생 단체와 함께 만세 시위를 계획하였으나 사전에 발각되어 지도부가 체포되었다. 그러나 조선 학생 과학 연구회를 비롯한 학생 조직은 발각되지 않아 학생들은 격문을 인쇄하고 태극기를 만드는 등 시위를 준비하였고 예정대로 시위를 전개할 수 있었다.

6 신간회의 활동

신간회는 전국에서 강연회를 열어 민중을 계몽하고 일제의 식민 통치 정책을 비판하였고, 노동·농민·청년·여성 운동 등 사회 운동을 적극적으로 지원하였다. 또한 1929년에 일어난 원산 총파업을 지원하고 함경남도 갑산군 화전민 사건의 진상을 규명하였으며, 광주 학생 항일 운동이 일어나자 현지에 조사단을 파견하고 진상 보고를 위한 민중 대회를 열고자 하였다.

① 대성 학교를 세웠다. (×)
→ 신민회의 활동 내용이다.
② 원산 총파업을 지원하였다. (○)
③ 잡지 『한글』을 발간하였다. (×)
→ 조선어 연구회가 한 일이다.
④ 조만식이 평양에서 조직하였다. (×)
→ 조선 물산 장려회에 대한 설명이다.
⑤ 북로 군정서를 비롯한 여러 독립군 부대와 힘을 합쳐 청산리 대첩을 승리로 이끌었다. (×)
→ 청산리 대첩은 1920년, 신간회 창립은 1927년에 일어났다.

7 일제의 식민 사관에 맞선 노력

일제는 한국 강점과 식민 통치를 합리화하기 위해 식민 사관을 유포하였다. 일제의 식민 사관에 맞서 우리 역사를 지키기 위한 노력이 전개되었다. 그중 박은식, 신채호 등은 민족주의 사학을 근대 역사학으로 정립하였다. 민족주의 사학은 정인보, 안재홍 등에 의해 계승·발전되었다.

① 의열단을 조직하였다. (×)
→ 김원봉에 대한 설명이다.
② 『조선책략』을 유포하였다. (×)
→ 김홍집은 일본에 수신사로 다녀오면서 가져온 황준헌의 『조선책략』을 유포하였다.
③ 브나로드 운동을 전개하였다. (×)
→ 『동아일보』의 주도로 청년 지식인들이 전개하였다.
④ 우리말 『큰사전』 편찬을 시도하였다. (×)
→ 조선어 학회에 대한 설명이다.
⑤ 신채호는 『조선 상고사』를, 박은식은 『한국통사』 등을 저술하였다. (○)

8 형평 운동

갑오개혁으로 신분 제도가 폐지된 이후에도 도축이나 고기 파는 일에 종사하는 백정에 대한 차별은 쉽게 사라지지 않았다. 백정은 호적에 따로 표시하여 구분하였으며, 백정의 자녀는 학교에 다니기도 어려웠다. 이러한 백정에 대한 차별에 대응해 1923년 진주에서 조선 형평사가 조직되어 형평 운동을 전개하였다. 그 결과 1930년대 초 호적에서 백정을 드러내는 표시가 지워졌고, 자녀의 학교 입학도 쉬워졌다.

다양한 대중 운동

청년 운동	• 전국 각지 청년회 조직, 민중 계몽 활동 • 조선 청년 총동맹 결성: 노동 운동과 농민 운동 지원
여성 운동	• 신여성이 증가하면서 가부장적인 각종 관습 비판, 성 해방 주장, 여성의 교육권과 경제권 보장 요구 • 근우회 결성: 민족주의 계열과 사회주의 계열로 나뉜 여성 단체를 통합한 단체로, 문맹 퇴치 및 계몽 활동 등을 함
소년 운동	방정환 중심의 천도교 소년회 조직, '어린이' 용어 사용, '어린이날' 제정, 잡지 『어린이』 발간

3일 기초 확인 문제 25, 27쪽

1 (1) 면화 재배 (2) 양 사육 **2** (가) 황국 신민 서사 (나) 신사
3 (1) 조선 민족 혁명당 (2) 조선 의용대 **4** 한국광복군 **5**(1) ㉢
(2) ㉡ (3) ㉠ **6** 여운형 **7** (1) 직접 (2) 간접 **8** ㄱ, ㄴ
9 좌우 합작 운동 **10** ㄴ **11** (1) 김구 (2) 반대

1 ⑤   2 ④   3 ②   4 대한민국 임시 정부   5 ③   6 (마)
7 이승만   8 ⑤

1 일제의 전시 동원 체제

일제는 전쟁에 필요한 자원을 효율적으로 조달하고자, 1938년 국가 총동원법을 선포하고 한국에도 이를 적용하였다. 일제는 전쟁에 필요한 물자 확보를 위해 각종 자원과 식량을 수탈하는 공출을 실시하였고, 지원병제를 통해 한국인을 전쟁터로 내몰았으며, 한국 여성들을 일본군 '위안부'로 강제로 끌고 가 이들의 인권을 유린하였다.

오답 피하기
⑤ 토지 조사 사업은 1910년대 무단 통치 시기의 경제 정책이다.

2 일제의 황국 신민화 정책

일제는 침략 전쟁을 확대하면서 한국인의 정신을 지배하여 전쟁에 이용하기 위해 황국 신민화 정책을 실시하고 한국인을 일왕에게 충성하는 백성으로 만들고자 하였다. 일제는 일본인과 한국인이 같은 조상에서 나왔다는 '일선 동조론'과 내지(일본)와 조선이 하나라는 '내선일체'를 내세우며 한국인의 민족의식을 말살하려고 하였다.

오답 피하기
④ 황국 신민화 정책에 따라 일제는 1941년에는 초등 교육 기관의 명칭을 '황국 신민의 학교'라는 의미의 국민학교로 바꾸었다.

3 1940년대 항일 투쟁 조직

김원봉이 이끄는 조선 민족 혁명당은 중도 좌파 단체들과 함께 조선 민족 전선 연맹을 결성하였고, 이듬해에는 산하 무장 조직으로 조선 의용대를 창설하였다. 조선 의용대는 중국 국민당의 지원을 받아 주로 일본군에 대한 심리전이나 포로 심문, 후방 공작 활동을 전개하였다. 조선 의용대의 일부는 더욱 적극적인 투쟁을 펼치고자 중국 공산당의 근거지인 화북 지방으로 이동하였다.

4 국내외의 건국 준비

조선 독립 동맹, 조선 건국 동맹, 대한민국 임시 정부의 건국 강령은 좌우 합작의 민족 통일 전선 형성이라는 당시 상황을 반영하여 작성된 것으로, 그 속에 담긴 정신은 대한민국 헌법으로 계승되었다. 대한민국 임시 정부는 삼균주의를 바탕으로 한 건국 강령을 발표하였는데, 삼균주의란 정치, 경제, 교육의 균등 제도를 확립하고, 개인과 개인, 민족과 민족, 국가와 국가 간의 호혜 평등을 실현하여 민주 국가를 건설하려는 이념이다.

자료 분석 +

1940년대 주요 민족 운동 단체를 나타낸 지도이다. 조선 독립 동맹은 1942년 조선 의용대와 한인 사회주의자가 중심이 되어 민족 통일 전선을 지향하며 결성된 단체이다. 조선 건국 동맹은 여운형이 1944년에 조직한 단체로 사회주의자와 민족주의자를 아우른 민족 연합 전선이었다. 조선 독립 동맹, 조선 건국 동맹, 대한민국 임시 정부는 일본이 연합국에게 패할 것을 예상하고 건국 강령을 제시하였다.

5 국토의 분단

미군정은 조선 인민 공화국과 대한민국 임시 정부도 인정하지 않았다. 미군정은 총독부 관료와 경찰을 유임하고, 한국 민주당 등 우익 세력을 활용하여 급격한 변화보다는 현상을 유지하는 정책을 폈다.

오답 피하기
ㄴ. 인민 위원회에 행정권을 이양한 것은 소련이다.

6 신탁 통치를 둘러싼 갈등

모스크바 3국 외상 회의 결정은 독립 국가 수립을 고대하던 한국인들의 반발을 불러일으켰고, 회의 결과에 대해 좌우 대립이 극렬해지는 계기가 되었다.

더 알아보기 + **모스크바 3국 외상 회의**

회의 개최	1945년 12월 모스크바에서 미국, 소련, 영국의 외무 장관들이 모여 한국 독립 문제를 논의함
회의 내용	한반도의 독립을 위한 조선 임시 정부의 수립, 미·소 공동 위원회의 개최, 미·소·영·중 4개국에 의한 최대 5년간의 신탁 통치 등이 결정됨
국내의 반응	• 좌익 세력: 처음에는 신탁 통치 반대 → 모스크바 3국 외상 회의 결정을 지지하는 입장으로 변경 • 우익 세력: 김구, 이승만 등 대대적인 신탁 통치 반대 운동 전개

7 정읍 발언

미·소 공동 위원회가 양쪽의 입장 차이를 좁히지 못하고 결렬되자, 미군정은 신탁 통치에 반대하는 세력보다는 중도 세력을 지원하고자 하였다. 이에 조선 공산당은 미군정에 저항하였고, 이승만은 남쪽만이라도 먼저 정부를 수립하자고 주장하였다.

8 제주 4·3 사건

1948년 4월 3일 남한 단독 선거에 반대하는 제주도 남로당 세력이 무장봉기를 일으키자, 미군정은 군경을 동원하여 강경 진압에 나섰다. 정부 수립 이후까지 지속된 진압 과정에서 수만 명의 제주도민이 희생되었다.

4^일 기초 확인 문제　33, 35쪽

1 ㄷ → ㄴ → ㄱ → ㄹ　**2** (1) 민주 (2) 이승만 (3) 제헌 국회
3 ㄷ　**4** (1) 유상 (2) 유상 (3) 줄었다　**5** 인천 상륙 작전
6 4·19 혁명　**7** ③　**8** 5·16 군사 정변　**9** (1) ㄷ (2) ㄴ
(3) ㄱ　**10** ㄷ, ㄹ　**11** (1) 전두환 (2) 철폐 (3) 계엄군

4^일 내신 기출 베스트　36~37쪽

1 ②　**2** ⑤　**3** ⑤　**4** ⑤　**5** ③　**6** ⑤　**7** ⑤　**8** ③

1 5·10 총선거

5·10 총선거는 21세 이상의 모든 국민에게 투표권이 부여된 우리나라 최초의 민주 선거였다. 제주 4·3 사건의 여파로 선거가 제대로 치러지지 않은 제주도 2개 선거구를 제외하고, 유권자의 대부분이 참가해 198명의 국회 의원을 선출하였다. 보궐 선거로 제주도의 2명을 충원하여 구성된 제헌 국회는 헌법 제정에 착수하였다.

2 새로 출범한 대한민국 정부의 과제

정부는 (가)의 문제를 해결하기 위해 농지 개혁을 실시하였고 (나)의 문제를 해결하기 위해 반민족 행위 처벌법을 제정하였다. 새로 출범한 대한민국 정부는 지주의 소작지와 농가 1가구당 3 정보를 초과하는 농지를 유상으로 매입하여 소작농들에게 유상으로 매각하는 방식으로 농지 개혁을 하였다. 또한 친일파 청산을 위해 국회는 1948년 9월에 반민족 행위 처벌법(반민법)을 제정하고, 10월에 반민족 행위 특별 조사 위원회(반민 특위)를 구성하였다.

[오답 피하기]
④ 천리마 운동은 1957년에 정신력을 강화하여 노동 생산성을 높이고자 북한이 추진한 운동이다.

3 6·25 전쟁의 전개 과정

국군과 유엔군은 인천 상륙 작전의 성공으로 전세를 역전하고 서울을 수복한 뒤 압록강까지 진출하였다. 그러나 북한을 돕기

위해 참전한 중국군의 공세에 밀려 또다시 서울을 빼앗기고 평택 인근까지 후퇴하였다(1·4 후퇴).

4 사사오입 개헌

자유당은 초대 대통령에 한하여 '3선 금지' 조항을 적용하지 않는 개헌안을 발의하였다. 국회의 표결 결과 의결 정족수에 1명이 모자라 부결이 선언되었으나, 이틀 후 국회 의장은 사사오입을 적용해 통과되었다고 선포하였다.

5 4·19 혁명의 전개

1960년 3월 15일에 열린 정·부통령 선거는 대통령 직선제로 실시되었다. 그러나 선거 과정에서 부정 선거가 행해졌고 여러 도시에서 부정 선거를 규탄하는 시위가 벌어졌다.

[더 알아보기 ➕ 4·19 혁명]

전개	3·15 부정 선거 → 마산 등 여러 도시에서 부정 선거 규탄 시위 → 마산 앞바다에서 김주열의 시신 발견 → 마산 시민과 학생들의 시위 → 시위의 전국 확산 → 서울 등 대도시에서 대규모 시위(4. 19.) → 경찰 발포로 다수의 사상자 발생, 비상계엄령 선포 → 대학 교수단의 시국 선언
결과	• 이승만 대통령 하야 • 허정 과도 정부 수립 → 헌법 개정(내각 책임제, 양원제 국회)
의의	• 학생들이 주도하고, 시민들이 참여한 민주주의 혁명 • 우리나라 민주주의 발전의 중요한 토대

6 5·16 군사 정변

국가 재건 최고 회의는 5·16 군사 정변 주도 세력을 중심으로 구성되어 1963년 새 정부가 출범할 때까지 입법·행정·사법권을 행사하였다.

[선택지 바로 보기]

① 을미개혁을 실시하였다. (×)
→ 1895년에 김홍집 내각이 을미개혁을 추진하였다.
② 한·일 회담을 반대하였다. (×)
→ 1962년부터 한·일 회담이 본격화되자 학생들과 시민들은 6·3 시위 등을 통해 한·일 회담에 반대하였다.
③ 5·10 총선거를 실시하였다. (×)
→ 유엔 한국 임시 위원단의 감시 아래 남한에서 1948년 5월 10일에 총선거가 시행되었다.
④ 위정척사 운동을 주도하였다. (×)
→ 조선 후기부터 개화를 반대하며 보수 유생들이 주도해 위정척사 운동을 전개하였다.
⑤ 국가 재건 최고 회의를 통해 군정을 실시하였다. (○)

7 유신 헌법 공포의 목적

유신 헌법으로 대통령의 임기는 4년에서 6년으로 늘어났고, 중

임 횟수에도 제한이 없어졌다. 대통령이 의장인 통일 주체 국민 회의에서 간접 선거로 대통령을 선출하게 하여 박정희의 영구 집권이 가능해졌다. 대통령은 국회를 해산할 수 있었으며, 사실상 국회 의원의 3분의 1을 임명할 수 있었다. 대통령은 긴급 조치 발동권을 통해 각종 법률의 효력을 정지하고 국민의 자유를 마음대로 제약할 수 있었다. 또한 대통령은 법원 인사에도 개입할 수 있었다. 이처럼 유신 헌법을 통해 대통령은 입법, 사법, 행정에 대한 모든 권한을 장악하고, 헌법에 보장된 국민의 기본권까지 제한할 수 있게 되었다.

더 알아보기 ➕ 유신 체제

배경	닉슨 독트린으로 냉전 체제 완화, 7·4 남북 공동 성명 발표, 경제 성장률 하락, 야당의 성장
과정	안보 위기와 평화 통일 대비를 명분으로 비상계엄 선포 → 국회 해산, 일부 헌법 조항의 효력 정지 → 유신 헌법 제정
저항 및 탄압	장준하, 백기완 등 개헌 청원 100만인 서명 운동 → 긴급 조치를 발표해 개헌 논의 금지, 인민 혁명당 재건 위원회 사건 등을 조작하여 민주화 운동 탄압 → 각계 인사들이 3·1 민주 구국 선언 발표
붕괴	YH 무역 사건 → 김영삼, 국회 의원직에서 제명 → 부·마 민주화 운동 → 박정희 피살(10·26 사태)

8 5·18 민주화 운동

5·18 민주화 운동은 계엄군의 무력 진압으로 수많은 사상자를 남겼지만 이후 전개된 민주화 운동의 밑거름이 되었고, 아시아 여러 나라의 민주화 운동에도 큰 영향을 미쳤다.

자료 분석 ➕

민주 수호 범시민 궐기 대회가 일어났던 전라남도 도청 앞 광장의 모습이다. 5·18 민주화 운동 당시 시민들은 민주 수호 범시민 궐기 대회를 열어 비상계엄 철폐와 민주 헌정 체제의 회복을 요구하였다. 전라남도 도청 앞 광장은 5·18 민주화 운동 기간 동안 시민의 의사를 결집하는 공간이었다.

5일 기초 확인 문제   41, 43쪽

1 (1) 성장 (2) 경부 고속 국도 (3) 중화학 공업 (4) 늘어났다   **2** ㄹ
3 새마을 운동   **4** ⑤   **5** (1) ㉡ (2) ㉠ (3) ㉣ (4) ㉢   **6** 지방 자치제   **7** ㄷ, ㅁ   **8** (1) 국제 통화 기금 (2) 금 모으기 운동 (3) 늘어났다   **9** ㄱ, ㄹ   **10** (1) ㉡ (2) ㉠

1 ④   **2** 전태일   **3** ⑤   **4** ①   **5** ②   **6** 외환위기
7 (가)   **8** ⑤

1 경제 개발 5개년 계획의 특징

1972년 이후 제3·4차 경제 개발 5개년 계획을 통해 중화학 공업이 성장하였다. 석유 화학, 조선, 철강, 비철 금속, 전자, 기계 산업에 대한 투자가 크게 늘어났고, 경상도 해안 지역에 대규모 산업 단지가 조성되었다.

선택지 바로 보기

① 농업을 중심으로 육성하였다. (×)
→ 중화학 공업 위주로 육성하였다.

② 남면북양 정책을 실시하였다. (×)
→ 일제 강점기 당시 실시된 일제의 경제 정책이다.

③ 경공업을 중심으로 육성하였다. (×)
→ 1960년대 제1·2차 경제 개발 5개년 계획에 대한 설명이다.

④ 중화학 공업 위주로 육성하였다. (○)

⑤ 3저 호황으로 무역 수지 흑자를 달성하였다. (×)
→ 1980년대 중반 이후 3저 호황으로 무역 수지 흑자를 달성하였다.

자료 분석 ➕

100억 달러 수출 달성을 기념하기 위한 우표이다. 제3·4차 경제 개발 5개년 계획을 통해 중화학 공업이 성장하고 수출이 크게 늘었다. 그로 인해 1977년 말에는 당초 계획보다 4년 앞서 100억 달러 수출을 달성하였다.

2 노동 운동의 성장

정부와 기업은 수출 중심의 경제 정책의 성과를 이루기 위해 노동자들의 권리를 제한하고 저임금 정책을 고수하였다. 당시 근로 기준법이 있었지만 지켜지지 않았다. 전태일은 노동청에 진정서를 보내는 등 노동 실태에 항의했지만 환경이 나아지지 않았다. 그는 결국 근로 기준법 준수를 요구하며 분신을 해 노동 현실을 개선하고자 하였다.

3 6월 민주 항쟁 과정

대통령 직선제 개헌 요구가 거세졌지만 전두환 정부는 현행 헌법에 따라 간선제로 차기 대통령을 선출한다는 4·13 호헌 조치를 발표하였다. 이에 각계각층에서 4·13 호헌 조치를 규탄하고 민주화를 요구하는 움직임이 확산되었다.

정답

4 민주주의의 진전

1992년 12월에 치러진 제14대 대통령 선거에서 민주 자유당의 김영삼이 대통령에 당선되었다. 김영삼 정부는 금융 실명제, 부동산 실명제를 단행하였고 공직자 재산 공개 실시, 지방 자치 단체장 선거 실시, 조선 총독부 건물 철거 등을 하였다. 하지만 임기 말 외환위기를 초래하였다.

더 알아보기 ➕ 김대중 정부 ~ 문재인 정부

김대중 정부	• 분단 이후 처음으로 선거를 통한 평화적인 여야 정권 교체 성사 • 국제 통화 기금의 구제 금융 조기 상환 • 대북 화해 협력 정책 추진(금강산 관광), 제1차 남북 정상 회담 개최
노무현 정부	• 권위주의 청산 추구, 과거사 정리 사업 추진 • 김대중 정부의 대북 정책을 계승, 개성 공단 가동, 제2차 남북 정상 회담 개최
이명박 정부	• 두 번째 여야 정권 교체 성사 • 기업 활동 규제 완화와 감세 정책 추진, 4대강 살리기 사업 추진
박근혜 정부	민간인에 의한 국정 농단 의혹 사건 제기 → 시민들의 촛불 집회 → 국회의 대통령 탄핵 → 헌법 재판소의 대통령 파면 결정
문재인 정부	• 세 번째 여야 정권 교체 성사 • 사회 문제의 해결, 한반도 평화 정착 등을 국정 과제로 제시

5 풀뿌리 민주주의의 성장 과정

6·25 전쟁 중이던 1952년 시·읍·면의회 의원과 도의원을 선출하는 선거가 실시되어 정부 수립 이후 최초로 지방 자치제 선거가 치러졌다. 5·16 군사 정변으로 지방 의회가 해산되었고, 박정희 정부는 헌법에 지방 자치제 선거를 명시해 놓았지만 선거 실시를 전면 유보하였다. 지방 자치제는 6월 민주 항쟁 이후 헌법에 다시 명시되었다.

오답 피하기

(나) 1965년 한·일 기본 조약 체결은 대한민국과 일본국 간의 기본 관계에 관한 조약과 여기에 부속하는 협정 및 문서로, 지방 자치제의 성장 과정의 내용으로 적절하지 않다.

6 한국 경제의 위기

1997년 많은 대기업이 부도를 맞았으며, 대기업과 거래하던 수많은 중소기업도 줄지어 파산하였고, 이 기업들에 무분별하게 돈을 빌려준 금융 기관들도 큰 손실을 입거나 도산하였다. 이 시기 동남아시아 여러 나라에서 발생한 외환위기 사태로 한국의 금융 시장은 더욱 불안해졌다. 이에 많은 외국인이 한국에 투자한 자본을 회수하자, 원화의 환율이 치솟고 외환 보유고가 바닥을 드러냈다. 결국 정부는 1997년 11월 국제 통화 기금(IMF)에 구제 금융 지원을 요청하였다.

더 알아보기 ➕ 외환위기의 극복 노력과 영향

극복 노력	• 은행과 기업의 구조 조정 → 일부 대기업, 은행 해외 매각 • 파견 근로제, 회계 기준 강화, 사외 이사 제도 도입 • 금 모으기 운동 전개
영향	• 기업의 파산이나 구조 조정 과정에서 대량 해고 사태가 벌어져 실업자가 늘어나고, 노동 유연화라는 명목으로 비정규직 노동자가 증가함 • 소득의 양극화로 인한 빈부 격차 심화

7 남북 화해와 협력을 위한 노력

평양 공동 선언은 2018년 9월에 발표된 선언이다. 2018년 4월에는 평화 번영의 시대를 열어 나가자는 합의 및 한반도 비핵화 의지를 담은 4·27 판문점 선언도 발표되었다. 7·4 남북 공동 성명에서는 자주, 평화, 민족적 대단결이라는 통일의 3대 원칙에 합의하였다.

8 일본의 영토와 역사 왜곡으로 인한 갈등

일본은 침략 전쟁과 식민 지배를 미화하고 야스쿠니 신사 참배를 강행하여 많은 비판을 받고 있다. 또한 강제 징용 피해자들의 손해 배상과 진상 규명을 거부하고, 일본군 '위안부' 동원에 대해서도 책임 회피를 하고 있다.

오답 피하기

⑤ 중국은 동북공정을 실시하여, 고조선, 부여, 고구려와 발해의 역사는 모두 중국사의 일부이고, 고구려와 발해를 중국의 소수 민족이 세운 지방 정권으로 평가하려는 시도를 하였다.

6일 누구나 100점 테스트 1회   46~47쪽

1 ②   **2** ⑤   **3** ①   **4** ③   **5** ⑤   **6** ②   **7** ④   **8** ②
9 ③   **10** ①

1 토지 조사 사업

토지 조사 사업은 일본인의 토지 소유를 쉽게 하고 지세를 안정적으로 확보하기 위해 실시되었다. 토지 조사 사업으로 미신고 토지와 소유권이 불분명한 공유지 등이 국유지로 편입되었다. 조선 총독부는 이렇게 확보한 토지를 동양 척식 주식회사를 비롯한 일본의 토지 회사나 일본인 지주에게 싼값으로 넘겼다. 토지 조사 사업 과정에서 일제가 지주의 토지 소유권만을 인정하면서 농민의 관습적인 경작권은 보호받지 못하게 되었다.

2 1920년대의 상황

일제는 1920년대에는 문화 통치를 표방하며 헌병 경찰제를 폐지하고 보통 경찰제를 실시하였고, 언론·출판·집회·결사의 자유를 일부 허용하였다. 그러나 실상은 경찰 관서와 인원, 비용 등은 훨씬 늘어났고, 검열 제도를 만들어 식민 통치에 비판적이거나 민족의식을 고취하는 기사를 삭제하였으며 심한 경우에는 신문을 정간하였다.

오답 피하기
ㄱ. 통감부는 을사늑약 체결로 설치된 통치 기구이며, ㄴ. 정미의병은 1907년에 전개된 항일 의병 운동이다.

3 산미 증식 계획
1920년부터 일본은 한국에서의 쌀 생산을 늘려 일본으로 가져가려는 산미 증식 계획을 추진하였다. 이는 일본 벼 품종 보급, 수리 시설 확충, 화학 비료 사용, 밭을 논으로 만드는 방법 등을 동원하여 한국에서의 쌀 생산을 늘려 일본으로 가져가려는 정책이었다.

4 3·1 운동의 배경
미국 대통령 윌슨이 주창한 민족 자결주의는 피지배 민족이 자신의 정치적 미래를 스스로 결정할 수 있어야 한다는 주장이다. 이후 전후 처리 문제를 논의하기 위해 개최된 파리 강화 회의에서 민족 자결주의가 패전국 점령지의 처리 원칙으로 받아들여졌다. 민족 자결주의는 3·1 운동을 비롯하여 약소민족의 독립운동에 영향을 끼쳤다.

오답 피하기
ⓒ 화성 제암리 학살 사건은 3·1 운동이 확산된 과정에서 일어난 일이다. 일제는 군인들을 제암리에 파견해 주민들을 학살하는 만행을 저질렀다.

5 무장 독립 투쟁
(가)는 김좌진의 북로 군정서를 비롯한 여러 독립군 부대가 일본군과 전투를 벌여 큰 승리를 거둔 청산리 대첩이고, (나)는 홍범도의 대한 독립군을 비롯한 여러 독립군 부대가 봉오동에서 일본군을 격파한 봉오동 전투이다.

선택지 바로 보기
① (가), (나)는 모두 일본군에 패배한 전투이다. (×)
→ 봉오동 전투와 청산리 대첩 모두 일본군에 승리하였다.
② (가)는 자유시 참변이 원인이 되어 일어났다. (×)
→ 자유시 참변은 청산리 대첩 이후에 일어난 일이다.
③ (나)는 태백산 일대에서 일어났다. (×)
→ 봉오동 전투는 만주의 훈춘 부근 봉오동 골짜기에서 일어났다.
④ (가)는 김원봉이 이끄는 의열단이 주도하였다. (×)
→ 북로 군정서의 김좌진, 대한 독립군의 홍범도 등이 연합하여 이끌었다.
⑤ (나)에서 홍범도가 이끄는 대한 독립군을 비롯한 여러 독립군 부대가 활약하였다. (○)

독립군의 국내 진공 작전이 계속되자 일본군은 두만강을 건너 독립군을 공격하였다. 그러나 여러 독립군 부대는 일본군을 훈춘 부근의 봉오동 골짜기로 유인하여 무찔렀다. 이후 일제는 대규모 병력을 동원하여 만주의 독립군을 다시 공격하였다. 독립군 부대가 일본군을 피해 백두산 부근으로 이동하자 일본군은 추격 부대를 파견하였다. 김좌진의 북로 군정서와 홍범도의 대한 독립군 등이 연합하여 추격해 온 일본군과 전투를 벌여 청산리 일대에서 승리를 거두었다.

6 김구의 활동
대한민국 임시 정부의 국무령이었던 김구는 적극적인 의열 투쟁을 통해 어려운 상황을 극복하고자 1931년 한인 애국단을 조직하였다. 한인 애국단의 이봉창은 도쿄에서 일왕에게 폭탄을 투척했고, 윤봉길은 상하이 홍커우 공원 의거를 하였다.

선택지 바로 보기
① 간도 참변을 주도하였다. (×)
→ 일본군이 독립군의 근거지를 없앤다는 명분으로 저지른 만행이다.
② 한인 애국단을 조직하였다. (○)
③ 기미 독립 선언서를 작성하였다. (×)
→ 손병희, 이승훈, 한용운 등의 민족 대표가 한 일이다.
④ 양기탁과 함께 『대한매일신보』를 간행하였다. (×)
→ 영국인 베델에 대한 설명이다.
⑤ 중국 하얼빈에서 이토 히로부미를 사살하였다. (×)
→ 안중근에 대한 설명이다.

7 물산 장려 운동
일본 기업이 한국에 본격적으로 진출하고 더욱이 일본과 한국 사이의 관세를 없애려는 움직임이 일어나자, 규모가 영세했던 한국인 자본가들은 위기의식을 느꼈다. 이에 1920년 조만식 등이 평양에서 조선 물산 장려회를 조직하고 우리가 만든 물건을 쓰자는 물산 장려 운동을 전개하였다. 물산 장려 운동은 전국적으로 퍼져 나가 각지에서 자작회, 토산 장려회 등의 단체가 생겨났다.

오답 피하기
④는 의열단, 한인 애국단 등의 의열 투쟁 단체에 대한 설명으로, 물산 장려 운동은 먼저 실력을 키워 독립을 준비하자는 실력 양성 운동에 해당한다.

제시된 광고는 1920년 회사령 폐지를 전후하여 서울에 생긴 경성 방직 주식회사의 토산품 애용 선전 광고이다. 광고에는 '우리가 만든 것은 우리가 쓰자', '조선 사람 조선 광목' 등의 문구가 적혀 있어 토산품을 애용할 것을 주장하고 있다.

8 신간회

1920년대 중반부터 민족 협동 전선을 추구하는 민족 유일당 운동이 전개되었고, 그 결과 신간회가 결성되었다. 신간회는 비타협적 민족주의자들과 사회주의자들에 의해 1927년에 창립되었고, 회장에는 이상재, 부회장에는 홍명희를 선출하였다. 신간회는 독립운동의 이념과 방법의 차이를 넘어 민족 협동 전선을 결성하였다는 점에서 커다란 의미를 지닌다.

더 알아보기 ➕ 신간회의 활동과 해소

활동	전국 순회강연을 통해 일제의 통치 정책 비판, 농민·노동 운동 등 사회 운동 지원, 원산 총파업 지원, 함경남도 갑산군 화전민 사건의 진상 규명, 광주 학생 항일 운동 조사단 파견 및 대규모 민중 대회 계획 등
해소	일제의 탄압, 새 집행부의 타협적인 합법 운동 강조, 코민테른의 노선 변화 → 사회주의 계열의 주장으로 신간회 해소 (1931)
해소 이후	• 비타협적 민족주의자: 문화·학술 활동에 주력 • 사회주의자: 혁명적 노동조합·농민 조합 설립

9 민족주의 사학

신채호, 박은식 등이 민족주의 사학을 근대 역사학으로 정립하였다. 박은식은 『한국통사』를 저술하여 일본의 침략 과정을 폭로하였으며, 『한국독립운동지혈사』를 저술하여 한국 독립운동의 역사를 정리하였다. 신채호는 『조선사 연구초』와 『조선 상고사』를 저술하여 우리 민족 고유의 문화적 전통과 자주적 역사관을 강조하였다. 민족주의 사학은 정인보, 안재홍 등에 의해 계승·발전하였다.

10 근우회

신간회가 결성되자 민족주의 계열과 사회주의 계열로 나뉘어 있었던 여성 운동 진영도 통합 단체로서 근우회를 결성하였다. 근우회는 여성 교양 강좌와 야학, 토론회를 열어 여성들을 대상으로 한 문맹 퇴치 및 계몽 활동에 힘을 쏟았다.

① 여성 운동 통합 단체이다. (○)
② 방정환을 중심으로 조직되었다. (×)
→ 천도교 소년회에 대한 설명이다.
③ 우리말 『큰사전』 편찬을 시도하였다. (×)
→ 조선어 학회에 대한 설명이다.
④ 친일 세력을 육성하기 위한 단체이다. (×)
→ 근우회는 항일 구국과 여성 지위 향상을 위하여 결성된 단체이다.
⑤ 백정에 대한 편견과 차별 철폐 운동을 전개한 단체이다. (×)
→ 조선 형평사에 대한 설명이다.

6일 누구나 100점 테스트 2회   48~49쪽

1 ⑤ **2** ⑤ **3** ⑤ **4** ⑤ **5** ④ **6** ⑤ **7** ③ **8** ③
9 ⑤ **10** ⑤

1 병참 기지화 정책

일제는 한국을 전쟁 수행에 필요한 군수 물자를 공급하는 병참 기지로 삼고자 하였다. 이 과정에서 식민지 공업화가 추진되었고, 남면북양 정책 등을 실시하였다. 식민지 공업화를 추진하면서 일본의 독점 자본들은 한국에 대거 진출해 지하자원이 풍부한 북부 지방에 발전소를 건설하고 금속·기계·화학 공업 등에 자본을 투자하였다. 이 때문에 한국은 광복 이후에도 산업 간 불균형, 지역 간 불균형 그리고 관권 주도의 공업화 과정의 문제점을 극복해야 했다.

더 알아보기 ➕ 남면북양 정책

목적	서구 열강의 보호 무역으로부터 일본 방직 자본가를 보호하고, 공업 원료를 확보하고자 함
내용	남부에서 면화 재배, 북부에서 양 사육 강요
결과	한국 농촌 경제 피폐

2 황국 신민화 정책

일제는 황국 신민을 양성한다는 목표 아래 한국인에게 황국 신민 서사를 강제로 외우게 하였다. 또한 전국 각지에 신사를 세우고, 매월 1일을 애국일로 정해 신사 참배를 의무화하였으며, 매일 아침 일왕이 있는 일본 도쿄의 궁성을 향해 허리 숙여 절을 하는 궁성 요배를 하게 하였다. 또한 일제는 한국인의 민족의식을 말살하기 위해 한국인의 성과 이름을 일본식으로 바꾸도록 강요하고, 이에 불응한 사람을 차별하였다.

오답 피하기

ㄱ은 1905년의 일이며, ㄴ은 1910년대 무단 통치 시기에 실시된 일제의 경제 정책이다. 황국 신민화 정책은 1930~40년대에 실시되었다.

3 조선 민족 혁명당

일제의 만주 점령으로 무장 투쟁이 어려워지자, 대부분의 독립군은 중국 관내로 이동하였다. 중국 관내에서는 항일 전선을 하나로 통합하려는 시도가 이어져 김원봉의 의열단이 중심이 되고 조소앙, 지청천 등이 참여하여 조선 민족 혁명당이 결성되었다. 조선 민족 혁명당은 민족주의와 사회주의 계열의 여러 단체가 협력하여 결성한 중국 관내 최대 규모의 통일 전선 정당이었다.

선택지 바로 보기

① 제주도에서 결성되었다. (×)
→ 중국 난징에서 결성되었다.

② 대성 학교를 건설하였다. (×)
→ 신민회에 대한 설명이다.

③ 만민 공동회를 개최하였다. (×)
→ 독립 협회에 대한 설명이다.

④ 물산 장려 운동을 주도하였다. (×)
→ 조선 물산 장려회에 대한 설명이다.

⑤ 중국 관내 최대 규모의 통일 전선 정당이었다. (○)

4 조선 건국 준비 위원회

광복 직후 여운형은 조선 건국 동맹을 바탕으로 안재홍과 함께 독립 국가 건설을 위한 준비 기관인 조선 건국 준비 위원회를 결성하였다. 이들은 미·소 양군이 일시적으로 한반도에 진주하더라도 한국인들이 자주적으로 독립 국가를 건설할 수 있도록 지원해 줄 것이라고 판단하였다. 또한 대한민국 임시 정부를 비롯한 국내외의 모든 정치 세력을 규합하여 새로운 국가를 건설하고자 하였다.

더 알아보기 ➕ **조선 건국 준비 위원회(건준)**

조직	조선 건국 동맹을 바탕으로 여운형, 안재홍 등이 좌우를 망라하여 조직
활동	• 전국 각지에 지부를 설치하여 치안 유지와 행정 업무를 담당 • 미군의 한반도 진주를 앞두고 중앙 조직을 정부 형태로, 각 지부를 인민 위원회로 개편 → 조선 인민 공화국 수립 선포 • 일부 민족주의 세력이 사회주의 세력의 일방적 주도에 반발·이탈

5 모스크바 3국 외상 회의

1945년 12월 모스크바에서 미국, 소련, 영국의 외무 장관들이 모여 논의한 모스크바 3국 외상 회의에서 최장 5년간의 신탁 통치를 거쳐 한국을 독립시킨다는 내용이 결정되었다. 좌익 세력도 처음에는 우익 세력과 뜻을 같이하여 신탁 통치에 반대하였으나, 얼마 뒤 모스크바 3국 외상 회의의 결정이 한국의 민주적 개혁과 조선 임시 정부 수립, 5년 이내의 독립을 보장하고 있다며 지지 입장으로 돌아섰다.

6 제헌 국회

제헌(制憲)은 '헌법을 제정하다.'라는 뜻이다. 우리나라 초대 국회는 헌법을 만드는 임무를 갖고 구성되었기 때문에 제헌 국회라고 불린다.

선택지 바로 보기

① 5·10 총선거를 실시하였어요. (×)
→ 제헌 국회는 5·10 총선거를 통해 선출되었다.

② 천리마 운동을 추진하였어요. (×)
→ 북한 정부가 추진한 운동이다.

③ 미·소 공동 위원회를 개최하였어요. (×)
→ 모스크바 3국 외상 회의의 결정에 따라 개최되었다.

④ 북조선 인민 위원회를 구성하였어요. (×)
→ 북한 전역의 선거를 통해 구성되었다.

⑤ 제헌 헌법에 따라 대통령 이승만, 부통령 이시영을 선출하였어요. (○)

자료 분석 ➕

제주 4·3 사건으로 제주도 2개 선거구에서는 선거가 실시되지 못하였다. 이후 보궐 선거로 제주도의 2명이 충원되어 제헌 국회는 총 200명의 의원으로 구성되었다.

7 6·25 전쟁

제시된 검색어는 1950년 6월 25일에 발발한 6·25 전쟁과 관련 있다. 1950년 6월 25일 북한은 38도선을 넘어 전면적인 남침을 감행하였다. 3일 만에 서울을 점령한 북한군은 7월 말 낙동강까지 진출하였다. 유엔은 북한의 남침을 침략 행위로 규정하고 유엔군을 결성하였다. 유엔군과 국군은 낙동강 방어선 일대에서 북한군의 공격을 막아내고, 인천 상륙 작전을 통해 전세를 역전해 서울을 탈환하였다.

오답 피하기

③ 6·25 전쟁은 한반도 전역에서 전개되었다.

8 박정희 정부

(가)는 박정희이다. 5·16 군사 정변으로 정권을 잡은 박정희를 비롯한 일부 군인 세력은 국시로 내건 '혁명 공약'을 발표하고 계엄을 선포하였다. 군사 정변 세력은 국가 재건 최고 회의를 통해 군정을 실시하였고, 민주 공화당을 창당하였다. 또한 독단적으로 대통령 중심제와 직선제, 단원제 국회를 골자로 한 헌법 개정을 하였다. 1963년 개정된 헌법에 따라 치러진 대선에서 박정희가 대통령에 당선되었다.

③ 4·13 호헌 조치는 전두환이 현행 헌법에 따라 간선제로 차기 대통령을 선출한다는 내용을 담아 발표하였다.

9 6월 민주 항쟁

민주 헌법 쟁취 국민운동 본부, 이한열의 최루탄 피격, 호헌 철폐, 독재 타도, 6·29 민주화 선언 등의 내용을 통해 제시된 사건이 6월 민주 항쟁에 대한 것임을 알 수 있다. 각계각층이 참여한 6월 민주 항쟁은 오랜 독재 정치를 끝내고 우리 사회의 민주화가 진전되는 토대가 되었다.

③ 마산 앞바다에서 김주열의 시신이 발견된 사건은 4·19 혁명과 관련 있다.

10 제1차 경제 개발 5개년 계획

박정희 정부는 1962년부터 제1차 경제 개발 5개년 계획을 추진하였다. 이 시기의 경제 정책은 자립 경제를 달성하는 것이었으나 개발에 필요한 자금을 마련하는 데 어려움을 겪었다. 박정희 정부는 외국에서 원료와 자본을 들여와 국내의 값싼 노동력을 활용하여 가공·수출하는 경제 정책인 수출 중심의 경제 정책으로 수정하여 추진하였다.

6일 서술형·사고력 테스트 / 창의·융합·코딩 테스트 50~53쪽

1 토지 조사 사업의 실시 내용과 목적

(1) 토지 조사 사업
(2) ✎ 모범 답안 실제로는 일본인의 토지 소유를 쉽게 하고 지세를 안정적으로 확보하기 위한 것이었다.
핵심 단어 일본인, 토지 소유, 지세, 안정적 확보

채점 기준	구분
핵심 단어를 모두 사용하여 토지 조사 사업의 목적을 바르게 서술한 경우	상
핵심 단어 중 두 가지만 사용하여 토지 조사 사업의 목적을 바르게 서술한 경우	중
핵심 단어 중 한 가지만 사용하여 토지 조사 사업의 목적을 바르게 서술한 경우	하

2 대한민국 임시 정부의 활동

✎ 모범 답안 연통제라는 비밀 행정 조직을 만들어 독립운동 자금과 국내 정보를 모았다, 통신 기관인 교통국을 만들어 국내 인사와의 연락과 이동, 독립운동 자금 모집 등을 하였다.

핵심 단어 연통제 조직, 교통국 조직, 구미 위원부, 독립 청원서, 독립 공채, 의연금, 군무부 설치, 『독립신문』, 『한일 관계 사료집』

채점 기준	구분
핵심 단어를 사용하여 대한민국 임시 정부의 활동 두 가지를 바르게 서술한 경우	상
핵심 단어를 사용하여 대한민국 임시 정부의 활동 한 가지를 바르게 서술한 경우	중
독립운동 자금을 모았다, 국내 정보를 모았다, 외교 활동을 활발히 전개하였다 등의 내용만 서술한 경우	하

3 한인 애국단의 활동

(1) 김구
(2) ✎ 모범 답안 이봉창은 일본 도쿄에서 일왕에게 폭탄을 던졌다, 윤봉길은 일왕의 생일과 상하이 사변의 승리를 축하하는 기념식이 열리던 훙커우 공원에서 폭탄을 던져 일본 고위 관료와 군사 지휘관 다수를 살상하였다.

핵심 단어 이봉창, 도쿄, 일왕, 윤봉길, 훙커우 공원, 폭탄

채점 기준	구분
핵심 단어를 사용하여 한인 애국단의 활동 사례 두 가지를 바르게 서술한 경우	상
핵심 단어를 사용하여 한인 애국단의 활동 사례 한 가지를 바르게 서술한 경우	중
윤봉길과 이봉창이 암살을 위해 폭탄을 던졌다 등의 내용만 서술한 경우	하

4 신간회의 활동

✎ 모범 답안 전국 순회강연을 통해 일제의 통치 정책을 비판하였다, 농민·노동 운동 등 사회 운동을 지원하였다, 원산 총파업을 지원하였다, 광주 학생 항일 운동 진상 조사단을 현지에 파견하였다.

핵심 단어 전국 순회강연, 사회 운동 지원, 원산 총파업, 광주 학생 항일 운동 진상 조사단

채점 기준	구분
핵심 단어를 사용하여 신간회의 주요 활동 두 가지를 바르게 서술한 경우	상
핵심 단어를 사용하여 신간회의 주요 활동 한 가지를 바르게 서술한 경우	중
일제의 식민 통치를 비판하였다, 민족 협동 전선을 결성해 독립운동을 하였다 등의 내용만 서술한 경우	하

5 황국 신민화 정책

(1) 황국 신민 서사
(2) ✎ 모범 답안 한국인의 민족의식을 말살하여 전쟁에 효율적으로 동원하기 위해서이다.
핵심 단어 한국인, 민족의식, 전쟁, 동원

채점 기준	구분
핵심 단어를 모두 사용하여 황국 신민화 정책의 실시 목적을 바르게 서술한 경우	상
핵심 단어 중 두 가지만 사용하여 황국 신민화 정책의 실시 목적을 바르게 서술한 경우	중
핵심 단어 중 한 가지만 사용하여 황국 신민화 정책의 실시 목적을 바르게 서술한 경우	하

6 모스크바 3국 외상 회의 결과

✍ 모범 답안 미·소·영·중 4개국에 의한 최장 5년간의 한국 신탁 통치를 거쳐 한국을 독립시킨다는 결정이다.

핵심 단어 4개국, 5년, 신탁 통치, 독립

채점 기준	구분
핵심 단어를 모두 사용하여 모스크바 3국 외상 회의 결과를 바르게 서술한 경우	상
핵심 단어 중 두 가지만 사용하여 모스크바 3국 외상 회의 결과를 바르게 서술한 경우	중
핵심 단어 중 한 가지만 사용하여 모스크바 3국 외상 회의 결과를 바르게 서술한 경우	하

7 농지 개혁

(1) 농지 개혁

(2) ✍ 모범 답안 1가구당 토지 소유를 제한하고, 초과하는 토지를 유상으로 매입하여 소작농들에게 유상으로 분배하는 방식으로 진행되었다.

핵심 단어 1가구당 토지 소유 제한, 유상 매입, 유상 분배

채점 기준	구분
핵심 단어를 모두 사용하여 농지 개혁이 진행된 방식을 바르게 서술한 경우	상
핵심 단어 중 두 가지만 사용하여 농지 개혁이 진행된 방식을 바르게 서술한 경우	중
핵심 단어 중 한 가지만 사용하여 농지 개혁이 진행된 방식을 바르게 서술한 경우	하

8 7·4 남북 공동 성명의 역사적 의의

✍ 모범 답안 7·4 남북 공동 성명은 남북의 분단 이후 최초로 양측이 합의한 통일 원칙이다.

핵심 단어 7·4 남북 공동 성명, 최초, 합의, 통일 원칙

채점 기준	구분
핵심 단어를 모두 사용하여 7·4 남북 공동 성명의 역사적 의의를 바르게 서술한 경우	상
핵심 단어 중 두 가지만 사용하여 7·4 남북 공동 성명의 역사적 의의를 바르게 서술한 경우	중
핵심 단어 중 한 가지만 사용하여 7·4 남북 공동 성명의 역사적 의의를 바르게 서술한 경우	하

9 1910~20년대 일제의 통치 체제와 경제 정책

✍ 답안 ㉠ 회사령 ㉡ 토지 조사 사업 ㉢ 산미 증식 계획 ㉣ 보통 경찰제

10 3·1 운동의 영향

✍ 모범 답안 3·1 운동의 영향으로 일제는 무단 통치에서 이른바 문화 통치로 통치 방식을 전환하였다, 대한민국 임시 정부가 수립되었다.

핵심 단어 문화 통치, 대한민국 임시 정부

채점 기준	구분
핵심 단어를 사용하여 3·1 운동의 영향 두 가지를 바르게 서술한 경우	상
핵심 단어를 사용하여 3·1 운동의 영향 한 가지를 바르게 서술한 경우	중
통치 방식을 전환하였다, 독립운동을 더욱 조직적으로 전개해야 할 필요성을 알게 되었다 등의 내용만 서술한 경우	하

11 항일 의지와 광복에 대한 염원을 나타낸 시

✍ 답안 광복

12 6·25 전쟁으로 인한 피해

✍ 모범 답안 수많은 전쟁고아와 이산가족이 생겨났다, 수많은 주택, 건물, 도로, 교량 등이 파괴되었다.

핵심 단어 전쟁고아, 이산가족, 주택, 건물, 도로, 교량 등의 파괴

채점 기준	구분
핵심 단어를 사용하여 6·25 전쟁의 피해 두 가지를 바르게 서술한 경우	상
핵심 단어를 사용하여 6·25 전쟁의 피해 한 가지를 바르게 서술한 경우	중
인적·물적 피해를 입었다 등의 내용만 서술한 경우	하

13 6월 민주 항쟁의 결과

(1) 6월 민주 항쟁

(2) ✍ 모범 답안 대통령 직선제 개헌, 국민 기본권 보장, 지방 자치 등의 내용이 담겨 있다.

핵심 단어 대통령 직선제, 국민 기본권, 지방 자치제, 언론의 자유

채점 기준	구분
핵심 단어를 사용하여 6·29 민주화 선언에 담겨 있는 내용 두 가지를 바르게 서술한 경우	상
핵심 단어를 사용하여 6·29 민주화 선언에 담겨 있는 내용 한 가지를 바르게 서술한 경우	중
시민들의 요구 사항을 받아들여 개헌을 하겠다는 내용이 담겨 있다 등의 내용만 서술한 경우	하

정답

14~15 낱말 퍼즐

					❶유	신		
❷봉	오	동	**❸**전	투			**❹**독	
			태				립	
❺의			일				의	
용		**❼**신			**❽**주		군	
❻대	한	민	국	임	시	정	부	
		회			경			

7 일 학교시험 기본 테스트 1회   54~57쪽

1 ③	2 ④	3 ③	4 ④	5 ②	6 ④	7 ②	8 ⑤
9 ①	10 ⑤	11 ④	12 ③	13 ④	14 ②	15 ④
16 ②	17 ②	18 ①	19 ⑤	20 ②		

1 회사령 공포

제시된 자료는 1910년에 발표된 회사령이다. 회사령에 따라 회사를 세우려면 총독의 허가를 받아야 했고, 허가 조건을 어길 때는 총독이 회사를 폐쇄할 수도 있었다. 일제는 회사령을 통해 한국인의 기업 설립을 억제하고 일본 기업의 한국 진출을 선별적으로 지원하고자 하였다.

선택지 바로 보기

① 한국인의 정신을 말살하려고 하였다. (×)
→ 일제의 민족 말살 통치에 대한 설명이다.
② 한국을 병참 기지로 만들려고 하였다. (×)
→ 일제의 병참 기지화 정책에 대한 설명이다.
③ 한국인의 기업 설립을 억제하려고 하였다. (○)
④ 한국인에게 언론의 자유를 주려고 하였다. (×)
→ 한국 기업 설립 억제와 일본 기업의 한국 진출 선별을 지원하고자 회사령을 실시하였다.
⑤ 일본 내의 쌀 부족 문제를 해결하려고 하였다. (×)
→ 산미 증식 계획에 대한 설명이다.

2 문화 통치

1920년대 일제는 우리 민족의 문화와 관습을 존중하겠다고 선전하며 문화 통치를 표방하였다. 그러나 실상은 오히려 경찰 관서와 인원, 비용 등이 훨씬 늘어났고, 치안 유지법을 이용하여 민족 운동에 대한 감시와 탄압을 더욱 강화하였다. 일제가 표방한 문화 통치는 가혹한 식민 통치를 은폐함으로써 민족의 저항을 무마하고, 동시에 친일 세력을 적극 양성하려는 민족 분열 정책이었다.

자료 분석 ➕

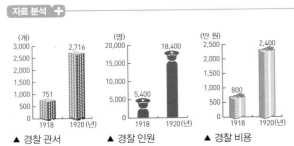

▲ 경찰 관서   ▲ 경찰 인원   ▲ 경찰 비용

1920년 일제는 헌병 경찰제를 보통 경찰제로 바꾸었다. 그러나 경찰 관서와 인원, 비용 등을 헌병 경찰제 시행 때보다 3배 이상 늘리면서 탄압과 감시를 강화하였다.

3 산미 증식 계획

제1차 세계 대전 이후 일본에서는 산업화가 급속히 진행되고 도시 인구가 늘어나면서 쌀 생산량이 수요를 따르지 못하는 현상이 나타났다. 이로 인해 문제가 발생하자 일제는 일본 내의 식량 확보를 위해서 1920년부터 한국에서 산미 증식 계획을 추진하였다.

자료 분석 ➕

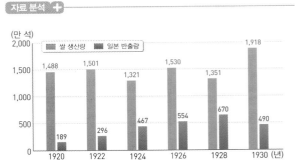

1920년대 쌀 생산량과 일본으로의 쌀 반출량을 나타낸 그래프이다. 산미 증식 계획 기간 동안 쌀 증산량에 비해 일본으로의 반출량이 계속 증가하였음을 알 수 있다.

4 신흥 강습소

신흥 강습소는 신민회의 이회영, 이상룡 등이 일제의 탄압을 피해 남만주(서간도)의 삼원보에 세운 독립군 양성 기관이다. 신흥 강습소는 이후 신흥 무관 학교로 개편되었다. 이 학교의 졸업생들은 청산리 대첩에 참여하는 등 주도적으로 무장 투쟁을 전개하였다.

오답 피하기

④는 1923년에 조직된 조선 민립 대학 기성회에 대한 설명이다.

남만주 (서간도)	• 신민회 회원 중심(이회영, 이상룡 등) • 삼원보에 자치 기구인 경학사(→ 부민단), 신흥 강습소(→ 신흥 무관 학교) 설립
동만주 (북간도)	• 김약연, 이상설 등이 자치 단체인 간민회 조직 • 서전서숙과 명동 학교 설립 • 대종교도 중광단과 사관 양성소 설립
연해주	블라디보스토크의 신한촌에 권업회(→ 전로 한족회) 조직
미주	대한인 국민회

5 대한민국 임시 정부의 활동

대한민국 임시 정부는 비밀 행정 조직인 연통제와 교통 기관인 교통국을 만들어 독립운동 자금과 국내 정보를 모았다. 임시 정부는 이러한 활동을 수행하기 위해 이륭 양행과 백산 상회 등의 도움을 받았다.

6 의열 투쟁

김원봉은 1919년에 의열단을 조직하였고, 김구는 1931년에 한인 애국단을 조직하였다. 이들은 식민 통치 기관 파괴, 침략 원흉을 응징하는 의열 투쟁을 하였다. 한편, 김구는 1940년부터 대한민국 임시 정부의 주석으로 활동하며 독립운동을 이끌었다.

7 실력 양성 운동

실력 양성 운동은 민족 자본의 육성과 근대 교육의 보급, 신문화의 건설 등을 통해 한국 사회의 근대적 발전과 민족 독립을 꾀했지만 일본이 허용하는 범위 안에서만 전개되었다.

8 6·10 만세 운동

6·10 만세 운동은 학생들이 항일 민족 운동의 주체로서 더욱 적극적인 역할을 하는 계기가 되었다. 또한 6·10 만세 운동의 준비 과정에서 사회주의 계열과 민족주의 계열이 연대한 경험을 바탕으로 민족 협동 전선을 결성할 수 있는 공감대가 형성되었다.

9 신간회

신간회는 1929년 일본인 감독이 한국인 노동자를 구타한 사건을 계기로 일어난 원산 총파업을 지원하는 등 노동·농민·청년·여성 운동 등의 사회 운동을 적극적으로 지원하였다. 또한 신간회는 광주 학생 항일 운동이 일어나자 현지에 조사단을 파견하였다.

10 식민 사관에 맞서 우리 역사를 지키기 위한 노력

일제는 한국 강점과 식민 통치를 합리화하기 위해 우리 역사를 왜곡하였다. 조선 총독부가 설치한 조선사 편수회는 타율성론, 정체성론, 당파성론에 뿌리를 둔 식민 사관을 바탕으로 한국 역사를

정리한 『조선사』를 편찬하였다. 식민 사관에 맞서 박은식, 신채호 등은 한국사의 발전 주체가 우리 민족임을 강조하는 민족주의 사학을 정립하였으며, 백남운은 사회 경제 사학을 내세워 일제가 내세운 식민 사관의 정체성론을 극복하는 이론적 근거를 제공하였다.

선택지 바로 보기

① 청산리 대첩에서 활약하였다. (×)
→ 김좌진, 홍범도 등에 대한 설명이다.

② 한글 연구를 위해 노력하였다. (×)
→ 주시경, 이극로, 최현배 등에 대한 설명이다.

③ 항일 의지를 담은 시와 소설을 발표하였다. (×)
→ 심훈, 이상화, 한용운 등에 대한 설명이다.

④ 일제의 식민 통치를 합리화하기 위해 노력하였다. (×)
→ 식민 사관에 대한 설명이다. 박은식, 신채호, 백남운은 식민 사관에 맞서 우리 역사를 지키기 위해 노력하였다.

⑤ 일제의 식민 사관에 맞서 우리 역사를 지키려고 노력하였다. (○)

11 병참 기지화 정책

1931년 만주 사변을 일으킨 일제는 식민지 공업화 정책, 남면북양 정책을 추진하였고, 한국을 병참 기지로 만들려고 하였다.

오답 피하기

ㄱ. 회사령 폐지는 1920년대 일제의 경제 정책이고, ㄷ. 토지 조사 사업은 1910년대 일제의 경제 정책이다.

12 민족 말살 통치

일제는 한국인의 민족의식을 말살하기 위해 한국어를 사용하지 못하게 하였다. 또한 『동아일보』와 『조선일보』를 폐간하였고 조선어 학회를 해산시켰다.

13 여운형의 활동

(가)는 조선 건국 준비 위원회, (나)는 좌우 합작 운동을 위해 조직한 좌우 합작 위원회이다. 조선 건국 준비 위원회는 광복 직후 결성해 전국 각지에 지부를 설치하고 치안 유지와 행정 업무 등을 담당하였다. 좌우 합작 운동은 민족적 단결을 도모하고 남북을 통합한 임시 정부를 수립함으로써 분단을 막고자 전개하였다.

14 정부 수립 과정

모스크바 3국 외상 회의의 결정에 따라 제1차 미·소 공동 위원회가 개최되었다. 미·소 공동 위원회가 결렬되자 좌우를 아우른 통일 정부를 수립하고 미·소 공동 위원회 재개를 위해 좌우 합작 운동이 전개되었다. 제2차 미·소 공동 위원회가 열렸지만 결렬되었고, 미국은 한반도 문제를 유엔에 이관하였다. 유엔 총회에서는 유엔 감시하에 남북한 총선거를 실시할 것을 결정하였다.

15 5·10 총선거

(가)는 5·10 총선거로 1948년 5월 10일 유엔 한국 임시 위원단의 감시 아래 남한에서만 시행되었다. 5·10 총선거는 직접·평등·비밀·보통의 선거 원칙에 따라 실시되었고, 선거를 통해 제헌 국회가 구성되었다.

① 여성은 참여할 수 없었다. (×)
→ 5·10 총선거는 여성도 참여할 수 있었다.

② 4·19 혁명의 원인이 되었다. (×)
→ 3·15 부정 선거에 대한 설명이다.

③ 남북한이 동시에 실시하였다. (×)
→ 소련의 거부로 선거가 가능한 남한에서만 실시되었다.

④ (가)를 통해 제헌 국회가 구성되었다. (○)

⑤ 15세 이상의 모든 국민에게 투표권이 부여되었다. (×)
→ 5·10 총선거는 21세 이상의 모든 국민에게 투표권이 부여되었다.

16 6·25 전쟁의 전개 과정

국군과 유엔군은 북한을 돕기 위해 참전한 중국군의 공세에 밀려 또다시 서울을 빼앗기고 평택 인근까지 후퇴하였다(1·4 후퇴). 이후 38도선 부근에서 전선이 교착되자 소련의 제안에 따라 정전 협상이 시작되었다. 1951년 7월 시작된 정전 협상은 2년이나 이어졌고, 1953년 7월에 정전 협정이 체결되었다.

17 유신 헌법

제시된 헌법은 유신 헌법이다. 유신 헌법으로 대통령의 권한은 막강해졌다. 유신 헌법을 통해 대통령은 입법, 사법, 행정에 대한 모든 권한을 장악하고, 헌법에 보장된 국민의 기본권까지 제한할 수 있었다.

18 5·18 민주화 운동

5·18 민주화 운동 당시 시민군은 민주 수호 범시민 궐기 대회를 열어 비상계엄 철폐와 민주 헌정 체제의 회복을 요구하였다. 시민군과의 협상을 거부한 계엄군은 5월 27일 새벽, 탱크를 앞세워 전라남도 도청으로 진격하였고 시민군을 무자비하게 진압하였다. 이로 인해 5·18 민주화 운동은 수많은 사상자가 발생하였다.

③은 6·3 시위, ④, ⑤는 4·19 혁명 당시의 주장이다.

19 새마을 운동

산업화로 도시와 농촌 간의 소득 격차가 더욱 벌어지고 농촌의 인구도 감소하자, 박정희 정부는 농가의 소득 증대와 농촌의 환경 개선에 역점을 둔 새마을 운동을 추진하였다.

20 6·29 민주화 선언

(가)는 6·29 민주화 선언으로, 대통령 직선제 개헌, 국민 기본권 보장, 언론의 자유 보장, 지방 자치 실시 등의 내용이 담겨 있다. 6월 민주 항쟁의 결과 여당의 대통령 후보였던 노태우는 6·29 민주화 선언을 발표하였고, 이후 5년 단임의 대통령 직선제를 골자로 하는 개헌이 이루어졌다.

7일 학교시험 기본 테스트 2회   58~61쪽

1 ⑤   2 ④   3 ④   4 ②   5 ①   6 ⑤   7 ②   8 ⑤
9 ④   10 ②   11 ④   12 ④   13 ⑤   14 ②   15 ④
16 ②   17 ②   18 ③   19 ③   20 ⑤

1 일제의 무단 통치

1910년부터 1918년까지 실시한 토지 조사 사업으로 일제가 지주의 토지 소유권만을 인정하면서 우리 농민의 관습적인 경작권은 보호받지 못하였다.

2 일제가 표방한 문화 통치

3·1 운동을 통해 한국인의 저항 의지를 목격한 일제는 더 이상 무단 통치라는 방식으로 한국을 지배할 수 없다고 생각하였다. 이에 일제는 교묘하게 한국인을 분열시켜 식민 지배를 손쉽게 하고자 이른바 문화 통치를 실시하였다. 문화 통치를 표방하며 일제는 문관도 총독에 임명될 수 있도록 규정을 바꾸었으나 실제적으로 식민 통치가 끝날 때까지 문관 총독은 단 한 명도 임명되지 않았다.

3 회사령 폐지

회사 설립을 신고제로 바꾸고 회사 설립이 한층 쉬워지자, 일본의 기업들은 한국의 값싼 자원과 노동력을 이용하기 위해 한국에 진출하였다. 회사령 폐지 이후 한국인의 회사 설립도 늘어났지만, 전체에서 차지하는 자본금의 비중은 미미하였다. 또한 1923년 일제가 일부 일본 상품에 대한 관세마저 폐지하면서 값싼 일본 상품이 밀려들어 오게 되자, 한국인 회사들의 사정은 더욱 어려워졌다.

4 1910년대 국내 비밀 결사 단체

(가)는 독립 의군부, (나)는 대한 광복회이다. 독립 의군부는 고종을 황제로 복위시켜야 한다는 복벽주의를 내세웠다. 대한 광복회는 만주에 사관 학교를 설립해 독립군을 양성하려 하였으며 이를 위해 부호들로부터 의연금을 거두어들였다.

5 3·1 운동

3·1 운동은 미국 대통령 윌슨의 민족 자결주의에 영향을 받았다. 1919년 3월 1일 민족 대표 33인은 태화관에서 독립 선언서를 발표하였고, 모든 계층이 참여하여 독립 만세를 외치며 시위를 전개하였다.

6 3부의 성립

3부는 군사 기구인 동시에 이주민 사회를 돌보는 행정 기구의 성격을 띠었다. 3부는 교육 확충과 경제 진흥을 통해 한인 사회를 안정시키고자 하였고, 항일 무장 투쟁을 위해 독립군을 양성하였다. 또한 공화주의와 삼권 분립에 입각한 자치 정부를 지향하였다.

> **더 알아보기 ➕ 3부 통합 운동**
>
> | 목적 | 1925년 일제가 독립군 탄압을 위해 만주 군벌과 미쓰야 협정을 맺으면서 3부의 활동이 크게 위축되자 이러한 상황을 타개하고자 전개됨 |
> |---|---|
> | 내용 | • 조직과 방법론을 둘러싸고 이견이 발생해 통합이 결렬되어 남만주에는 국민부, 북만주에는 혁신 의회를 거쳐 한족 총연합회가 들어섬
• 국민부는 조선 혁명당 및 조선 혁명군, 한족 총연합회는 한국 독립당 및 한국 독립군을 각각 결성하여 활동함 |

7 민립 대학 설립 운동

대화와 관련 있는 민족 운동은 한국인의 힘으로 고등 교육을 담당할 대학을 설립하자는 민립 대학 설립 운동이다. 이상재, 이승훈 등이 설립한 조선 민립 대학 기성회는 '한민족 1천만이 한 사람이 1원씩'이라는 구호를 내걸고 전국적인 모금 운동을 벌였다. 국내뿐 아니라 만주나 하와이에 거주하는 한인들도 운동에 호응하자, 조선 총독부는 민립 대학 설립 운동 참가자를 감시하는 등 방해 공작을 폈다. 1920년대 중반 들어서는 가뭄과 홍수가 계속되면서 모금이 저조해진 탓에 운동은 결국 중단되었다.

8 광주 학생 항일 운동

제시된 일기는 광주 학생 항일 운동에 대한 내용이다. 광주 학생 항일 운동은 3·1 운동 이후 학생들의 주도로 이루어진 최대 규모의 항일 민족 운동이었다는 역사적 의의가 있다.

> **더 알아보기 ➕ 광주 학생 항일 운동**
>
> | 배경 | 학생 운동이 더욱 조직화되어 독서회를 비롯한 크고 작은 비밀 결사가 만들어짐 |
> |---|---|
> | 전개 | 나주역에서 일본인 남학생의 한국인 여학생 희롱 사건 발생 → 한·일 학생의 충돌 → 일본 경찰의 편파적 사건 처리 → 광주 지역 학생들이 민족 차별 중지와 식민지 교육 철폐를 내걸고 대규모 시위 전개 → 전국으로 확산 → 시민과 노동자가 시위에 가세 → 만주와 일본으로까지 시위 확산 |

9 조선어 학회

조선어 학회는 한글 맞춤법 통일안과 표준어 및 외래어 표기법 통일안을 제정하여 한글 표준화에 이바지하였다. 또한 우리말 사전 편찬을 시작하는 등 활발한 활동을 전개하였다. 일제는 한글 연구로 민족의식이 고취되는 것을 막기 위해 1942년 조선어 학회를 독립운동 단체로 간주하여 회원들을 대거 체포하고 조선어 학회를 강제로 해산하였다(조선어 학회 사건).

10 원산 총파업

제시된 기사는 원산 총파업에 대한 내용이다. 원산 총파업은 4달 만에 실패로 끝났지만, 2,000명이 넘는 노동자들이 참가한 식민지 시기 최대 규모의 노동 운동이었다.

11 식민지 공업화 정책

일제는 중·일 전쟁 이후 침략 전쟁을 확대하면서 한국을 병참 기지로 만들려고 하였다. 병참 기지화 정책으로 한국은 소비재 산업이 위축되고 군수 산업 중심의 중화학 공업으로 공업 구조가 바뀌어 갔는데, 중화학 공업 시설은 북부 지방에 편중되었다.

> **선택지 바로 보기**
>
> ① 산미 증식 계획을 추진하였다. (×)
> → 1920년대 일제의 경제 정책이다.
> ② 토지 조사 사업을 실시하였다. (×)
> → 1910년대 일제의 경제 정책이다.
> ③ 한반도를 농업·원료 지대로 설정하였다. (×)
> → 식민지 공업화를 추진하여 만주를 농업과 원료의 공급 지대로 삼았다.
> ④ 북부 지방에 중화학 공업을 적극적으로 육성하였다. (○)
> ⑤ 회사령을 폐지하여 회사 설립을 신고제로 바꾸었다. (×)
> → 1920년대 일제의 경제 정책이다.

> **자료 분석 ➕**
>
>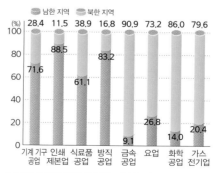
>
> 남북한 지역의 공업 생산액 비율을 나타낸 그래프를 통해 북부 지방에 금속 공업, 요업, 화학 공업, 가스 전기업 등이 집중되어 있음을 알 수 있다. 일제는 한반도에서 전쟁에 필요한 물자를 수탈하고자 군수 산업과 관련이 있는 중화학 공업과 광공업을 집중적으로 육성하였고, 원료를 구하기 쉬운 북부 지방에 대규모 공업 지대를 형성하였다.

12 일제의 물적 자원 수탈

중·일 전쟁 이후 일제는 방대한 양의 전쟁 물자를 조달하기 위해 물적 자원을 수탈하였다. 일제는 군수 물자 조달을 위해 각 가정의 놋그릇에서부터 문고리까지 대량의 금속품을 거두어 갔다. 또한 미곡 공출제와 식량 배급제를 단행하였다. 그 결과 한국인들은 생산한 곡식을 일제 당국에 헐값에 넘겨야 했고, 식량을 부족하게 배급받으며 일상적 궁핍에 시달렸다.

더 알아보기 ➕ 일제의 인적 자원 수탈

노동력 동원	국민 징용령(1939), 징용제(1944) → 한국인을 공장과 탄광 등에 동원
병력 동원	육군 특별 지원병제(1938), 징병제(1943), 학도 지원병제 (1943) → 청년, 학생들을 강제로 전쟁터에 동원
여성 동원	여자 근로 정신대(1944, 군수 공장에 동원), 일본군 '위안부' (성 노예 → 여성의 인권 유린)

13 모스크바 3국 외상 회의 결과

모스크바 3국 외상 회의에서는 미·소 공동 위원회를 설치하고, 한국인들로 구성되는 조선 임시 정부를 수립하며, 최장 5년간의 신탁 통치를 거쳐 한국을 독립시킨다는 내용이 결정되었다.

14 좌우 합작 운동

여운형과 김규식은 좌우 합작 위원회를 조직하고 좌우 합작 7원칙을 발표하였다. 그러나 좌우 합작 운동은 좌우 양측의 비협조에 부딪혀 결실을 이루지 못하였으며, 미군정도 더 이상 관심을 보이지 않았다. 1947년 5월에 재개된 제2차 미·소 공동 위원회가 다시 결렬되고 여운형마저 암살되면서 좌우 합작 운동은 중단되었다.

자료 분석 ➕

곤경에 처한 좌우 합작 운동의 모습을 나타낸 만평이다. 좌우 합작 운동을 전개한 여운형과 김규식을 극좌, 극우를 상징하는 인물이 끌어당기고 있다. 이를 통해 극좌와 극우의 방해로 어려움을 겪고 있는 좌우 합작 운동을 풍자하고 있다.

15 제헌 헌법 공포 시기

5·10 총선거로 구성된 제헌 국회에서 제헌 헌법을 제정하였으며, 제헌 헌법에 따라 국회에서 대통령 이승만과 부통령 이시영을 선출하였고, 이승만 대통령은 초대 내각을 구성하고 8월 15일 대한민국 정부 수립을 선포하였다.

16 6·25 전쟁의 전개 과정

북한군은 기습 남침으로 서울을 점령하고 낙동강까지 진출하였지만, 국군과 유엔군은 인천 상륙 작전의 성공으로 서울을 수복하고 압록강까지 진출하였다.

17 4·19 혁명

부정 선거 규탄, 마산 시위, 김주열, 이승만 정부, 비상계엄 등을 통해 대화의 주제가 4·19 혁명임을 알 수 있다. 4·19 혁명으로 이승만은 대통령직에서 물러났으며, 이후 미국으로 망명하였다. 또한 3·15 부정 선거는 무효화되었고 국회는 내각 책임제와 양원제 의회를 주요 내용으로 하는 개헌안을 통과시켰다. 새 헌법에 따라 총선거가 실시되어 장면 내각이 수립되었다.

선택지 바로 보기

① 6·29 민주화 선언이 발표되었어. (×)
→ 6월 민주 항쟁의 결과이다.
② 이승만은 대통령에서 퇴진하였어. (○)
③ 이승만 대신 전두환이 정권을 잡았어. (×)
→ 4·19 혁명으로 장면 내각이 수립되었다.
④ 이승만 정부는 유신 체제를 선언하였어. (×)
→ 유신 체제 선언은 박정희 정부 시기에 일어난 일이다.
⑤ 이승만 정부는 제헌 헌법을 공포하였어. (×)
→ 이승만은 제헌 헌법을 토대로 대통령에 당선되었다.

18 서울의 봄

제시된 자료는 1980년 서울역 앞 시위이다. 대학생과 국민들은 신군부에 맞서 비상계엄 철폐, 유신 헌법 폐지, 신군부 퇴진 등을 요구하는 민주화 운동을 벌였다.

19 김대중 정부가 한 일

김대중 정부는 외환위기를 극복하는 데 주력하여 2001년에 국제 통화 기금의 구제 금융을 모두 상환하였고, 북한의 김정일 국방 위원장과 정상 회담을 열어 한반도의 긴장을 크게 완화하였다.

20 외환위기의 문제점

외환위기로 기업의 파산이나 구조 조정 과정에서 실업자가 늘어나고, 노동 유연화라는 명목으로 비정규직 노동자가 많이 생겨났다. 또한 높아진 금리로 중소기업과 자영업자들이 사업을 접거나 운영에 어려움을 겪기도 하였다. 그 결과 재벌에 경제력이 집중되고 소득의 양극화로 빈부 격차가 심화되었다.

7일 끝!

핵심 용어 풀이

 핵심 용어 풀이 활용 안내

◈ 쉽고 재미있는 문제로 단원별 필수 어휘 익히기!

◈ 교과서에서 뽑은 예시 문장으로 내용 학습에, 개념
  학습까지 한 번 더!

핵심 용어 풀이

01 조선 총독부 | 아침 朝, 고울 鮮, 다 總, 감독할 督, 마을 府

일제가 1910년 대한 제국을 강제로 병합하고 설치한 식민 통치의 ❶ [   ]로, 조선 총독은 입법·사법·행정·군사에 관한 모든 권한을 행사함

답 ❶ 최고 기구

예1 일제는 1916년 경복궁 근정전 앞에 조선 총독부 건물을 새로 짓기 시작하였다.
예2 1921년 의열단의 김익상은 조선 총독부에 폭탄을 투척하였다.

02 헌병 경찰제 | 법 憲, 병사 兵, 깨우칠 警, 살필 察, 지을 制

일본이 무단 통치를 위하여 ❶ [   ]을 두고 일반 치안 업무 등을 맡기던 제도로, 헌병이 경찰 업무를 관할하였고 즉결 처분권을 통해 태형 등의 형벌을 가할 수 있었음

태형 틀에 엎드려 있는 사람과 헌병 경찰들 모습

답 ❶ 헌병

예1 헌병 경찰제를 통해 헌병 경찰은 독립운동 탄압, 징세 등 한국인의 모든 일상생활에 관여하였다.
예2 일제는 문화 통치를 표방하며 헌병 경찰제를 폐지하고 보통 경찰제를 시행하였다.

03 동양 척식 주식회사 | 동녘 東, 큰바다 洋, 넓힐 拓, 불릴 殖, 그루 株, 법 式, 모일 會, 모일 社

일제가 식민지 농업 경영과 일본인 이민 사업을 위해 1908년에 설립한 ❶ [   ]

답 ❶ 회사

예1 동양 척식 주식회사는 토지 조사 사업으로 조선 총독부가 차지한 토지를 넘겨받아 조선 최대의 지주가 되었다.

04 민족 분열 정책 | 백성 民, 겨레 族, 나눌 分, 찢을 裂, 정사 政, 꾀 策

일제가 식민지를 효과적으로 통치하기 위하여 친일 세력을 양성하는 등 민족 내부에 존재하는 다양한 세력을 ❶ [   ]시키려고 시도한 정책

매국노!

답 ❶ 분열

예1 일제가 표방한 문화 통치는 가혹한 식민 통치를 은폐하고, 친일 세력을 적극 양성하려는 민족 분열 정책이었다.

05 산미 증식 계획 | 생산할 産, 쌀 米, 더할 增, 불릴 殖, 셀 計, 그을 劃

1920년부터 일제가 일본 내 식량 확보를 위해 한국에서 ❶ [ ] 생산량을 늘려 일본으로 가져간 정책

(만 석)
쌀 생산량 / 일본 반출량

연도	쌀 생산량	일본 반출량
1920	1,488	189
1922	1,501	296
1924	1,321	467
1926	1,530	554
1928	1,351	670
1930	1,918	490

▲ 1920년대 쌀 생산량과 일본 반출량

답 ❶ 쌀

예1 산미 증식 계획으로 농민들은 수리 조합비와 비료 대금을 떠맡게 되었고, 지주들이 소작료를 올려 농민들의 생활은 날로 어려워졌다.

06 신흥 무관 학교 | 새 新, 일 興, 호반 武, 벼슬 官, 배울 學, 학교 校

1910년대에 남만주(서간도)의 삼원보에 신민회의 이회영, 이상룡 등이 세운 ❶ [ ] 양성 기관으로, 신흥 강습소에서 신흥 무관 학교로 개편됨

독립운동 단체 / 학교

밀산 / 북로 군정서 / 중광단 / 왕청(왕청) / 블라디보스토크 / 신리펑 / 서전서숙 명동 학교 / 옌지(연길) / 성명회 권업회 대한 광복군 정부 대한 국민 의회 / 룽징(용정) / 경학사 → 부민단 → 한족회 신흥 강습소 → 신흥 무관 학교 / 삼원보 / 간민회 / 백두산

1910년대 국외 독립운동 기지를 나타낸 지도

답 ❶ 독립군

예1 일제의 탄압으로 많은 독립운동가가 활동 근거지를 만주, 연해주 등으로 옮겨 신흥 무관 학교, 간민회, 권업회 등의 단체를 만들었다.

07 연통제 | 연이을 聯, 통할 通, 지을 制

대한민국 임시 정부가 독립운동 ❶ [ ] 과 국내 정보를 모으기 위해 설치한 비밀 행정 조직

대한민국 임시 정부가 연통제 조직과 연락을 주고받을 때 통로 역할을 한 백산 상회

답 ❶ 자금

예1 대한민국 임시 정부는 연통제와 교통국을 통해 독립운동 자금을 모았다.

08 3부 | 셋 三, 마을 府

만주의 민족 운동 세력이 조직을 정비해 성립한 참의부, 정의부, ❶ [ ] 등 세 개의 독립군 정부

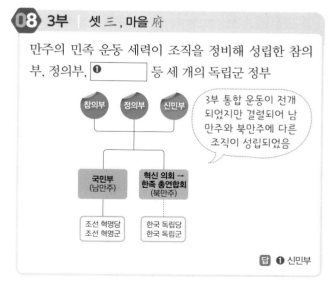

참의부 / 정의부 / 신민부

3부 통합 운동이 전개되었지만 결렬되어 남만주와 북만주에 다른 조직이 성립되었음

국민부 (남만주) / 혁신 의회 → 한족 총연합회 (북만주)

조선 혁명당 조선 혁명군 / 한국 독립당 한국 독립군

답 ❶ 신민부

예1 3부는 군사 기구인 동시에 이주민 사회를 돌보는 행정 기구의 성격을 띠었다.

핵심 용어

09 의거 | 의로울 義, 행동할 擧

정의를 위해 개인 또는 집단이 의로운 일을 도모하는 것

조선이 독립하는 그 날을 위해!

윤봉길의 상하이 의거

예1 일본 도쿄에서 일왕에게 폭탄을 던진 이봉창의 의거는 한국인의 독립 의지를 보여 주었다.
예2 중국 국민당 정부는 윤봉길의 의거를 높이 평가해 한국 독립운동 세력을 적극 지원하였다.

10 브나로드 운동 | Vnarod 옮길 運, 움직일 動

1931년부터 ❶ ⬚⬚⬚⬚ 퇴치와 미신 타파를 목표로 『동아일보』가 주축이 되어 전개한 농촌 계몽 운동

브나로드는 '민중 속으로'라는 뜻을 가진 러시아어임

답 ❶ 문맹

예1 브나로드 운동은 학생과 청년이 농촌을 찾아 글을 가르치고 생활을 개선하려는 운동이었다.
예2 1920년대 후반부터 언론사의 주도로 브나로드 운동, 문자 보급 운동 등이 전개되었다.

11 원산 총파업 | 으뜸 元, 산 山, 다 總, 마칠 罷, 일 業

1929년 일본인 감독관이 한국인 노동자를 구타한 사건을 계기로 ❶ ⬚⬚⬚⬚ 노동 연합회 산하 원산의 노동자들이 참여하여 벌인 파업

답 ❶ 원산

예1 원산 총파업은 2,000명이 넘는 노동자들이 참가한 식민지 시기 최대 규모의 노동 운동이었다.

12 근우회 | 무궁화 槿, 벗 友, 모일 會

여성의 지위 향상과 항일 구국 운동을 위하여 결성한 단체로, 1927년 ❶ ⬚⬚⬚⬚ 가 결성되자, 민족주의 계열과 사회주의 계열을 통합하여 결성됨

근우회 회지 『근우』

답 ❶ 신간회

예1 근우회는 여성 교양 강좌와 야학, 토론회를 열어 여성들을 대상으로 한 문맹 퇴치 및 계몽 활동에 힘을 쏟았다.

13 병참 기지화 정책 | 군사 兵, 역마을 站, 터 基, 땅 地, 될 化, 정사 政, 꾀 策

한국을 **❶**[ ] 수행에 필요한 군수 물자를 공급하는 병참 기지로 삼고자 일제가 실시한 정책

답 **❶** 전쟁

예1 일제는 군수 물자와 인력을 효율적으로 수탈하기 위해 병참 기지화 정책을 실시하였다.
예2 일제의 병참 기지화 정책으로 한국은 광복 이후에도 산업 간·지역 간 불균형을 겪게 되었다.

14 황국 신민 서사 | 임금 皇, 나라 國, 신하 臣, 백성 民, 맹세할 誓, 말 詞

황국 신민화 정책에 따라 일제가 **❶**[ ]을 양성한다는 목표 아래 한국인들에게 암송을 강요한 맹세

답 **❶** 황국 신민

예1 황국 신민 서사는 일왕의 신하나 백성이 되어 충성을 다하겠다고 맹세하는 것이다.
예2 일제는 모든 행사에 앞서 황국 신민 서사를 암송하도록 강요하였다.

15 창씨개명 | 비롯할 創, 성씨 氏, 고칠 改, 이름 名

일제가 한국인의 민족의식을 말살하기 위해 한국인의 성과 이름을 **❶**[ ]식으로 바꾸도록 강요한 정책

답 **❶** 일본

예1 일제는 한국인에게 창씨개명을 강요하여 이를 따르지 않는 사람들은 식량 배급을 받지 못하였고 자녀를 학교에 보내지 못하는 등 차별을 받았다.

16 한국광복군 | 한국 韓, 나라 國, 빛 光, 회복할 復, 군사 軍

1940년에 **❶**[ ]가 중국 국민당 정부와 교섭하여 지청천을 총사령관으로 하여 창설한 군대

답 **❶** 대한민국 임시 정부

예1 대한민국 임시 정부는 영국군의 요청에 따라 인도·미얀마 전선에 한국광복군 대원을 파견하였다.

17 냉전 | 찰 冷 , 싸움 戰

자본주의와 ❶ [   ] 진영 사이에 직접적인 무력 충돌은 없지만, 정치적·경제적·외교적·군사적 대립이 큰 상태를 말함

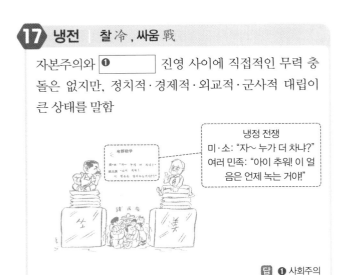

냉정 전쟁
미·소: "자~ 누가 더 차냐?"
여러 민족: "아이 추워! 이 얼음은 언제 녹는 거야!"

답 ❶ 사회주의

예1 냉전은 한반도에도 큰 영향을 미쳐 제2차 미·소 공동 위원회는 미·소 양국의 대립으로 다시 결렬되었다.

18 신탁 통치 | 맡길 信 , 의탁할 託 , 거느릴 痛 , 다스릴 治

유엔의 위임을 받은 나라가 아직 ❶ [   ] 능력이 없는 지역을 일정 기간 동안 통치하는 것

모스크바 3국 외상 회의 결정 지지!

신탁통치 반대!

대립

답 ❶ 자치

예1 모스크바 3국 외상 회의에서 한반도에서 신탁 통치를 실시할 것이 결정되었고, 회의 결정을 둘러싸고 좌익과 우익의 대립이 심화되었다.

19 좌우 합작 운동 | 왼쪽 左 , 오른쪽 右 , 합할 合 , 만들 作 , 옮길 運 , 움직일 動

여운형, 김규식 등이 좌익 세력과 우익 세력을 아우른 ❶ [   ] 정부 수립을 목적으로 하여 전개한 운동

좌우
합타

극좌

극우

여운형   김규식

답 ❶ 통일

예1 좌우 대립이 심해지자 여운형과 김규식은 좌우 합작 운동에 나서 민족적 단결을 도모하고 미·소 공동 위원회를 재개하고자 하였다.

20 남북 협상 | 남녘 南 , 북녘 北 , 화합할 協 , 장사 商

통일 정부 수립을 위해 1948년 ❶ [   ] 에서 김구, 김규식 등 남쪽의 일부 정치가와 북쪽 대표자 사이에 열린 정치적 회합

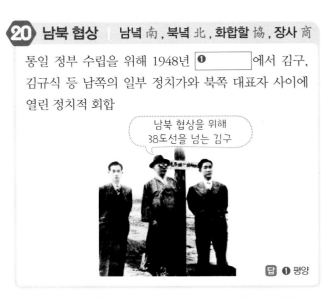

남북 협상을 위해 38도선을 넘는 김구

답 ❶ 평양

예1 남북 협상은 민족 자주의 입장에서 통일 정부를 수립한다는 원칙을 세웠지만, 실제로 남북 분단을 막기에는 역부족이었다.

21 제헌 국회 | 지을 制, 법 憲, 나라 國, 모일 會

우리나라 초대 국회로, ❶ [   ]을 만드는 임무를 갖고 구성되어 제헌 국회로 불림

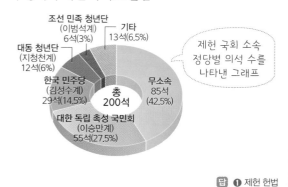

조선 민족 청년단
(이범석계)
6석(3%)

대동 청년단
(지청천계)
12석(6%)

기타
13석(6.5%)

한국 민주당
(김성수계)
29석(14.5%)

총
200석

무소속
85석
(42.5%)

대한 독립 촉성 국민회
(이승만계)
55석(27.5%)

제헌 국회 소속 정당별 의석 수를 나타낸 그래프

답 ❶ 제헌 헌법

예1 5·10 총선거를 통해 구성된 제헌 국회는 대한민국 임시 정부를 계승한다는 의미에서 국호를 대한민국으로 결정하였다.

22 반민족 행위 특별 조사 위원회(반민 특위)
돌이킬 反, 백성 民, 겨레 族, 다닐 行, 할 為

제헌 국회가 반민족 행위 처벌법을 제정한 뒤 구성한 단체로, ❶ [   ] 행위를 일삼았던 사람들을 조사함

김연수   최린

반민 특위에 체포된 친일파들

답 ❶ 반민족(친일)

예1 반민족 행위 특별 조사 위원회는 이승만 정부의 소극적인 태도와 친일 세력의 방해 등으로 큰 성과를 거두지 못하였다.

23 정전 협정 | 머무를 停, 싸움 戰, 화합할 協, 정할 定

교전 중에 있는 양방이 일시적으로 전투를 중단하기로 합의하여 맺은 협정으로, 6·25 전쟁 당시 1953년에 ❶ [   ]과 북한군·중국군 사이에 정전 협정이 체결되었음

답 ❶ 유엔군

예1 이승만 정부는 북진 통일을 주장하며 정전 협정에 불참하였다.

예2 판문점은 정전 협정이 체결된 뒤 한반도의 분단을 상징하는 장소가 되었다.

24 사사오입 개헌 | 넷 四, 버릴 捨, 다섯 五, 들 入, 고칠 改, 법 憲

자유당과 ❶ [   ] 대통령이 중임 제한을 철폐하기 위해 사사오입(반올림)의 논리를 적용시켜 강행한 헌법 개정

답 ❶ 이승만

예1 자유당과 이승만 대통령은 영구 집권을 위해 억지 논리를 펼쳐 초대 대통령에 한해 중임 제한을 철폐한다는 사사오입 개헌을 강행하였다.

25 통일 주체 국민 회의 | 거느릴 統, 한 一, 주인 主, 몸 體, 나라 國, 백성 民, 모일 會, 의논할 議

유신 헌법에 따라 구성된 기구로, 국민의 직접 선거로 선출된 총 2,300여 명의 대의원으로 구성되었으며 **❶** ☐ 이 의장을 겸하였음

답 ❶ 대통령

예1 유신 헌법으로 통일 주체 국민 회의에서 간접 선거로 대통령을 선출하게 하여 박정희의 영구 집권이 가능해졌다.

26 비상계엄 | 아닐 非, 일정할 常, 경계할 戒, 엄할 嚴

전쟁, 반란, 또는 이에 준하는 국가 비상사태의 발생 시 일정 지역의 행정권과 사법권을 **❶** ☐ 이 맡아 다스리도록 하는 것

답 ❶ 군

예1 10·26 사태 직후 신군부는 비상계엄을 선포하였다.
예2 1980년 5월 18일 광주에서는 비상계엄 확대와 휴교령에 반대하는 시위가 일어났다.

27 3저 호황 | 셋 三, 낮을 低, 좋을 好, 상황 況

1980년대 중반 전 세계적으로 나타난 저유가·저달러·**❶** ☐ 현상으로, 한국 경제도 3저 호황에 힘입어 무역 수지 흑자를 기록하는 등 지속적인 경제 성장을 함

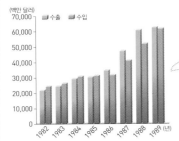

수출입액 추이를 나타낸 그래프로, 3저 호황으로 1980년대 중반 이후 무역 수지 흑자를 달성함

답 ❶ 저금리

예1 3저 호황으로 한국 경제는 자동차, 반도체 등 기술 집약 산업이 성장하였다.
예2 세계적인 3저 호황으로 한국 경제의 위기는 표면화되지 않았다.

28 4·13 호헌 조치 | 도울 護, 법 憲, 둘 措, 둘 置

1987년 4월 13일 **❶** ☐ 정부가 국민들의 민주화 요구를 거부하고 일체의 개헌 논의를 중단시킨 조치

국론을 분열시키고 국력을 낭비하는 소모적인 개헌 논의를 지양할 것을 선언합니다.

답 ❶ 전두환

예1 전두환은 4·13 호헌 조치를 통해 현행 헌법에 따라 선거 인단을 통한 간선제로 대통령을 선출할 것을 선언하였다.
예2 각계각층에서 4·13 호헌 조치를 규탄하고 민주화를 요구하는 움직임이 확산되었다.

핵심개념 01 1910년대 일제의 통치와 경제 침탈

1. **1910년대 일제의 무단 통치**: 조선 총독부 설치, 헌병 경찰 제도, 언론·출판·집회·결사의 자유 박탈, 관리와 교사도 제복을 입고 칼을 차게 함, 제1차 교육령 실시 등

▲ 칼을 찬 교사들의 모습

2. **1910년대 일제의 경제 침탈**

토지 조사 사업	· 식민 통치에 필요한 재정 확보와 일본인의 손쉬운 토지 소유 기반 마련을 위함 · ❶ ▢▢▢▢▢ 방식으로 진행
회사령 실시 (허가제)	· 한국인의 기업 설립을 억제하기 위함 · 회사 설립에 총독의 허가 필요

답 ❶ 신고주의

핵심개념 02 1920년대 일제의 통치와 경제 침탈

1. **1920년대 일제의 민족 분열 통치(문화 통치)**
(1) 배경과 목적: 3·1 운동을 계기로 무단 통치의 한계를 인식해 문화 통치를 표방하였지만, 실상은 가혹한 식민 통치를 은폐하고 ❶ ▢▢▢ 세력을 양성하기 위해 실시
(2) 내용: 보통 경찰제 시행, 경찰 관서와 인원·비용 증가, 치안 유지법 실시, 제2차 조선 교육령 공포 등

2. **1920년대 일제의 경제 침탈**

산미 증식 계획	· 일본에서 부족한 쌀을 한국에서 확보하기 위해 실시 · 품종 개량, 수리 시설 확충, 화학 비료 사용 등을 통해 쌀 생산량을 늘려 일본으로 반출
회사령 철폐	· 회사 설립을 신고제로 전환 · 일본 자본과 기업의 자유로운 한국 진출이 가능하게 되어 한국인 기업 타격

답 ❶ 친일

핵심개념 03 3·1 운동

1. **배경**: ❶ ▢▢▢ 의 민족 자결주의, 도쿄 유학생들의 2·8 독립 선언 발표 등
2. **전개**: 독립 선언서 발표 및 만세 시위 전개 → 시위 확산(도시 → 농촌 → 국외) → 일제의 탄압(헌병 경찰과 군대 동원, 제암리 학살 사건 발생)
3. **의의와 영향**: 모든 계층이 참여한 최대 규모의 민족 운동, 일제의 통치 방식 변화, 대한민국 임시 정부 수립 등

학생·지식인 20.8(%) 1,776(명)
노동자 3.9(%) 328(명)
무직자 3.1(%) 264(명)
상공업자 13.8(%) 1,174(명)
농민 58.4(%) 4,969(명)
8,511명 (3월 1일~5월 31일)

◀ 3·1 운동에 거의 모든 계층이 참여하였음을 보여 주는 3·1 운동 수감자의 계층별 분포

답 ❶ 윌슨

핵심개념 04 대한민국 임시 정부

1. **수립**: 여러 임시 정부를 통합해 상하이에 수립한 최초의 민주 공화제 정부
2. **활동**: 연통제와 교통국 조직, 자금 모금(독립 공채 발행, 의연금 모금), 군무부 설치, 파리 강화 회의에 독립 청원서 제출, 구미 위원부 설치, ❶ ▢▢▢ 발간 등

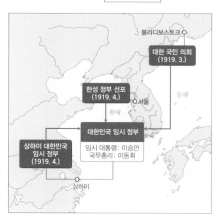

블라디보스토크
대한 국민 의회 (1919. 3.)
한성 정부 선포 (1919. 4.) 서울
대한민국 임시 정부 임시 대통령: 이승만 국무총리: 이동휘
상하이 대한민국 임시 정부 (1919. 4.) 상하이
황해 동해

▲ 임시 정부의 통합

답 ❶ 「독립신문」

02

예제 다음과 같은 현상이 발생하게 된 정책으로 옳은 것은?

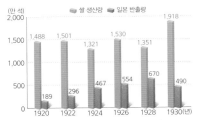

▲ 1920년대 쌀 생산량과 일본 반출량

① 회사령을 실시하였다.
② 창씨개명을 강요하였다.
③ 궁성 요배를 강요하였다.
④ 토지 조사 사업을 실시하였다.
⑤ 산미 증식 계획을 실시하였다.

답 ⑤

★기억해요!

1920년대 일제는 일본에서 부족한 쌀을 한국에서 확보하기
위해 □□□을 실시하였다.　　　　答 산미 증식 계획

01

예제 다음 법령이 시행된 시기에 대한 설명으로 옳은 것은?

조선 태형령

제1조 3개월 이하의 징역 또는 구류에 처하여야
할 자는 그 상황에 따라 태형에 처할 수
있다.
제13조 본령은 조선인에 한하여 적용한다.

① 강화도 조약이 체결되었다.
② 5·10 총선거가 실시되었다.
③ 일제는 신사 참배를 강요하였다.
④ 모스크바 3국 외상 회의가 열렸다.
⑤ 일제는 교사들도 제복을 입고 칼을 차게 하였다.

답 ⑤

★기억해요!

1910년대 일제는 헌병 경찰이 즉결 처분권을 통해 한국인에
게 태형을 가하는 등 □□ 통치를 실시하였다.　答 무단

04

예제 (가)의 활동 내용으로 옳은 것은?

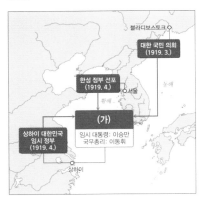

① 연통제 조직　　　② 을미개혁 실시
③ 갑신정변 주도　　　④ 헤이그 특사 파견
⑤ 『대한매일신보』 발간

답 ①

★기억해요!

대한민국 임시 정부는 비밀 행정 조직으로 □□□를 조직하
고 교통 기관으로 교통국을 두었다.　　　答 연통제

03

예제 3·1 운동 수감자의 계층별 분포를 나타낸 다음 자료를
통해 알 수 있는 3·1 운동에 대한 설명으로 적절한 것은?

① 지식인층만 참여하였다.
② 농촌과 국외로 확산되지 못하였다.
③ 대한민국 임시 정부가 주도하였다.
④ 일본에 의해 평화적으로 진압되었다.
⑤ 거의 모든 계층이 참여한 민족 운동이었다.

답 ⑤

★기억해요!

1919년에 일어난 □□□□은 거의 모든 계층이 참여한 최대
규모의 민족 운동이다.　　　　答 3·1 운동

부록 핵심 정리 총집합

핵심개념 05 무장 투쟁과 의열 투쟁

1. **무장 투쟁**: 독립군 부대의 활약(봉오동 전투와 청산리 대첩) → 독립군의 시련(간도 참변, 자유시 참변) → 만주의 독립 운동 세력이 조직 정비를 하여 3부 성립(참의부, 정의부, 신민부) → 미쓰야 협정으로 독립군 활동 위축 → 3부 통합 운동 (국민부와 혁신 의회로 재편)

2. **의열 투쟁**

(1) 의열단: 김원봉의 주도로 결성하였으며, 조선 총독부, 종로 경찰서, 동양 척식 주식회사 등에 폭탄을 투척함

(2) 한인 애국단: 대한민국 임시 정부의 침체를 극복하고자 김구가 결성하였으며, ❶ [   ]은 도쿄에서 일왕에게 폭탄을 투척하였고, 윤봉길은 상하이 훙커우 공원에서 폭탄을 투척함

▲ 김구와 윤봉길

답 ❶ 이봉창

핵심개념 06 실력 양성 운동

물산 장려 운동	· 조만식 등이 조선 물산 장려회 조직 · 민족 산업의 보호와 육성을 통한 민족의 경제적 실력 양성을 위함 · 토산품 애용, 근검저축, 금주, 단연 등을 주장
민립 대학 설립 운동	· 식민지 교육의 한계를 극복하고 고등 교육 기관 설립을 통한 민족의 실력 양성 도모 · 이상재, 이승훈 등이 조선 민립 대학 기성회를 조직해 모금 운동 전개
농촌 계몽 운동	언론사의 주도로 ❶ [ ] 보급 운동과 브나로드 운동 전개

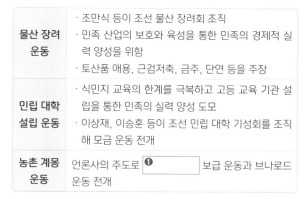

▲ 경성 방직 주식회사의 토산품 애용 선전 광고

답 ❶ 문자

핵심개념 07 학생 항일 운동과 신간회

1. **학생 항일 운동**

6·10 만세 운동	· 순종의 장례일에 학생 단체를 중심으로 만세 시위 전개 · 민족 운동의 주체로 학생의 역할 증대
광주 학생 항일 운동	· 광주 지역의 학생들이 민족 차별 중지와 ❶ [ ] 교육 철폐 등을 내세우며 시위 전개 → 전국으로 확산 · 3·1 운동 이후 최대 규모의 항일 민족 운동

2. **신간회**

결성	비타협적 민족주의 세력과 ❷ [ ] 세력이 연합하여 결성
활동	전국 순회강연을 통해 일제 통치 정책 비판, 농민·노동 운동 지원, 원산 총파업 지원, 광주 학생 항일 운동이 발생하자 현지에 진상 조사단 파견 등

답 ❶ 식민지 ❷ 사회주의

핵심개념 08 전시 동원 체제와 민족 말살 통치

1. **전시 동원 체제**

병참 기지화 정책	❶ [ ] 공업화 정책, 남면북양 정책 실시 등
물적·인적 자원 수탈	· 국가 총동원법 제정 · 물적 자원 수탈: 금속·미곡 공출 등 · 인적 자원 수탈: 노동자(국민 징용령), 군인(징병제), 여성(일본군 '위안부') 등

2. **민족 말살 통치**

황국 신민화 정책	· 한국인을 전쟁에 효율적으로 동원하기 위함 · '황국 신민 서사' 강제 암송, 창씨개명 강요, 신사 참배 의무화, 궁성 요배 강요, 초등 교육 기관 명칭을 국민학교로 개칭 등
교육·사상 통제	한국어·❷ [ ] 과목 폐지, 『동아일보』·『조선일보』 폐간 등

답 ❶ 식민지 ❷ 한국사

예제 다음의 취지서가 나타내는 민족 운동으로 옳은 것은?

> 부자와 빈자를 막론하고 우리가 우리 손에 산업의 권리 생활 제일 조건을 장악하지 아니하면, 우리는 도저히 우리의 생명, 인격, 사회의 발전을 기대하지 못할 것이다. 우리는 이와 같은 견지에서 우리 조선 사람의 물산을 장려하기 위하여, 첫째 조선 사람은 조선 사람이 지은 것을 사 쓰고, 둘째 조선 사람은 단결하여 그 쓰는 물건을 스스로 제작하여 공급하기를 목적하노라.

① 새마을 운동　　② 물산 장려 운동
③ 브나로드 운동　　④ 동학 농민 운동
⑤ 민립 대학 설립 운동

답 ②

★기억해요!

평양에서 조만식 등은 　　　을 전개하여 토산품 애용, 근검 저축, 단연 등을 주장하였다.　　　답 물산 장려 운동

예제 다음에서 설명하는 단체의 활동으로 옳은 것은?

> · 3 · 1 운동 이후 만주에서 김원봉 등이 주도하여 의열 투쟁을 위해 결성하였다.
> · 신채호의 「조선 혁명 선언」에 단체의 기본 정신이 잘 나타나 있다.

① 집강소를 설치하였다.
② 별기군을 조직하였다.
③ 국채 보상 운동을 주도하였다.
④ 조선 총독부, 종로 경찰서, 동양 척식 주식회사 등에 폭탄을 투척하였다.
⑤ 상하이 사변의 승리를 축하하는 기념식이 열리던 훙커우 공원에서 폭탄을 던졌다.

답 ④

★기억해요!

김원봉이 주도해 조직한 　　　은 일제의 식민 통치 기관을 파괴하고 침략 원흉을 응징하고자 하였다.　　답 의열단

예제 다음 대화와 가장 관련 있는 일제의 정책으로 옳은 것은?

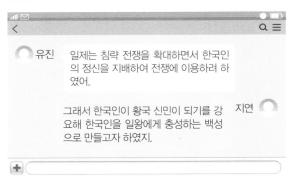

유진 일제는 침략 전쟁을 확대하면서 한국인의 정신을 지배하여 전쟁에 이용하려 하였어.

지연 그래서 한국인이 황국 신민이 되기를 강요해 한국인을 일왕에게 충성하는 백성으로 만들고자 하였지.

① 태형령　　② 회사령 폐지
③ 식량 배급제　　④ 헌병 경찰제
⑤ 창씨개명 강요

답 ⑤

★기억해요!

일제는 　　　 정책을 실시해 한국인을 일왕에게 충성하는 백성으로 만들고자 하였다.　　답 황국 신민화

예제 (가)의 의의로 가장 적절한 것은?

(가) 은/는 순종의 장례일에 벌어졌어.

학생들의 주도로 시위가 전개되었지.

① 상공업 진흥에 힘썼다.
② 근대 교육을 보급하게 되었다.
③ 민족 자본을 육성하게 되었다.
④ 일제 통치 방식이 문화 통치로 전환되었다.
⑤ 민족 운동의 주체로 학생의 역할이 커졌다.

답 ⑤

★기억해요!

6 · 10 만세 운동은 순종의 장례일에 　　　들이 주도하여 전개한 민족 운동이다.　　답 학생

핵심개념 09 통일 정부 수립을 위한 노력

1. **모스크바 3국 외상 회의:** 회의에서 미·소 공동 위원회 개최, 미·소·영·중 4개국에 의한 최대 5년간의 **❶ ▭▭▭▭** 결정 → 신탁 통치를 둘러싸고 국내 좌우 대립 극렬

2. **제1차 미·소 공동 위원회:** 미·소 대립으로 결렬

3. **정읍 발언:** 이승만이 **❷ ▭▭▭▭** 만의 단독 정부 수립을 주장

4. **좌우 합작 운동:** 여운형, 김규식을 중심으로 전개 → 좌우 대립 심화, 여운형 암살 등으로 중단

5. **제2차 미·소 공동 위원회:** 미·소의 대립으로 결렬 → 미국이 한반도 문제를 유엔에 이관

6. **유엔의 결정:** 유엔 총회에서 유엔 감시하의 남북한 총선거를 결정 → 소련의 유엔 한국 임시 위원단 입북 거부 → 유엔 소총회, 남한 단독 총선거 결정

답 ❶ 신탁 통치 ❷ 남한(남쪽)

핵심개념 10 대한민국 정부 수립과 과제

5·10 총선거	직접·평등·비밀·보통 선거 원칙에 따라 실시된 우리나라 최초의 민주 선거
제헌 헌법 제정	· 제헌 국회가 제헌 헌법을 공포 · 주요 내용: 국호 '대한민국', 민주 공화제 정부, 대통령 중심제, 대통령 간선제 선거 등 조선 민족 청년단 (이범석계) 6석(3%) / 기타 13석(6.5%) / 대동 청년단 (지청천계) 12석(6%) / 한국 민주당 (김성수계) 29석(14.5%) / 무소속 85석(42.5%) / 대한 독립 촉성 국민회 (이승만계) 55석(27.5%) / 총 200석 ▲ 제헌 국회의 정당별 의석 수
대한민국 정부 수립	제헌 헌법에 따라 대통령 이승만, 부통령 이시영 선출 → 이승만, 초대 내각 구성 후 대한민국 정부 수립 선포 → **❶ ▭▭▭▭** 승인

답 ❶ 유엔

핵심개념 11 6·25 전쟁

1. **배경:** **❶ ▭▭▭▭** 과 중국의 대북 군사 지원 약속 등

2. **발발:** 북한군의 기습 남침으로 시작됨

3. **피해와 영향:** 수백만 명의 사상자, 전쟁고아와 이산가족 발생, 국가 기반 시설 파괴, 남북 분단 고착화, 이념 대립 심화 등

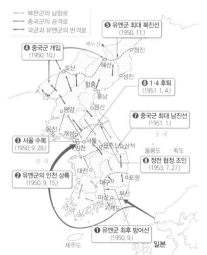

▲ 6·25 전쟁의 경과

답 ❶ 소련

핵심개념 12 4·19 혁명

1. **원인:** **❶ ▭▭▭▭** 정부의 독재와 부정부패, 3·15 부정 선거

2. **과정과 결과:** 마산 등에서 부정 선거 규탄 시위 → 마산 앞바다에서 김주열의 시신 발견 → 마산 시민과 학생들의 시위 → 서울 등 대도시에서 대규모 시위 → 비상계엄령 선포 → 대학 교수단의 시국 선언 → 이승만 대통령 퇴진 → 헌법 개정(내각 책임제와 양원제 국회)

3. **의의:** 부패한 독재 정권을 학생들이 주도하고 시민들이 참여해 무너뜨린 민주주의 혁명

답 ❶ 이승만

10

예제 밑줄 친 '제헌 헌법'의 내용에 대한 설명으로 옳은 것은?

이것은 1948년 7월 17일 제헌 헌법 공포를 기념하는 우표입니다.

① 사회주의 정부
② 민주 공화제 정부
③ 국무총리 중심제
④ 금융 실명제 실시
⑤ 대통령 직선제 선거

답 ②

★기억해요!

제헌 헌법에 따라 제헌 국회에서는 대통령 [　　　]과 부통령 이시영을 선출하였다.

답 이승만

09

예제 (가) 회의에서 결정된 내용으로 옳은 것은?

○○신문　　　　　　　　　　　　○○○○년 ○○월 ○○일

(가) 결정에 대한 찬반 논쟁 격화

　　우익 세력은 신탁 통치가 한국의 독립을 부인하는 것이라며 신탁 통치 반대 운동에 나섰지만, 좌익 세력은 회의의 결정이 한국의 민주적 개혁과 조선 임시 정부 수립, 5년 이내의 독립을 보장하고 있다며 회의 결과를 지지하고 있다.

① 과거제 폐지
② 정전 협정 조인
③ 5·10 총선거 실시
④ 좌우 합작 운동 실시
⑤ 미·소 공동 위원회 개최

답 ⑤

★기억해요!

[　　　] 3국 외상 회의에서는 4개국에 의한 최대 5년간의 신탁 통치가 결정되었다.

답 모스크바

12

예제 다음 사건의 영향으로 일어난 일로 적절한 것은?

　　마산 앞바다에 왼쪽 눈에 최루탄이 박힌 시체가 떠올랐다. 이 시체는 마산 시위 도중 실종되었던 마산 상고 1학년생인 김주열 군으로 밝혀졌다. 이에 분노한 시민들은 책임자 처벌과 부정 선거 무효 등을 주장하는 시위에 돌입하였다.

① 좌우 합작 운동이 일어났다.
② 이승만 대통령이 하야했다.
③ 12·12 군사 반란이 일어났다.
④ 3·15 부정 선거가 실시되었다.
⑤ 광주 학생 항일 운동이 일어났다.

답 ②

★기억해요!

3·15 부정 선거, 이승만의 독재와 부정부패 등이 원인이 되어 [　　　]이 일어났다.

답 4·19 혁명

11

예제 〈보기〉는 6·25 전쟁의 전개 과정이다. 전개된 순서대로 나열한 것은?

● 보기 ●

ㄱ. 정전 협정이 체결되었다.
ㄴ. 북한군의 기습 남침으로 서울이 함락되었다.
ㄷ. 국군과 유엔군의 인천 상륙 작전이 성공하여 압록강 유역까지 진격하였다.
ㄹ. 중국군이 개입하여 국군과 유엔군은 서울을 빼앗기고 평택 인근까지 후퇴하였다.

① ㄱ → ㄴ → ㄷ → ㄹ
② ㄴ → ㄱ → ㄷ → ㄹ
③ ㄴ → ㄷ → ㄹ → ㄱ
④ ㄷ → ㄴ → ㄱ → ㄹ
⑤ ㄷ → ㄴ → ㄹ → ㄱ

답 ③

★기억해요!

6·25 전쟁은 1950년 북한이 전면적인 남침을 강행하여 발발하였고, 1953년에 [　　　] 협정이 체결되었다.

답 정전

자르는 선

핵심개념 13 5·16 군사 정변과 박정희 정부

1. **5·16 군사 정변 및 박정희 정부 수립:** ❶ [　　　]를 비롯한 일부 군부 세력의 쿠데타 → 계엄 선포 → 국가 재건 최고 회의를 통해 군정 실시 → 민주 공화당 창당→ 대통령 직선제로 헌법 개정 → 박정희 대통령 당선

2. **유신 체제의 성립과 붕괴**

성립	비상계엄 선포 → 국회 해산, 일부 헌법 조항 효력 정지 → ❷ [　　　] 헌법 제정
내용	장기 독재(대통령 임기 6년, 대통령 중임 횟수 제한 철폐, 통일 주체 국민 회의에서 간접 선거로 대통령 선출), 대통령 권한 강화(대통령이 국회 의원의 1/3 추천) 등
저항 및 붕괴	부·마 민주화 운동 등을 통해 유신 체제에 저항 → 박정희 피살(10·26 사태)

답 ❶ 박정희 ❷ 유신

핵심개념 14 신군부의 등장과 5·18 민주화 운동

1. **12·12 군사 반란:** 전두환, 노태우 등의 신군부가 쿠데타로 정권 장악

2. **서울의 봄:** 1980년 봄부터 학생과 시민들이 계엄 해제, 신군부 퇴진, 민주화 이행을 요구하며 시위

3. **5·18 민주화 운동**

과정	광주 학생들의 비상계엄 확대와 휴교령 반대 시위 → 신군부의 공수 부대 투입 → 시민 합류로 시위 확산 → 계엄군의 무차별 발포 → 시민군 조직과 저항 → 시민군의 평화 협상 요구 → 계엄군의 무력 진압 
의의	1980년대 ❶ [　　　]의 밑거름이 되었음

답 ❶ 민주화 운동

핵심개념 15 6월 민주 항쟁과 민주주의의 진전

1. **6월 민주 항쟁**

과정	대통령 직선제를 요구하는 개헌 청원 1천만 명 서명 운동 전개 → 전두환, 4·13 호헌 조치 발표 → ❶ [　　　] 고문치사 사건 축소·은폐 시도 발각 → 민주화 시위 확산 → 이한열, 최루탄 피격 → 범국민적 민주화 운동
결과	6·29 민주화 선언 발표

2. **민주주의의 진전**

(1) 노태우 정부: 3당 합당, 88 ❷ [　　　] 올림픽 개최
(2) 김영삼 정부: 금융 실명제, 지방 자치제 전면 실시
(3) 김대중 정부: 외환위기 극복, 첫 번째 여야 정권 교체
(4) 노무현 정부: 개성 공단 가동, 과거사 정리 사업 추진
(5) 이명박 정부: 두 번째 여야 정권 교체 성사
(6) 박근혜 정부: 국정 농단 의혹으로 파면 결정
(7) 문재인 정부: 세 번째 여야 정권 교체 성사

답 ❶ 박종철 ❷ 서울

핵심개념 16 남북 화해를 위한 노력

7·4 남북 공동 성명	분단 이후 첫 통일 원칙 확인(자주·평화·민족적 대단결)
남북 기본 합의서	남북 사이의 화해와 불가침 및 교류·협력에 관한 합의
6·15 남북 공동 선언	· 제1차 남북 정상 회담 결과 발표 · 이산가족 문제 해결 등에 합의
10·4 남북 정상 선언	· 제2차 남북 정상 회담 결과 발표 · ❶ [　　　] 정부의 대북 정책 계승
4·27 판문점 선언	· 남북 대화 재개 노력 · 제3차 남북 정상 회담 결과 발표

▲ 7·4 남북 공동 성명 발표(1972)

▲ 제1차 남북 정상 회담을 위해 만난 김대중 대통령과 김정일 국방 위원장 (2000)

답 ❶ 김대중

14

예제 5·18 민주화 운동에 대한 설명 중 옳지 않은 것은?

(가) 1980년 5월 18일, 광주에서는 비상계엄 확대와 휴교령에 반대하는 시위가 일어났다. (나) 신군부는 공수 부대를 투입해 학생들을 무자비하게 진압하였고, (다) 이에 분노한 시민이 합류하였다. (라) 시민들은 시민군을 조직해 계엄군에 맞섰다. (마) 전두환 정부는 결국 시민군의 요구를 수용하겠다고 선언하였다.

① (가) ② (나) ③ (다) ④ (라) ⑤ (마)

답 ⑤

★기억해요!

5·18 민주화 운동 당시 계엄군의 무자비한 진압에 맞서 시위 대들은 ☐☐☐을 조직해 계엄군에 맞섰다. 답 시민군

13

예제 밑줄 친 곳에 들어갈 내용으로 적절한 것은?

 박정희 정부는 국가 안보와 경제 성장을 명분으로 유신 헌법을 공포하였어.

 유신 헌법으로 인해 _____ 그래서 이에 반대하는 운동이 전개되었어.

① 국회의 권한이 막강해졌어.
② 대통령의 권한이 약화되었어.
③ 언론과 출판의 자유가 보장되었어.
④ 박정희의 장기 독재가 가능해졌어.
⑤ 통일 주체 국민 회의가 폐지되었어.

답 ④

★기억해요!

1972년에 공포된 ☐☐☐☐으로 대통령의 권한이 강화되었고 박정희의 장기 독재가 가능해졌다. 답 유신 헌법

16

예제 다음 밑줄 친 '선언'으로 옳은 것은?

2000년 6월 김대중 대통령이 평양을 방문하여 제1차 남북 정상 회담을 갖고 선언을 발표하였다.

① 남북 기본 합의서
② 4·27 판문점 선언
③ 7·4 남북 공동 성명
④ 6·15 남북 공동 선언
⑤ 10·4 남북 정상 선언

답 ④

★기억해요!

6·15 남북 공동 선언은 제1차 ☐☐☐☐☐의 결과로 발표되었다.
답 남북 정상 회담

15

예제 (가), (나) 때 있었던 일로 옳은 것은?

6·29 민주화 선언이 발표된 이후 수립된 정권
노태우 정부 → [(가)] → 김대중 정부 → [(나)] → 이명박 정부 → 박근혜 정부 → 문재인 정부

① (가) – 3당 합당,   (나) – 6월 민주 항쟁
② (가) – 6월 민주 항쟁,   (나) – 3당 합당
③ (가) – 금융 실명제 실시, (나) – 3당 합당
④ (가) – 개성 공단 가동,   (나) – 금융 실명제 실시
⑤ (가) – 금융 실명제 실시, (나) – 개성 공단 가동

답 ⑤

★기억해요!

6월 민주 항쟁으로 5년 단임의 대통령 ☐☐☐ 개헌이 이루어졌고 이에 따라 대통령 선거가 실시되었다. 답 직선제

자르는 선